JN004040

初めて語られた

科学と生命と言語の秘密

松岡正剛　津田一郎

文春新書

1430

文系センスと理系思考の爆発

話者のひとりはカオス理論の確立者にして、複雑系科学の第一人者の数学者、物理学者の津田一郎。またひとりは、「編集工学」を掲げ、情報を生む世界観を追究してきた博覧強記の松岡正剛。一九八〇年代初頭、新しい生命科学と数学が生まれつつある胎動に胸躍らせていた松岡氏は、津田氏と出会い、科学に物語性を接続するその才に接して心打たれたという。

それから数十年。ChatGPTをはじめとするＡＩや情報技術の進展、ゲノム解析を含む分子生物学や脳科学研究の進化により、「生命と情報」をめぐるボキャブラリーは増え、その起源や原理の解明への道筋は遥かに整いつつあるように見える。それでもまだ、何かが足りない。文系と理系は分かたれ、言語の秘密も明かされないままだ。これまで科学は何を解き明かしてきたのか。はたして、この世に生命の統一原理はあるのか？　ヒトの意識と自己の行方は――。

湯川秀樹、南部陽一郎らとも科学の最先端をめぐって議論を交わし、「読む」と「書く」を通じて人文知と科学の知を架橋してきた松岡氏が、その「言葉」で、「科学」の諸ジャンルに通じた津田氏に丁々発止の質問を投げかける。切っ先鋭くもユーモア交え、「科学と生命と言語の秘密」に迫りゆく（ときに謎が深まりゆく）スリリングな対話がここに開幕。

（本書は語り下ろしです）

初めて語られた科学と生命と言語の秘密　目次

文系センスと理系思考の爆発　2

第1章　カオスと複雑系の時代で　7

理科的思考の来し方と行方／二人の出会い／新しい世界観を提示したカオス理論／線形数学から非線形数学へ／カオス的脳観／神の全知全能に代わるものを探して／新しい生命原理の胎動／空白を満たしてくれた出会い／「読む」から「書く」へ／科学の「書く」は時間がかかる

第2章　「情報」の起源　41

「情報」の起源を考える／「場所を取る」ということ／われわれの時間感覚を考える／カルノー・サイクルの話／「時間」の始まり／生命の条件をめぐる「分化」を考える／情報が先か、部品が先か／「情報」の起源はAI化できるのか?／「幅のある時間」

第3章　編集という方法　67

編集という方法／なぜ「編集工学」なのか／編集装置を用意する／「膜の発見」／

「偶有性」を持たせる／見えないものを見る　代数の発明／同定と区別が代数に／代数とトートロジー／数学はなぜ論理を必要としたのか／身体運動と数学的思考

第4章　生命の物語を科学する　103

「物語る」とは何か／科学にも物語性はあるか／解釈できる構造／デヴィッド・マーとの出会い／変分問題の衝撃／神か、デーモンか／生命の統一原理は書けるのか／拘束条件とは　エピジェネティック・ランドスケープ／拘束条件と進化／いい初期値を選んだ者だけが生き残る／エルゴード問題と偶有性

第5章　脳と情報　141

脳と「情報の編集」／学習とはニューロンの結合が変わること／電気信号と化学信号／神経系に「分子言語」はあるのか／「閾値」をどう決めているか／キナーゼとホスフォターゼ　「自己他者言及的」な反応／閾値と文学／酵素にはデーモンが入っている／酵素は編集子

第6章　言語の秘密／科学の謎　173

人類が提出した世界観をふりかえる／「言語」を考える／「言語の起源」の謎／

タンパク質と言語の情報コーディング／言語とタンパク質の「選択原理」／
思考するリバース・エンジニアリング／因果はどこから生まれるのか／
観測者とは何か／「定常的な自己」はなぜ可能なのか／「心」と「言語」は似ている／
声と文字の関係／ノイズや「破れ目」が意味を生成する

第7章 「見えないもの」の数学 219

高次の美しさ、非線形的な世界／ローレンツの世界観／「まだ見えないもの」を編集
する／センスがいいとは何か／「ほしがる」ことからセンスが生まれる／科学と能／
「見え」の問題／超伝導の「見え」／深く思考する快感を求めて

第8章 「逸れていくもの」への関心 249

この対話が示している懸念／「先行した世界」に対する態度／感動を伝えるための
世界観／「わずかな情報」と全容との関係／「逸れていくもの」への関心／
杉浦康平のデザイン／本棚も編集空間

第9章 意識は数式で書けるのか 277

「まれな現象」を感知できる意識／読みながら軌道を変える／「意識の捨て方」の

仮説をめぐる／オカルトを否定しない科学／科学と神秘／意識とは何か、宗教とは何か／意識をめぐる八つのアプローチ／スピリットの由来と行方／3の不思議／「三体」ということ／意識は「引かれるもの」なのか／瞑想と意識／「A－B」のAとは何か／世界の成立には引き算が必要だ／「いない、いない、ばあ」の原理

第10章　集合知と共生の条件　329

人間に集合知はあるか／無意識の研究はなぜ深まらないか／学問集団のありかた／集合知とスモールワールド／寄生と共生

第11章　神とデーモンと変分原理　349

変分原理は神の原理／脳に変分原理が見えた／「存在の発現」の秘密に向かう／創造の秘密／物語生成システムはできるのか／複雑系の定義を書き換える／複式変分能／デーモンとゴーストの再会

注　386

あとがき1　松岡正剛　408

あとがき2　津田一郎　411

第1章
カオスと複雑系の時代で

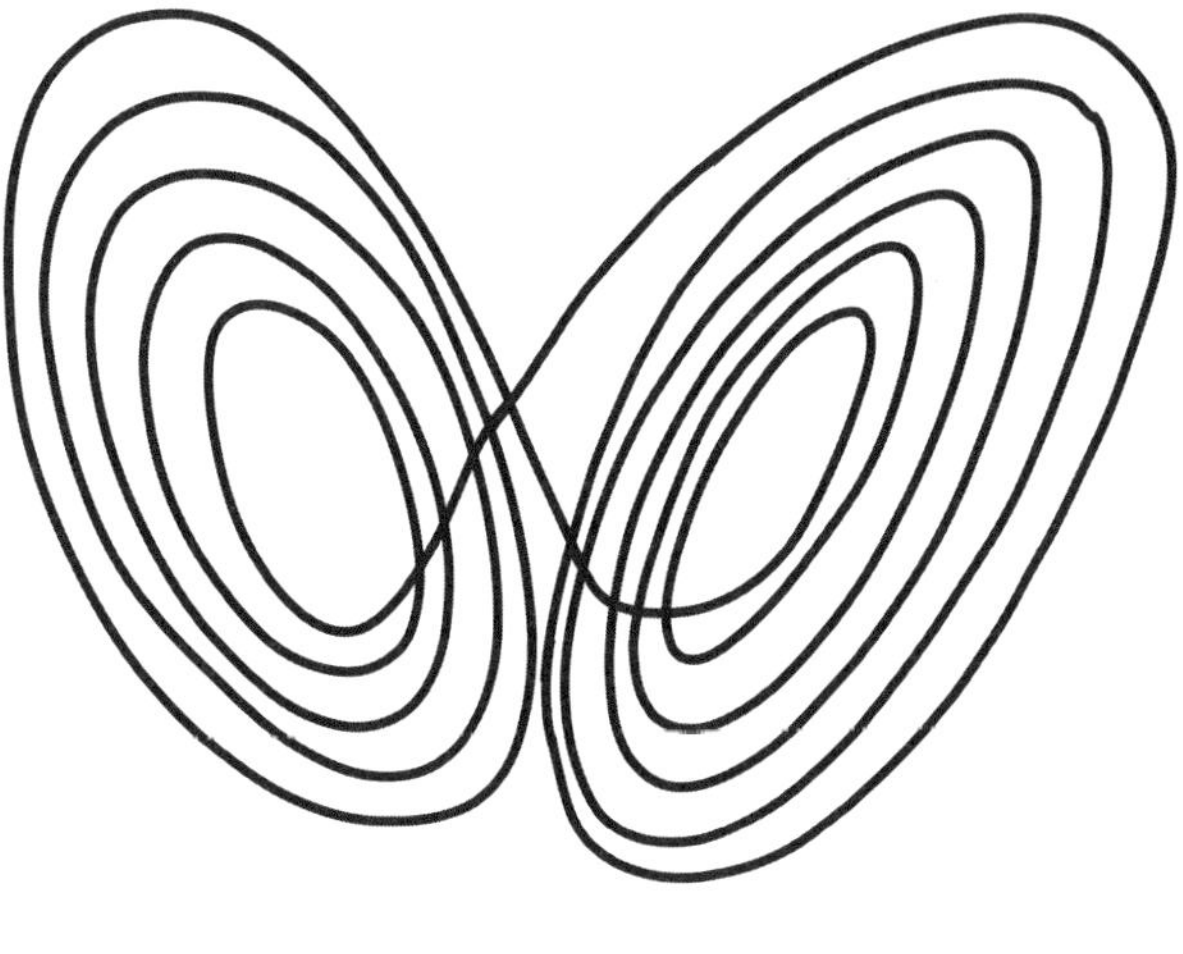

理科的思考の来し方と行方

松岡　ついに二人の秘密の対話が公開暴露されることになりました（笑）。こっそり愉しんできたのにね。とはいえゆっくり話すのは久しぶりなので、ぼくも愉しみです。

どこまで話せるかはわからないけれど、数学を武器にして科学的思考を大事にしてきた津田さんと、言葉を道具に編集的な世界像をスケッチしようとしてきたぼくとで、理科的思考の来し方と行方について対話をしたい。とくに生命の本来について、理科系と文科系の「二つの文化」を組み合わせながら、いろいろのミッシングリンクを継ぎ合わせて考えてみたいですね。

津田　大きいですね（笑）。受けて立つところです。

松岡　C・P・スノーの「二つの文化」が本気で組み合わされた試みはかなり少ないでしょう？　物理学者であり小説家でもあったスノーは一九五九年にケンブリッジ大学で講演をして『二つの文化と科学革命』（みすず書房）をまとめたのですが、ある会合で、有名な教育者が「科学者はシェイクスピアを読んでない」としきりに言うので、じゃああなたは熱力学の第二法則をどう思うのかと訊くと、何も説明できなかった。そこでスノーが「あれは科学のシェイクスピアですよ」と言ったという経験を踏まえたものになっている。世界の知識と教育が自然科学と人文科学という「二つの文化」で分断されていることを告発したものですね。

スノーは、科学者たちがディケンズを読んでいない、理解できていないことと、芸術家たちが質量と加速度についてほとんど説明できないことに文句もつけている。この切り口はスノーがケンブリッジの物理学者で、かつ小説家でもあるということがミソで、そこがちょっとピリ辛の味つけになっているので話題になったのですが、では熱力学第二法則とディケンズの両方がわかると世界観がどうなるか、ということは一言も説明されていない（笑）。

　だから理科系・文科系という対比はあまり役立たないのだけれど、それだけでなく、ぼくはその後、音楽や陶芸に詳しい科学者とも、大学で素粒子論や解剖に取り組んでいた作家やアーティストたちとも話してきたのですが、理科と文科が統合された研究や仕事をしているかというと、そうでもない。「二つの文化」は相変わらず融合しているわけではないんですね。

津田　松岡さんの周辺でもそうですか。

松岡　残念ながらね。日本人の例でいえば、老荘思想や空海や三浦梅園[1]に関心をもっておられた湯川秀樹さんや、能に詳しかった免疫学者の多田富雄さんなどはかなり例外的でしょう。でもそれならこれは誰かが一人で体現して見せるべきかというと、そういうレオナルド・ダ・ヴィンチ待望論ではなくて、もっとそれぞれが肩を組んでみることだと思うわけです。そこで津田さんとの対話では、あえて理科系と文科系というキャラを活かしてみたい。

津田　キャラを出せるかどうか。

清水博

二人の出会い

松岡　それにしても津田さんとはけっこう古い付き合いになりましたね。

津田　そうですねえ。『生命を捉えなおす』（中公新書）の著書がある清水博[2]さんに紹介されたのが最初でした。バイオホロニクス（生命関係学）のプロジェクトの直前だったから、一九八二年の秋から八三年の春にかけて。

松岡　清水さんに「ちょっと来てみませんか」と呼ばれて東大の薬学部の研究室に行くことになったんです。ただ遊びにいくだけなら気楽だったんだけれど、ところが行ってみたら研究者たちの前で「編集工学の話をしてほしい」と言われたんだよね。そこにいるのは生物物理のエキスパートばかり。いやいや参ったなと思いながらやむなく冷や汗をかきかき黒板の前に立ったわけですけど、その場でニコニコしながら鋭い質問をしていたのが津田さんだった。

津田　鋭い質問したかどうかはべつとして、松岡さんの編集にまつわる話は新鮮だった。これまで誰からも聞いたことがない話でした。

松岡　ぼくはぼくで津田さんがキラキラのバチバチで、「おっ、これはカオス研究の津田さんだ」と思って緊張したんだけど、そのときはいろんな研究者たちがその場にいたから、ぼくとしては津田さんの思索にもっと浸りたいと思って、その後しばらくして麻布の家にお呼びして泊まってもらって、二人で一夜を明かして朝まで話し込んだんだよね。ペーター・ベルグマンの『重力の謎』（講談社ブルーバックス）なんかの話をしたら、互いに読んでいて仲良くなった。

津田　はいはい、よく憶えています。元麻布のマンション。

松岡　犬が二四、猫が七匹いた。ぼくは工作舎を出て四、五人で松岡正剛事務所を始めていたときで、これからどうしようかなとちょうど捲土重来の方針を練っていた時期です。そのためにもゆっくり話したかった。

津田　そういう時期でしたか。

松岡　慶応義塾大学に環境情報学部ができたのが一九九〇年。電電（公社）が民営化されてＮＴＴになって、そのＮＴＴから頼まれてぼくは情報文化研究フォーラムの座長を仰せつかっていたんですが、そこにも何度か来てもらっていたんだよね。

津田　中沢新一さんとかとね。あれはおもしろかった。複雑系科学のブームもあって「情報」がさまざまに議論された。

松岡　大澤真幸、坂村健[3]、野中郁次郎[4]、西垣通、室井尚、金子郁容さんたちね。けっこう白熱した議論をしましたね。あのフォーラムでの発言も含めて、これは津田さんとゆっくり話したいと思った。それでお呼びした。

新しい世界観を提示したカオス理論

松岡　当時、津田さんは、「カオス」[5]という摑みどころのないふるまいをする性質の特徴を捉える研究に没入していた。そしてカオスと脳をつなげて、そこに「解釈学」[6]を接続するという大胆な発想に向かっていた。仰天しました。科学者が科学の説明に「物語性」を介在させるのかと。こうでなくちゃとも思いましたが、あんな衝撃は八〇年代に他になかった。その後、その試みは理解されましたか？

津田　残念ながらされないですね（笑）。まあ世界のあちこちに局所的にいろんな分野のファンはいるんだけれども、幅広く認知されているわけではない。

　でも私の中では、脳のようにダイナミックに動いているもののメカニズムを解き明かすには、「カオス」が鍵になるという確信がありました。近代科学の鎧を脱ぎ捨てて新しく生まれた「カオス」によって、従来の要素に分解して全体を明らかにしようとする発想では解決できない問題が多く存在することがわかってきた。その一つが脳です。脳という複雑なシステムがどうやって生まれるか、どう機能するのかという謎を解くために、生命観のある物理学を新たにつくるんだという気概に満ちていた。

松岡　その話はおいおい聞いていきたいんだけれども、元麻布の夜では、津田さんはマックスウェルやラプラスのデーモン[7]（悪魔）といった、分子のふるまいや未来の世界をすべて予見できる神めいたものについて話をして、それがきっかけで、世界を予定調和的に見るか、そこに法則を破る「破れ目」として「神の目」や「悪魔の目」をおくか、それとももっと複雑なままに捉えるのか、予測不能な世界を想定するのかという世界観をめぐる話になった。たしか、では数学はどんな役割をもってきたのかというふうに雑談が進んだと思う。

津田　いまもそのことをずっと考えている（笑）。物理学の体系をつくる「神」のような「X」、つまり宇宙全体を記述し尽くしてしまうものがどこかにあるのではないか、と。まあ、そんな話にも踏み込んでいきたいわけですが、松岡さんがいま話したラプラスのデーモンは決定論的宇宙観の最たるもので、すべての粒子の初期値を完璧に知りうるデーモンは未来の世界をすべて予見できる、だから世界には何も新しいことは起こらないという決定論[8]ですね。

松岡　ほとんどの出来事はその出来事に先行する出来事で決まっているという考え方。

津田　その決定論が近代科学を支えてきた。ところがカオスはそもそも時間の前後関係が意味を持たないわけです。それどころか、終わりから始まりが見えてくるという時間の逆転構造があって、原因と結果という考え方そのものが意味を失ってしまう。そんなカオスとは、従来の科学の見方に根底から転換を迫るものだった。

松岡　八〇年代、カオス理論は新しい世界観を引っ提げてきた。そこに津田さんがいたわけですが、われわれは出会って互いの少年時代の理科感覚や算数についての昔話を披露することになって、ぼくはたしか寺田寅彦的な「割れ目」などの話をしたんだと思う。津田さんは二歳とか三歳のときミカン三つとかリンゴ五つとかと数えるのって何だろうかと感じていたという話をしたので、ビックリした。へえそうなんだ、こいつは最初から数学なんだと思った。

　津田さんには『心はすべて数学である』（文春学藝ライブラリー）とか『数学とはどんな学問か？』（講談社ブルーバックス）という斬新な著書もある。それらの本にも書かれていることですが、「数学は言語である」ということを大前提にしていますよね。カオスや生物物理が専門だと思っていたら、数学でした。それは幼くしてそうでしたか？

津田　幼少期にはなぜか不思議と合理的な感覚があって、理屈に合わない言葉はまったく信用しなかったですね。信用できるのは抽象化したものだけ。そういう意味で「数」はもともと好きだったんです。あるとき畳に寝転がった瞬間に目の前が真っ暗になり、そして直線が二本現れた。一本はずっとむこうからずっとあっちまで続いている。もう一本はやけに短い。直感的に短いのが自分で無限に長いのが宇宙だと思った。変な子どもだったのでしょうね。

　数学に私が非常にこだわるのは、意識と意識以外のものをつなぐ役割が数学にはあると思っているからです。数というものは数学者が発見したものだけれど、同時に作り出しているもののでもある。実は数には人間の意識が集約されているんです。

松岡　そう、そこそこ。意識と意識以外を数学がつなぐというところ。津田さんの数学観はそこから発露している。そこがチャーミングなんだよね。ところが、意識もまた解き明かされていない難題ですから、これは聞きずてなりません。

線形数学から非線形数学へ

松岡　それにしてもなぜあんなに熱い話を交わしたのかというくらい、いまなお思い出にのこる一夜だったんだけれど、考えてみるとわれわれは「もっともっと知的に飢えたい」と感じていたんだろうね。ぼくは雑誌の「遊」を了えて、工作舎をみんなに預け、さあこれからは何をしようかという時期で、そろそろ「情報」というものを摑まえたいと思っていたんです。社会的にも言語的にも、分子生物学的にも数理的にもね。ところが「情報のふるまい」については、ほとんど横断的で統合的な見方が提出されていなかった。コンピュータもまだ16ビットが出たばかりで、パソコンの揺籃期。日本では第五世代コンピュータの取り組みが始まっていましたが、でも、そもそもの「情報のふるまい」はまだ突っ込まれていなかった。

「遊」の表紙

津田　当時は社会的にはバブル経済に向かっていく時代でしたよね。私は経済はよくわからないけど、こんな浮わついた状態はすぐに崩壊するだろうと直感していた。清水さんもそう言っていた。しかし一方、その浮わついた社会状況がかえって閉塞感のあった学問領域をおもいきって解放させたという側面もあった。

プリゴジン[9]やハーケン[10]の「自己組織化理論[11]」は非線形・非平衡統計物理[12]の一つの方向性を示していたし、そこから「非線形数学[13]」という新しい数学が生まれつつあった。

松岡　新しい科学が相手にするのは物質やエネルギーとは別の「情報」だという新しい方向だよね。多くの科学者の仕事が「不変なもの」を通して「変わっていく」ことをどう語るかということにあるとすれば、「不変なもの」とは関係なく、少しの変化が大きな変化を生んで「変わっていく」現象を説明するために登場したのが非線形科学だった。

津田　世界のほとんどが非線形の世界でありながら、近代科学は線形性を捉えることが中心にあったわけです。非線形性をもとに出てくる現象は、要素に分けていくと失われてしまって捉えられない。まして他者とコミュニケーションすることで機能する脳についてはなおさらです。

たとえばコップに入れた熱いお茶は空気に触れてしだいに冷めていき、やがてその変化が止まります[14]。これが熱力学的平衡状態ですが、たえずエネルギーや物質の流れがある非平衡状態においては、エントロピー[15]の生成率が最小になるような形で秩序が生まれます。変化のほとん

(a)

(b)

エントロピー増大の概念図

(a) 箱の中のすみにかたまっていた10個の分子が拡散して箱全体に分布する
(b) アイスクリームが溶けていく様子
いずれも秩序ある構造がくずれてランダムになっていく過程。孤立系のエントロピーは時間とともに増大することを示唆的に表す。

どは秩序から無秩序へと進むのに、地球には驚くほど多くの秩序が満ちている。生命とはまさに何らかの仕組みによって、無秩序を拒否して秩序を形成している。では、そのデーモンの役割を果たすのは何なのか？　この生命の秘密に触れる自己組織化の考え方は、部分の総和が全体として理解できるそれまでの線形科学からはみ出るもので、新しい数学を必要とした。だから少し気合が入っていた。

松岡　そうね。津田さん[16]は阪大の物理を出られて、京大[17]の富田（和久）さんのところで力学系カオスの研究をした。一九八二年に博士号をとったときの論文が「非線形・非平衡系のカオスと分岐構造」ですよね。当時の京大には数学[18]の山口昌哉さんがいて、カオスやフラクタルの数学をやっておられた。先駆的でしたね。山口さんが朝倉書店から『非線型現象の数学』（一九七二年初版、二〇〇四年復刊）を刊行したのは七〇年代のはじめでしょう。さっぱりわからなかったけれど、のちにブルーバックスに『カオスとフラクタル』（一九八六年）を書かれて、そうか、そういうことだったのかと膝を打った。

津田　カオスという科学現象は、七〇年代当時はほぼわからないものだったんです。まずもって、カオス研究の端緒となったローレンツ方程式（微分方程式）から出てくるローレンツ・カオスというものがよくわからない。

松岡　一九六三年に気象学者のエドワード・ローレンツが、コーヒーブレイクの間に発見した。温度、温度勾配、流速という気象を決める三つのパラメータ（変数）を用いて大型コンピュータで微分方程式を解こうと席に戻ってきたら、初期値のちょっとした誤差が、とんでもなく増幅された結果となって画面に現れた。非常に小さな出来事が予想もつかない大きな出来事につながる。ローレンツはこれを「バタフライ効果」と名付けた。

カオス的脳観

津田　私たち科学者は、時間によって変化する現象を予測可能なものとして捉えるために、「数学モデル」を作って理解するという手法をよくとります。複雑な現象の本質をシンプルに捉えることが可能になるからです。ところが、カオスは調べれば調べるほど従来の科学とは相いれない特徴がある。計算できないとか、予測ができないとか、決定論的なのに確率論的なふるまいをするとか、いろんな意味で概念的に相矛盾したようなものだったので、ショックを受けたわけです。

そこでカオスのことを調べながら、もう一つ気になっていた「脳の中でいったい何が物語というものを駆動させているのか」という疑問を考えたときに、それはカオス以外にないだろうと思い至った。人間が物語る生き物であるのも、そして心というものが生まれる秘密も、このカオスの振る舞いによって説明されるのではないかと。

カオスが不可能性というものをいっぱい内包しているし、すべての秩序と、そしてすべての無秩序をも含んでいて、これは文字通り、宇宙なんですよね[19]。カオスがあまりに複雑で厳密には計算できなくとも、カオスが複雑な何かを計算しているかもしれないし、カオスが脳の現象を何か表現しているかもしれない。そこで、これはもう「脳とカオスを合体させるべし」という気づきに至ったわけです。

松岡　なるほど、そういう順ね。のちに津田さんの著書のタイトルにもなったけれど、「カオス的脳観」とはよくぞのネーミングでした。カオスがアトラクター（運動が収束していく漸近体のようなもの）間を遷移していくふるまい、数えられるけれど無限にあるような周期性と数えら

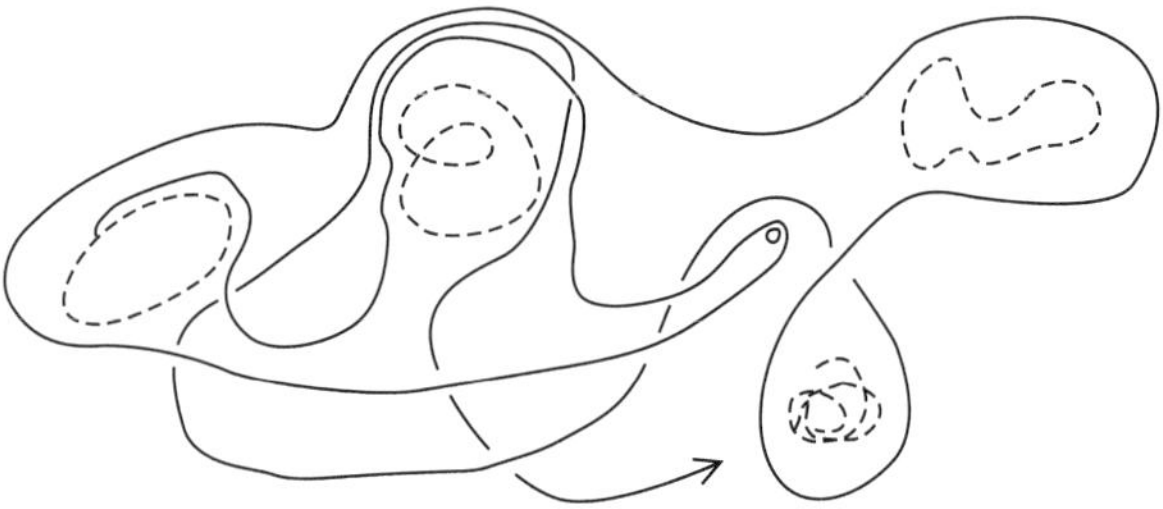

カオス・アトラクターの中の周期軌道と非周期軌道の概念図

点線で描いた不安定な周期軌道（閉じたループ）の近くを通りながらどの周期軌道にもいたらず、何度も自身の軌道の近くに来ては遠ざかっていく非周期軌道（カオス軌道）を実線で描いている。カオス・アトラクターは、これらすべてを含むもの。

れないほどの非周期性をあわせもつカオスの不安定性、脳の中でおこなわれているにちがいない情報編集の見えないプロセス、こういうことをうまくあらわしている。もっと話題になっていいと思いますよ。

津田　そうやってカオスを理解しようとしたときには、多くの数学者や物理学者はすでにカオスに興味をもって研究していましたから、カオスは理解できる科学になりつつあったんです。フラクタル幾何学も宇宙にあるあらゆるパターンを再構成できるところがなんとも魅力的だったし、カオスがなぜ決定論的なのに予測不可能かというのも、カオス・アトラクターにフラクタル構造があるからだと認識されつつあった。

松岡　けれども津田さんは、カオスと脳をつなげて考えた。しかも「物語」の介在を含む解釈学的なアプローチを入れるという斬新な仕事をされた。あのころをいまだに興奮をもって思い出しますね。

津田　ありがたいことだけれど、どうしてそういうふうに強く感じられたのか、今だから聞いてみたい。

松岡　それは少し話が長くなりますが、この対話は津田さんとまず取り組みたい「情報」という大きな問いに関係する話でもあるから、少しそこを補いますね。いいですか。

津田　ぜひぜひ。

神の全知全能に代わるものを探して

松岡　ヨーロッパにはユダヤ・キリスト教の歴史のせいもあって、神という全知全能がいて、神から万物が段階的に流出してくるという考えがあります。全知全能の本体は見えないけれども、神の御業《みわざ》から流出したものはいろいろ跡が残るはずだから、神を捉えるにはその痕跡を解釈するしかない。この見方が、もともとの解釈学の出発点になっているものです。それゆえハイデガーやフッサールやガダマー[20]以前に、聖書解読や神学問題を通して、めぼしい文芸者や哲学者たちは、たいてい全知全能から何が流出したり、投影されてきたかということを考えた。ニュートンの『プリンキピア』でさえ第三篇に「神の覗き穴」[21]をもうけています。

ただ、宗教上の信条はべつにしても、神なんていない、創造主なんてありえない、全知全能の存在なんて想定できない、というようなことも言います。歴史のスタートに神さまの御業《みわざ》がなかったとしても、そのあとに登場してきたヒトのこと、その脳のしくみのこと、文明の多様性などは、神の全知全能では説明がつかないわけですから。むしろ、神がもっていたのはすべてを記述し尽くしてしまう「X」ではなく、新たな「Y」を発動させる力ではないか。そういうふうにも言える。ただしもしそうだとしたら、「情報」の始原や「生命」の誕生と進化や「意識」のふるまいをいろいろ説明しなければならないはずです。

　ところが、そういう科学はいっこうに統合されてこなかった。ダーウィン以降、一九世紀末をはさんでハーバート・スペンサー[22]やエルンスト・ヘッケル[23]やデュ・ボワ・レーモン[24]がいろいろの記述を試みますが、またのちにはベルクソンの「創造的進化」といった見方が出たりするものの、そういう説明にもかつての神学や哲学の考え方が援用されることが多いんですね。

　そういうところへ、チューリング・マシンの構想が登場し、コンピュータが出現して何もない箱に次々にデータや情報や条件を入れられるようになったわけです。それとともに計算装置としてさまざまなモデルをテストできるようになった。とくに注目すべきはマカロックとピッツの神経モデル[25]のようなもので、脳の計算モデルをテストできるようになっただけでなく、その方程式も提案されるようになってきた。つまり脳神経系をコンピュータのメタファーで捉えられるようになったわけです。また、サイバネティクス[26]が登場してきて、フィードバック・システムによる運動システムをつくれるようになった。

けれども、それらはあくまで電子工学の一部の試みで、そういうものとかつての哲学や神学の成果、情報や意識についての仮説、さまざまな人文科学や芸術活動の試みとはまったく掛け合わせて検討されていなかったんですね。

ぼくが「遊」を創刊するころに考えていたのは、これらを「情報」を主語にしてもっと組み合わせたらどうなるのかということです。いいかえれば、かつての全知全能の神と脳というブラックボックスとコンピュータのもつ計算能力は、どうしたら結びつくのだろうかということだった。

そういうときにプリゴジンの散逸構造論[27]、マンフレート・アイゲン[28]のハイパーサイクル論、マンデルブロのフラクタル幾何学、カオス理論、さまざまな非線形科学、そして自己組織化理論など、いわば生命誕生の背景にある一般的な法則を捉えようとする試みが次々に躍りだしてきた。これは何かが互いに近づいているなと感じていたら、そこで清水博さんや津田さんに出会ったんですね。

だから、津田さんの「カオス的遍歴」の考えには、これらの掛け合わせの可能性を一気に説明可能なものにしてくれる新しい風を感じました。脳の中の情報編集においては、いわば神の漸近体がのこした軌道に次々にとび移るようなプロセスがおこっているのではないかというふうにも感じた。

新しい生命原理の胎動

津田　それはありがたいですね。いま松岡さんが強調してくれた「遍歴」は、いわば記憶のサーチです。たとえば匂いの情報というものはひとたび学習されると、情報処理が収束したアトラクターとして脳に残ります。ところが私たちが未知の匂いを嗅ぐと、既知の匂いの情報をトレースしながら、古い匂いのアトラクターの間を遷移していく。そして「いままで知っているどれでもない」とわかったとき、それは新しい匂いのアトラクターになる。このようにカオス的遍歴というのは、一つの脳機能としては記憶のサーチであり、新しい知覚の学習過程なんですね。学習の跡がアトラクターとして残されていく。

このような記憶過程はエピソード記憶とも関係しますから、意識の流れとみることも可能です。

さらにこのことは、外に流れている客観的な時間とは別に、生き物の中に折り畳まれている内的時間を考えることにつながります。人は共通の時間概念を持っている一方で、体内に流れている、それぞれ固有の「生命的な時間」を持っています。それはカオスの中に潜んでいる時間でもあるわけです。

あのころ、生命原理をめぐっては、「ゆらぎ[29]」をはらんだ物質の広がりの中から自ずと秩序が形成されてダイナミックに変容していく「自律の構図」が前面に出てきた。たとえば植物のタネはある条件を与えられると、発芽する。それは遺伝子の発現にともなって、それまで折りたたまれて固定されていた時間がワーッと解き放たれる瞬間です。すると植物はダイナミクスを持ち始め、急に成長を始める。

そんなときアイゲンのハイパーサイクル論が提案されて、「タンパク質が先か、ＤＮＡ（デオキシリボ核酸）が先か」ではなく、それらがカップルして相互作用しながら発展するという考えが自己組織化の理論の組み立ての中から提案された。

それまでの生命の解明はワトソン・クリック以降の分子生物学的説明、すなわちどの遺伝子がどんなタンパクをコードしそれらがどんな機能をもつかという（これ自体はいまでも通用する理解の仕方ですが）、いわば要素還元論的な視点によって与えられていました。しかし、ミクロな原子分子の相互作用からマクロな秩序構造が生まれる仕組みが発見されたことで、生命を構成する物質のもつ自己組織性という概念が生命の謎を解く新たな視点として導入されたんですね。現象の奥にある生命の神秘に近づくアプローチが生まれた。このことがそれまでとは大きく違っていた[30]。

松岡　もともとはプリゴジンの「混沌から秩序が生まれる」だよね。でも日本では熱力学研究の分野が乏しかったのか、そこから複雑系に関与する動向があまり感じられなかった気がします。人材がいなかったのかな。それに熱力学第二法則[31]やエントロピーについての議論が少なかった。熱力学は情報処理の問題とも密接に関連しているわけで、それこそが生命の謎をグローバルに捉えようとする試みだったのに、なぜかしら？

津田　従来の厳密な自然科学の枠組みから一見はずれているように見えて、きわめて重要な学問こそが複雑系科学で、その射程は生命科学全般に及んでいるはずです。でも一般的傾向として日本人は本質的な議論をしたがらない。すぐに解決できるような問題を含んでいないと考えようとしない傾向があるということでしょうね。ただ、日本の非平衡統計力学分野では久保（亮五）・富田以降、けっこう本質的な問題を議論していた[32]。多彩な顔触れがそろっていて世界をリードした時代があった。富田和久たちの世代です。

統計力学だから当然熱力学は意識の根底にあったと思いますが、熱力学そのものは物理というより化学の領域にも入っていたので、プリゴジンが出たブリュッセル学派のようには、非線形・非平衡の熱力学に拡張しようという動きは当時はなかった。のちに私も研究会では熱力学第二法則を破るデーモンを作る話（デーモンの死に方の階層性）などをしていましたが、定式化までは至らなかった。ただ非平衡系での理論をめぐる問題意識が作られていく過程だったとみることもできるんじゃないでしょうか。

松岡　物理現象の多くは平衡に近い非平衡で起きている一方、生命現象は徹底して非線形・非平衡で起きている。生命現象の秘密には「情報」のふるまいともいうべきものが関わっているでしょう。清水博さんの言葉を借りれば、「ゆらぎ」のある状態で、「あれか、これか」の選択をしなければならない。その情報の獲得にこそ生物の創造性の秘密がある。その「情報」についての研究が遅れていたんでしょうね。

津田　それでもあのころ、三菱化成生命科学研究所から「生命」と「情報」と「物理」の融合をめざした本のシリーズが出版され、中村桂子さんにわれわれ物理の人間も注目しはじめていた。中村さんはのちの「生命誌」につながる考え方をすでにされていたと思います。それはゲノムに生命の歴史が折りたたまれているという考えで、物理学に生命性を吹き込むヒントに溢れていた。

松岡　そうでしたね。下河辺《しもこうべ》淳[33]さんや村上陽一郎さんなども、中村桂子さんの考え方に注目していた。あの「生命誌」をカード状にしてシリーズ化するといいんじゃないかと勧めたのは、ぼくです。

津田　そうだったんですか。中村さんは「自己創出する生命」という考え方を提案しつづけましたね。当時は、生命と物理の融合は生物物理、分子生物学という形ですでに始まっていましたが、さらにそこに自己組織化というアイデアを入れようという試みがあった。

松岡　いったい自律性ってどこから生まれてくるんだろうということだよね。自律性の発生は情報が組織化されるときの「ゆらぎ」が大きなきっかけだけれど、ではその「ゆらぎ」はどうして生ずるのか。他方ではヴァレラやマトゥラナのオートポイエーシス仮説[34]が出回ってましたね。これは脳の中の自律性がどういうふうに創発してくるかということです。そういうことがいろいろ気になって、ぼくはエリッヒ・ヤンツの『自己組織化する宇宙[35]』の翻訳を工作舎で出したりしてました。

空白を満たしてくれた出会い

津田　そう、あのころはまさに数学や物理で新しい科学が始まったという実感があったわけですが、それが世の中のバブル景気のせいか、学問領域を超えてカオスやフラクタルが〝使える〟と安易に思う傾向もあったと思います。社会学者や思想家の中には、われわれのような厳密科学をやっている人間からしたら信じられないような〝誤読〟をする向きもたくさんあって、私は〝誤読〟自体はかまわないというか、新たな意味を創出する可能性があるからいいんじゃないかと少しは許容する傾向があったんですが、それでもこれはちょっとひどいんじゃないかと思うこともありました。

松岡　フランス起源のポストモダン思想が科学誤読の名人でね（笑）。ソーカル事件なんてのがあった。

津田　そう、そう。

松岡　ニューヨーク大学の物理学教授アラン・ソーカルが、フランス現代思想風の論文をわざとらしく書いて、そこにポストモダン主義者がてっきり嵌まりそうな物理や生物科学のそれらしいフラグメントをちりばめて雑誌に載せたところ、現代思想家たちがまともに応じてしまったという事件です。ソーカルはいたずらしたのだけど、そのカラクリすらわからなかったというので、喧々諤々になった。のちにソーカルとプリンストン大学のジャン・ブリクモンが『「知」の欺瞞』（岩波現代文庫）としてその顚末を暴いて、さしものポストモダン思想も下火になった。ソーカルの仕掛けは九〇年代半ばになってからのことですけどね。

津田　『「知」の欺瞞』の翻訳をしたのは私の知人で、翻訳に対する謝辞も入れてもらった。その時点で事情が呑み込めました。私自身はそういう〝暴く〟行為にはまったく興味はなかったのですが、翻訳を読んでここまでひどかったのかと唖然とした。科学の冒瀆という感情も沸きましたね。誤読が行き過ぎた。

松岡　曲解というか、わからんちんだった。

津田　文系の理科解釈にはしばしばおこる。そういうときに、「編集工学」を標榜して登場したのが松岡さんで、この人の筋ならそう変なことにはならないんじゃないかと感じた。

松岡　そう感じてもらえたのならありがたいけれど。

津田　あのころ、そういった個別学問の融合の機運は松岡さんに最初に会った時期にはすでにあったわけです。当時はまだ「複雑系」という名称を使う人は少なかったのですが、私の先生である富田和久さんや清水博さん、蔵本由紀[36]さん、相沢洋二[37]さん、北原和夫[38]さんといった物理や化学で非平衡開放系の自己組織化現象を研究していた人たちは、そういった可能性をかなり意識していた。

松岡　当時はまだ、「複雑系」の科学も非線形科学もまだまだ煮詰まっていなかったんでしょう。そういうときに津田さんと出会えた。しかも従来の科学では考えられない大胆な方法を導入していて、メタファーを運ぶ思考そのものが新たな科学になりうるということを示していた。その感覚がたまらなかったですね。

　ぼくも高校時代に、ただのお遊びだけど四則演算器をパチンコ玉で作ったりしていて、熱いフライパンに水をたらすと瞬時に蒸発するライデンフロスト現象のような、ある「閾値」(threshold)を超えるとフェーズは変わるんだということ、継続的に一定の気体や液体のフェーズが続くことはないということ、つまりいまではまとめて「相転移」と呼ばれている現象に関心があったので、理科の分野でそういう研究をやっている人に出会いたいとずっと思っていたんです。津田さんとの出会いはまさにその空白を満たしてくれるものだった。だけど、あまりにも二人の分野が違うから、何か共同研究をしようというわけでもないし、今日まで対話の機会が延びてしまったという気がします。

津田　松岡さんと出会ったのは清水博さんのおかげだったけれども、実はその前から松岡さんのことは知っていたんです。「遊」を大学の頃に読んでいました。ある日書店に行ったら表紙がパッと目についた。雑誌のタイトルがまず気になって中を開いてみたら、何やらあやしげなことがいっぱい書いてある（笑）。湯川秀樹さんは出てくる、確率論が専門の北川敏男さんも出てくる。そういう人たちに松岡さんがインタビューしてるんですが、理系の学問をやっている人間が見ると、その筋がよく分からない。学術論文のように読んでしまって、なかなか文学作品のような線では読めない。

でも非常に気になる人たちが出てくるもんだから、私は松岡さんという人はきっと物理の素粒子くずれの人に違いないと思っていたんです（笑）。そう思うのも当然なくらい突っ込んだ質問をされていて、解説も非常に的確だった。そして東京で実際にお会いしたのは、世間でポストモダンの話が盛り上がっていたころですね。中沢さんなどが活躍していた。

松岡　フーコーの『知の考古学』やドゥルーズとガタリの『アンチ・オイディプス』が盛り上がって、日本でも浅田彰とかが出てきていた時期ね。

津田　あのへんの人たちが書いているものを見ると、何か感覚的にわかるんです。本来、数学ができない領域をやろうとすると矛盾に出会っちゃうから、結局テクスト間の差異のようなことをやろうとしているんだということが感じられてきた。だって一個一個のテクストに意味を見出すというのはほとんど不可能ですからね。

松岡　文意が見えない？

津田　フランスの現代思想系の人たちのポストモダンと称される哲学書の日本語訳を見ると、意味がわからない。ちょっと皮肉な言い方をすると、なるほどこうやって脱構築するのかと当時は思ったけど、浅田さんとか中沢さんの文章を読むと、逆に「意味」がたっぷり書いてあるので非常によくわかる。その点では、これがポストモダンだと言われてもピンとこなかったんですけれどもね（笑）。

松岡　そういう気分になるのはよくわかる。だからソーカル事件みたいなことがおこったわけです。あのね、理科系にも文科系にも、互いにどこか悔しい思いが必要なんです。悔しいというのは変な言い方だけれど、互いに補いあうための悔しい思いですね。なぜかというと、それは物理だって数式だけで出来上がっているわけではなく、そこには必ずや「解釈」が必要です。ニュートンとライプニッツがそれぞれ別に微分法を提案したときからずっとそうですが、理科と文科は同じところから出発して、かなり初期から別々な表現体系をもつようになったわけですね。そこで二つにはインタープリテーションが必要になった。数式が示したものは言語によって解釈されてきた。しかし、互いにかなり異なる記号体系をもっているので、互いに矛盾をもちながら、同時に矛盾を回避できる構造をもつようにするにはどうしたらいいか、そこを考えるのが難しくなっていったわけです。

「読む」から「書く」へ

松岡　ぼくはそのことをホワイトヘッドとラッセルが濃ゆいコンビを組んで数理科学と数理哲学をやって、数学と言語による共同作戦を試みた『プリンキピア・マテマティカ[39]』を読んだときに、大きく刻印されました。以来、数理と言語だけでさまざまな矛盾を突き詰めるような仕事を、もっと多くの後継者によってやってほしかった。ところがあまり出てこなかった。

津田　松岡さんがやれた。

松岡　いやいや、それには遅すぎた（笑）。大学で理科系の教育を受けていないしね。数式もいじらない。おまけに『プリンキピア・マテマティカ』を読んだのは三二歳くらいのときですから。ぼくは自分の資質とキャリアからして、それからは「読む」に徹していくんです。

津田　「書く」もありますよね。

松岡　うん、そうだけれど。

津田　松岡さんは理科系と文科系をまたいで書ける。数理科学が読めて、哲学や思想が解釈できるなら、その二つの交じった姿が書けるはずです。

松岡　おっ、きたな（笑）。はいはい、その可能性はあります。でも「書く」とは何かというと、これはこれで不思議な作業なんです。聖書を書くのも小説を書くのも手紙を書くのも「書く」で、法律を書くのもエッセイを書くのも批評を書くのも、それぞれ「書く」ですが、その表現行為にひそんでいるシンタクス（構造）やセマンティクス（文意）はけっこう複雑です。認識や認知がまじっていて、それが「言葉」というもので縛られていますからね。

たとえば数学のスタートに「数」や「比例」があるように、書くことのスタートにも名前をつけること、動詞や形容詞であらわすこと、それからそれらを声によってオラルで発語すること、それらを文字の綴りにしてリテラルな文章にして他人が読めるようにすることなどなどがあって、そのプロセスのなかで「概念」や「比喩」が生じます。けれども数学とちがって、書き言葉はその表現されたものを理解する度合いが千差万別で、数学や物理法則のように公理や定理を前提にして書くようになってはいないし、またあらわされたものを検証するようにはなっていない。俳句はたった一七文字ですが、それで表現できる言葉による意味合いは信じられないくらい千差万別になる。これに対して$a \times b = c$の組み合わせによる表現はうんと制限的ですよね。

津田　しかし、数学はこのような文字、アルファベット一個一個にも意味をつけることを発明しました。自然言語では単語が意味の最小単位で、アルファベットに意味はありません。この違いは可能な意味の表現という観点からは非常に大きな差を生み出します。実は数学の方が千差万別な意味あいを持っている。

松岡　理科と文科が分かれていったところをふりかえってみると、おそらくデカルトの時代に戻る必要があるんだと思う。デカルトが真理をさがすためには、きっと真理に到達するための方法が独自に必要だと考えて、一方では科学や数学にとりくんで、他方では哲学にとりくみましたよね。デカルトは科学や数学では自由落下の法則、水圧の分圧の原理、高次方程式の解法、角の三等分の方法などと向きあい、哲学では当時のスコラ神学からの脱却を思案した。こうして『方法序説』を書いて、有名な「コギト・エルゴ・スム」（我思うゆえに、我あり）という立場を表明するのですが、こういう書き方はデカルトが初めてで、ここから先は「我思う」と「我あり」を理科はいちいち言わなくていいようにした。それ以降の科学はそちらを踏襲していった。

けれどもデカルトの同時代のパスカルは、推論や計算機に関心を寄せる作業と『パンセ』に書いた内容を別々にしました。別の書き方にした。また同時代のホッブスは『リヴァイアサン』で国家の機能と運営のことを書き、スピノザは『エチカ』で神の摂理のことを書いた。一七世紀半ば、「書く」という領域にいくつかの分離と自立がおこっていくんですね。モリエールやラシーヌは戯曲です。そしてこのあとニュートンが登場して、科学を書くということと古典力学の体系が重なって表現できるということを示した。

津田　古典力学は観察と実験による予測ですからね。

松岡　津田さんはその観察・実験・予測を、数学と理科のシンタクスとセマンティクスで考究していった。ぼくは実験や観察から「書く」というのではなくて、「読む」から「書く」へ、また「書く」の中で「読む」なんです。「読む」というのはすでに書かれたことを新たに読むわけですから、誰か先人の「書く」の中に入っていくことによって、そのプロセスのどこかから脱出してきて、ぼくの感想や世界観を書くわけです。このとき「読む」の言葉群から「書く」の言葉群が分かれていく。こうしてだんだん「書く」の中に「読む」が含まれていく。これはどういう作業なんだろうと思って、これを「編集」という別のメソッドが動いているとみなしたんですね。編集のほうにその「読み書き」のヴァージョンを引き取ってみたわけです。

津田　今日はそこを詳しく伺いたい。

松岡　そうね。ぼくもいろいろ教えてもらいたい。でもまあ、その話はあとにまわしましょう。かなり広がるので。

科学の「書く」は時間がかかる

松岡　では話を戻して、二人がその後どんなふうになってきたかというと、最初の津田さんとの出会いからの年月を実感することといえば、津田さんが書いた「ノイズインデュースド・オーダー」（Noise-Induced Order）の仮説が二〇二〇年、イタリアの数学者たちによって証明されたでしょう。ずいぶんかかるんですね。さらにいえば、カオス的遍歴の仮説が二〇一八年ですか、ブラジルの数学者たちによって証明されましたね。

津田　そうですね、カオス的遍歴の研究のごく一部にすぎませんが、ニューラルネットワーク[40]（神経回路）の「記憶」に関する私のモデルで低次元に落とせるものに関しては、厳密に存在が証明されました。一九八七年に発表した連想記憶にまつわる数理モデルですね。記憶に達する途中の状態が神経回路に一時的に留まり、それが複数のニューロン（神経細胞）間をカオス的な状態で行き来しながら最終的に秩序のある記憶になるというものです。

　記憶が定着するまでには、脳は「カオス」を使って編集している。脳の中の情報編集の仕組みには、旅人が宿から宿へと渡り歩くように、アトラクターからアトラクターへと飛び移るようなプロセスが起こっているのではないか、ということを示した。アトラクターというのは、運動や意味が収束するときの漸近体みたいなものです。

　アトラクターをイメージしてもらうには、そうですね、アトラクターの周りの軌道はすべてアトラクターに向かって吸引され、アトラクターに落ちていくようなイメージを持つとよいかもしれません。アトラクターの中の軌道はアトラクターに留まる。強力な磁石のようなものを想像してもらってもいい。ノイズインデュースド・オーダーのほうは、カオスにノイズをかけると秩序化するというものですが、こちらはわれわれの論文から三五年たってその存在が厳密に証明されました。無秩序に思われるカオスに、これまた無秩序なノイズをかけ合わせると不思議なことに秩序が生まれる。

松岡　知る人ぞ知るなんだけれども、ようやく証明された。そういうことに象徴されているように、ぼくと津田さんが出会って話しはじめたときに、津田さんはすでにノイズインデュースド・オーダーの理論をつくりあげていたんだけれど、その検証証明には三〇年以上がかかっているわけです。科学が「書く」といっても、しばしばそのくらいのずれ、、や検討期間が入りこむ。でも、本人の津田さんは三〇年前の発想から変化もしているだろうし、その確立によって世界観がどんなふうに変貌していくかということをいろいろ感じていると思うんですよ。

津田　そうなんです、私はノイズインデュースド・オーダーについての彼らの証明はちょっと不満なんです。

松岡　そういうふうになるよね。

津田　私はもうちょっとたくさんのことを言っているんだけど、そのうちの一つしか証明されてないので。あと二つはやってほしい（笑）。

松岡　それにはテクニックがいるということ？

津田　ええ。そのテクニックが開発されるまでに三〇年かかったんですね。数学の理論としてちゃんと証明できるまでのテクニックが当時はなかった。

松岡　どんなテクニック？

津田　カオスにはリアプノフ指数といって、ある点のふるまいが時間経過とともに描く軌跡としての軌道が、指数的に分離していく軌道不安定性という性質があるんだけれども、ノイズをかけると軌道があまり分離しない。私はそこを言ったんですね。

普通、カオスにノイズをかけると、そうでなくとも乱雑なカオスがもっと乱雑になると思っている人が多いんですが、必ずしもそうではなくて、カオスはノイズをかけるとわりと秩序化すると言ったんです。ただカオスにノイズをかけたときに、バラバラだった軌道が一箇所に集まってくるんですが、そこについての証明ができなかった。説明はできていたのですが、それを証明するテクニックがなかったのです。

松岡　観測には技術的な器具や機械による検証実験が必要だけれど、証明には別のテクニックがいるのはよくわかります。予想や仮説の証明だからね。ポアンカレ予想[41]やリーマン予想[42]はずっと二〇世紀を覆いましたよね。

津田　こういう言い方は一般の人にどれだけ理解されるかわからないけれど、数学における証明は何かといえば、自然科学における実験です。そう言うと数学者は「自分たちは理論をやっている」と言って怒るんですけど（笑）、定理になるものというのは仮説をもつ。その仮説を論理的に証明していくということは、結局それが正しいと言うわけですから、自然科学でいえば実験に対応するものにあたります。だから、こういうのが定理になるのではないかという予測が自然科学における理論であって、それは早くに出ていた。けれどもそれを厳密に証明するのには時間がかかる。数学もそうだけれど、物理でいう「予測を検証する」という仕事にもやっぱり時間がかかるんです。

松岡　科学における「書いた」は厳密性が身上だからね。

津田　検証や承認は機が熟していればわりと早い。ただ、どんなに高度な証明でも、まだ機が熟していなくて仮説が先行しちゃうと、やっぱり時間がかかる。

松岡　トレンドに乗るというのも案外あるでしょう。

津田　専門領域の業界全体が興味を持たないと、どうしても埋もれてしまう。それにあまり長い時間がたつと、みんな忘れてしまう（笑）。だからノイズインデュースド・オーダーを覚えていた人がいたことが驚異的でした。きっと文献的にはずっと忘れられていなくて、いろんな人が「これは重要だぞ」と語り継いでいてくれたんだと思うんです。

松岡　ありがたいね。でも、本当に大事なことって、ひっそり伝えられていくことが多いんです。

第2章
「情報」の起源

Hideki Yukawa

「情報」の起源を考える

松岡　では、ここから少しずつ本題に入っていきたいのですが、まず「情報」はどんなもので、どこにあるのか、エントロピーの逆符号（負のエントロピー[1]）だという以外にどんな定義ができるのか、今日はそのへんから話を始めてみたい。ここからでいいですか。

津田　いいですよ。二人が出会ったのも情報バイオホロニクスの会からですからね。

松岡　いまビッグデータ時代とかＡＩ時代の再来とかＩｏＴの時代だと声高に言われて、デジタル化された「情報」が世界中を覆っています。世界と個人はインターネットでつながれたコネクテッド・ソサエティというものにすっぽりはまってしまい、たくさんの情報が膨大なメモリーと高速計算の力によって処理されているんだけれども、では0と1のデジタル記号によって扱えるようになった情報とはいったい何かというと、これがなかなか説明しがたい。

　情報はそれ以前から自然界にも生命系にも世の中にも満ちているわけで、かつてはそれが進化論のような理論や、スケッチや写真や映像に、また文字や文章や記号や録音や磁気テープになっていたわけです。それがデジタルデータとしての情報になったからといって、何が変わったのか。情報はまた、人間の意識や脳や気持ちや気分といったものにもある。シナプス（神経接合部）で分泌される化学的なニューロトランスミッター（神経伝達物質）も情報です。いまやそういう情報の源流が忘れられた情報社会になってしまっているように思います。

しかし、情報というのはもともと生命体の動向と一緒にあるものです。タンパク質は情報を作り出すし、保存もする。物質の特別なパターンや組み合わせや位置によって、それが作り上げた神経系というようなネットワークでも動いていきます。遺伝子のように複製する機能をもった情報もある。この神経系化された情報と遺伝子系化された情報は、はたして生命の歴史のどの時点で出現したのかという情報をめぐる謎もある。

津田　神経系はヒドラあたりから、あるいはもう少し古いものでも神経系に近いものはあるようですが、大事なのは神経系は何のためにあるかということでしょうね。それは外界の情報をシステム内部に損失なく伝達するための装置として発達してきたと考えられます。このことはわれわれのグループの進化的な数理モデルによる研究からわかってきました。

これには二つの流れがあり、一つは個体の外の情報を個体内部に伝達するという流れ、もう一つは個体内に複数の器官ができた後にそれらをコーディネートするための情報伝搬を担うという流れです。それに対して、遺伝子系は自己の情報の保存のために発達してきたシステムです。つまり、まず自己保存の仕組みの構築があり、だいぶ遅れて外界の情報をシステム内部に伝搬する仕組みの構築が行われたと考えられます。

松岡　ぼくはかなり早い時期に「情報のもと」のようなものができていたと思います。ただ、それがどういう「もと」なのかがわからない。数十億年の地球の歴史のどこかでスノーボール（全球凍結）の地球ができた。海ができて、そのどこかの海底近くでシアノバクテリア（藍藻）が光合成を始めた。それが酸素を作って光合成が次のものを生む可能性ができました。こういうような生命の誕生を用意する出来事がおきたわけだけれど、このときはあきらかに「情報」が主語になるプロセスが生命系としてスタートを切っているわけですよね。

　けれどもそうなるには、その前に「情報のもと」にあたる動向があったのではないかと想定できます。そうだとすると、もっとさかのぼってみると、最初の衝撃は宇宙からやってきたのかもしれない。宇宙からのメタプログラミング・パターンのようなものが、あるタイミングで地球上の鉱物か何かの中に押圧され、それが初期のRNAやDNAのもとになり、その後さまざまなエネルギーやエントロピーのバランスの中で急激にパターンを持ち始めて、そこから情報複製が始まったのかもしれません。すると、生命の「もと」をもたない物質状態が宇宙にはもともとあったのだろうか、ではその中に生命の兆しはありえたのだろうか、とさかのぼっていくと、どこが最初なのかわからなくなる。

津田　リニアにさかのぼれるかどうかということもありますね。

松岡　そうです。そこです。「ゆらぎ」や「偶然」の関与が大きいかもしれません。ただ、そういう動向からなぜオーダー（秩序）が出てきたのかということです。

「場所を取る」ということ

松岡　そこで一つヒントになるだろうかと思うのが湯川秀樹さんから聞いた話です。ぼくは若い時に湯川さんに師事していたんですが、記憶に深く刻まれているのは「物質化には並びがある」という話なんです。「同定（アイデンティフィケーション）」をめぐっていろいろと伺っていた時に、印象に残った話が二つあります。

ひとつは映画館における場所取りの話です。「映画館に入って誰もいいひんかったら、どこに座る？」と聞かれたので、「真ん中あたりに座ります」と答えたら、「そやな。じゃあ、次の人はどこに座ると思う？　あんたの隣に来るか？　ちょっと離れる？」と。「そうですね。ちょっと離れるでしょうね」と答えたら、「じゃあもうちょっと混んできて、一五〜一六人目はどこに座る？」「ぼくと次に座った人のあいだあたりでしょうかね」みたいな問答が続いて、最後に「そうやろ。やっぱり物質には並び方があって、そこにすでに秩序の萌芽があるんや。そういうものをまず考えなあかん」とおっしゃった。

もうひとつは、文字の入れ替えの話です。「たとえばレターというアルファベットをタイプライターで紙に打つやろ。綴りはＬＥＴＴＥＲやから、隣り合うＴとＴは同じやな。離れたＥとＥも同じやな。そうしたら、それを一字ずつハサミで切って、ＴとＴ、ＥとＥの位置をひっくり返して並べても、もとと同じか？」と聞かれた。「読む上では変わらないですけど、置かれている紙片の位置は最初とは違いますね」と答えると、「そうやろ。それは同じではないんや。そこには場があるからや」と返された。

この二つの話を聞いて衝撃を受けましたね。詳しいことはよくわからないけれども、これは何かすごいことを言われているなと感じた。

さっきの話に戻ると、情報が生命体の複製によって生まれたのだとしても、その前に何か元素とか物質というものがあるので、その並びの中にすでにある秩序というものが生まれているはずです。だから情報の発生起源を辿ろうとすると、本当はべらぼうに長い話になると思うんですが、その長い話をぐーっと縮めていくと、映画館の「席」やＬＥＴＴＥＲの「場」の問題のようなことが先行していたと思える。そこに「情報のもと」に関する並び方や場所どりの事件がおきていたと思えるんですね。今の世の中でデジタル的な情報だけを扱っていても、おそらく情報の本質は何もわからない。

われわれの時間感覚を考える

津田　たいへん興味深くて、おもしろい示唆的な話ですね。とくに湯川さんのＬＥＴＴＥＲの話で、ＥとＥは同じ、ＴとＴも同じだけれども、それを切ってひっくり返してみたときに、もとのＬＥＴＴＥＲと同じかと言われたら、たしかに今のデジタル的な情報という観点からいったら同じですよね。だけど、たぶん違う。生命の情報というのは、おそらく位置をひっくり返してはダメなんです。なぜかというと順序性や、位置をどう占めるかと言うことはすごく大事で、この場所にあるからこの意味をもつ、こういう情報になる、ということがたぶんある。情報というものがデジタル化されることで失ってしまうものというのは、だからまさに周りとの「関係性」であり、「場」の問題だと思うんです。

それから、情報の起源をめぐる長い話をギューッと圧縮しているものがあるはずだという話ですが、それは「時間論」とも関係してくると思います。

松岡　時間？

津田　われわれが時間空間に対してどんな感覚を持っているのかというと、だいたい１秒１メーターぐらいの感覚で生きている。だけど、実際に物理の世界でいろんな原子や物質が相互作用する速さは、基本的には光の速さと同じなので、１秒間に三〇万キロ、つまり10の８乗メートルぐらいになる。われわれの時間感覚というのはこれに比べると非常に粗雑なんです。本来の物質の時間の長さを単位として時間を粗視化しているからです。時間圧縮と言ってもいいでしょう。

いろんな物質世界でおこっていることを人間の脳という情報系を通して見るとき、物質がその時間でする経験を圧縮することによって時間圧縮する機能を、脳は持っているようです。だから逆に、そこにこそ情報が出ているんだと思うんです。おこっている相互作用の時間を基準にするように圧縮することで、ある意味でまったく別の情報が出てきているのではないか。つまりそれは、結局は脳の問題なんですね。

松岡　なるほど、「圧縮」と「写し」がまるで違っているんだ。それは、人間以前の動物もそうなのかしら。ウサギとかサルの脳も同じように時間を圧縮している？

津田　そうです。神経系を持つ生き物は、1秒が何センチぐらいかというオーダーをそれぞれに持っているので、たぶん感覚としては同じだと思います。進化というのはもちろん長い年月なんですけれども、長い年月をかけて作り上げられたものの「もと」は、物質世界でおこっているので、そうとう速い相互作用です。ところが神経系は伝達速度が遅い。そこに脳独特の情報処理の仕方が出てきたんだろうと思う。

松岡　ニューロン（神経細胞）って、数ある生体細胞のうちの犠牲的な姿ですよね。当初、細胞が植物の中で形成されてきたときは光合成をする独特の葉緑体などがあったけれど、動物の細胞では細胞質や細胞膜は継承されつつも、葉緑体を失い、そのかわり動物の機能にそって変化した。そこに情報を電気的かつ化学的に伝達するためのニューロンが登場してきた。扁形動物のプラナリアや環形動物のミミズや昆虫にも発達した。外部からの刺激に対して活動電位

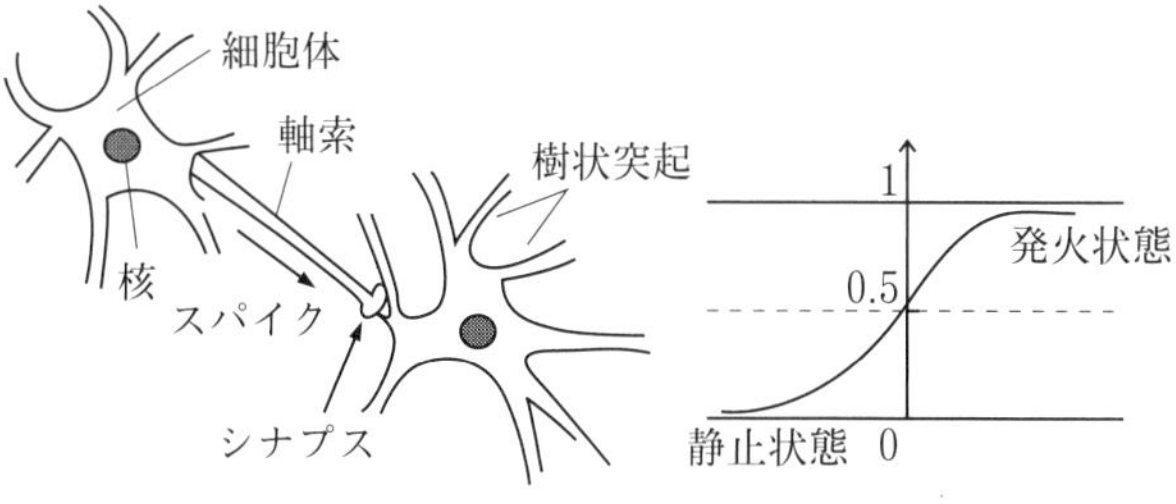

神経細胞の構造

を発生させて、これを情報として樹状突起や軸索（細胞体から出る繊維）に走らせていくという細胞です。だんだんネットワークを複雑にしていくけれども、そのようにニューロンが細胞としての他の機能を捨てて特化したのは、生体維持のための情報伝達機能を担当するためです。まあ、犠牲を買って出た。

そういう神経細胞のネットワークで、すでに時間の圧縮に当たる何かが起きているのだとしたら、さらに生物の進化の過程の中で、中枢神経系をもった生物はかなり情報をはこぶ時間というものを縮めたということでしょうね。それは情報を解釈する時間にもあたるので、けっこう大事な問題です。

津田 「情報をはこぶ時間」が重要なところです。

カルノー・サイクルの話

松岡 となると、時間を圧縮することにどんなメリットがあったのか、ということも語りたくなるわけですが、それはいったん措いておくとして、「時間」の中には「情報」の流れもあるし、

「熱」の流れもある、そのどちらも含めて時間と言っていいんですか。

津田　たぶん神経系はそれを全部引き受けていると思います。実は今回の対談にあたって考えなくてはならないだろうと思ったので、渡辺慧[2]さんの時間論『時』（河出書房新社）をもう一回見直してみたんですが、伏見康治[3]さんの見方にわりと近くて、この伏見さんの時間論に一つヒントがあると思ったんですね。

松岡　ああ、伏見さん。何度か話しました。伏見さんの時間論は『時間とは何か』（中央公論社）にありますね。「幅のある時間」をめぐっての考察がなされている。

津田　伏見さんは他の方とはちょっと違うスタンスで、熱力学の「カルノー・サイクル[4]」という概念を援用しているんです。

松岡　はい、はい。あれはおもしろかった。

津田　カルノー・サイクルはサディ・カルノーが蒸気機関をヒントに考え出したモデルです。高い温度と低い温度の熱源があるときに二つを接触させると、熱伝導によって高い温度の熱源から低い温度の熱源に熱が流れて、やがてその変化の状態は止まり、等温度になります。熱エネルギーのやりとりが平衡になって、変化の状態が止まる。これが「熱力学的平衡」状態です。

それでは、その間に一つ熱力学的な意味の「エンジン」（ここでは熱の流れを駆動するもの）をかませてみるとどうなるか。高い温度の熱源から熱を奪って、低い温度の熱源に熱を渡す時に、

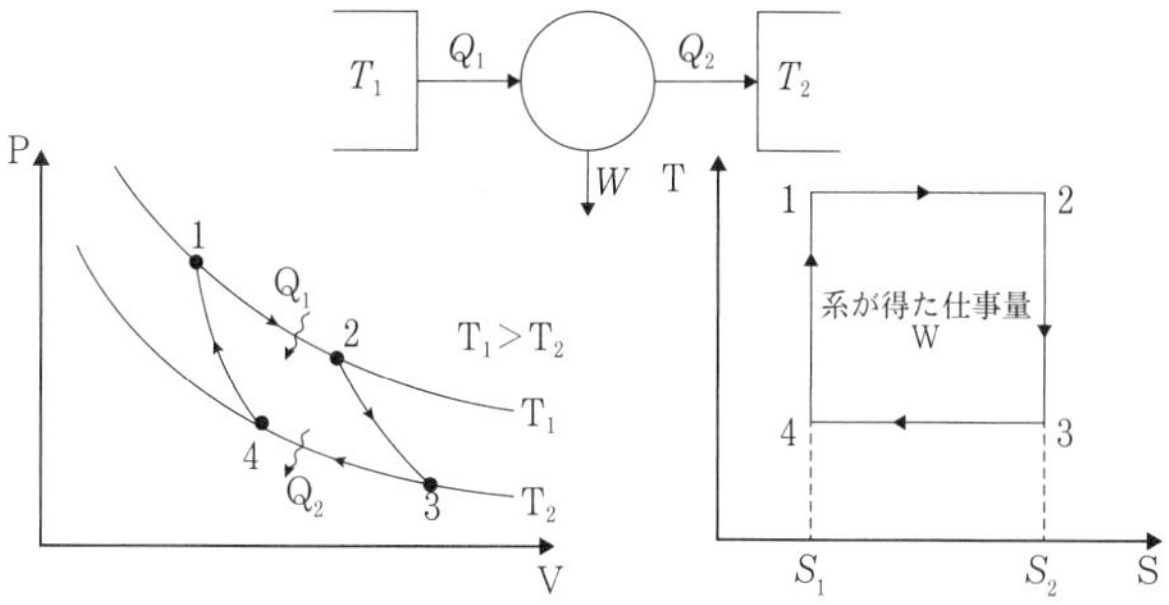

カルノー・サイクル

（上）高温熱源から熱を取り出し低温熱源に熱を与えその差額を仕事として外に取り出すエンジンの概念図。

（左下）この過程を圧力（P）と体積（V）の空間での矢印で示す。

（右下）同じ過程を温度（T）とエントロピー（S）の空間での矢印で示す。

矢印の方向に過程が進行する。取り出された仕事量は矢印が囲む図形（右下では長方形）の面積である。カルノー・サイクルは熱源から得た熱を最大効率で仕事に変換する理想的な装置である。1→2、3→4は等温過程、2→3、4→1は断熱過程である。


外に対し仕事をする「エンジン」をカルノー・サイクルに入れてみると、エンジンは温度の高いほうから低いほうに流した熱量分だけ仕事ができると考えられます。普通は熱効率が悪いので、それに何パーセントかかけたぶんの仕事量になるのですが、カルノー・サイクルのように最大効率が百パーセントになったら、熱量の差分だけ外に仕事ができます。

　そのとき、単に熱接触しているだけだったら、エントロピーは増加してしまう。エントロピーは熱力学的には単位温度あたりの熱変化であり、熱を分子運動のエネルギーと解釈する統計力学では乱雑さの指標になるわけですが[5]、ふつうの熱接触だとエントロピーは増加する。自然界では、どんな物質でも放っておけばエントロピーが増大して無秩序な方向に向かいますが、でもカルノー・サイクルにおいては、断熱過程を入れているのでエントロピー変化はゼロになる。つまり、そのぶんだけ有効な「仕事」が得られるというわけです。

外部と接触のない「閉じている閉鎖系[6]」ではエントロピーが増加するという「熱力学の第二法則」があてはまる。これはエントロピーの時間微分が正になることを意味します。それはすなわち単位時間当たりのエントロピー変化が正になるということです。他方、カルノー・サイクルでは「等温圧縮→断熱圧縮→等温膨張→断熱膨張」というふうになるので、1サイクルするとエントロピー変化はゼロですから、カルノー・サイクルの1サイクルを単位時間にとるとエントロピー変化はゼロになる。物事が自然と乱雑になっていくのが時間の方向だと考えるなら、熱力学第二法則は「時間の矢[7]」の方向を指定する法則だということになります。

「時間」の始まり

津田　ところが地球のような「非平衡開放系」では、ミクロな無秩序状態からマクロな秩序状態が生まれます。たとえば、量子力学の創始者のひとりであるシュレーディンガー[8]の言葉を借りれば、生命は「負のエントロピー」を食べて秩序を作る方向へ向かってゆく。つまり系のエントロピーは時間とともに減少する。これらを考え合わせると、時間概念の出発点はその臨界点であるカルノー・サイクルになると考えられるのではないかというのが伏見さんの見方です。「時間」の始まりにも、まずエントロピー変化がゼロになるものを作るようなプロセスがあったんじゃないか、とも伏見さんは言っているんですね。

松岡　朝永（振一郎）さんの最後の本となった『物理学とは何だろうか』（岩波新書）もカルノー・サイクルを、物理を外から考える原点モデルにしてましたね。ただ、伏見さんのように生物と時間というふうにはもってきていない。

津田　伏見さんは、カルノー・サイクルが「生命《ライフ》」だと言うわけです。これは物理学者の単純な思考かもしれませんが、しかし第一歩がそうだった可能性はあります。

つまり、「生命」を作るときに、物理学においてカルノー・サイクルとして実現されているのと同じようなメカニズムを使った何かが物質の中にあらわれて、エントロピー変化をゼロにするものをまず作ったのではないか。そういうふうにも考えられるということです。それは何か結晶を作るとか、場所を決めるとか、順序を決める、というようなことですよね。高い温度の熱源から低い温度の熱源に熱量を流すとなると、そこでは「順序《オーダー》」が決まっていく。「空間」がいつも決まるわけです。

松岡　ＬＥＴＴＥＲのＥＥ、ＴＴが位置を持ち始めて、ひっくり返したらまずいよということとになる。

津田　そうです。なぜなら位置をひっくり返すことは時間順序を逆にするのと同じことになるわけだから。

私が伏見さんの見方が非常に鋭いと思ったのは、「生命は負のエントロピーを食べている」と言ったシュレーディンガーのさらに前があると言っていることですね。無機物の世界では、状態を放っておいたらエントロピー増大になってしまって、どんどん無秩序になってしまうけれど、生物だけはエントロピーを減少させる方へ、秩序を作る方へ向かっている。そのエントロピーを増大させない仕組みは、物理においてはカルノー・サイクルによって実現できる。現実にはできないけれど、概念としてはできるので、エントロピーを増大させないカルノー・サイクルに近いものができて熱力学的に非平衡になっていけば、次はエネルギーの出し入れをちゃんとできるようになると言うんですね。

松岡　それによって生命体による「自己組織化」が始まる。だから無秩序の中から秩序ができてくるのだ、と。

津田　そう、自己組織化が始まる。そこはシュレーディンガーが言った、エントロピーを下げる方向です。エントロピーを自ら下げて中に組織を作るものができ始める、消化器系や神経系を発達させ、そこに秩序を生じさせることができるわけです。非平衡の熱力学や非平衡の統計物理学はまさにそこを解き明かそうとしました。

だから非平衡熱力学や非平衡統計力学とは本来、生命が初期においてなぜできたのかという条件を解明するためのものであって、何が生命の発展を保証したのか、そうした「生命」の拘束条件の一つを提案した学問なんだと思います。

松岡　いやいや「時間」の話から入ってこられたのでびっくりしましたが、よくわかります。とすると「情報」の話はまだ先ですね。

津田　まだです（笑）。まずは「生命の起源」を考えるにあたっては、なにがしかの「順序」とか「因果関係」と、「情報が場所をどう占めるか」ということがけっこう大事なのだということです。松岡さんが湯川さんの話を持ち出したので、一挙にそこへ話を寄せたくなった。

松岡　はい、そうでした。最初から大問題をかたわらにおきながらの話になってきた。津田さんとは、いつもこうなる。

津田　ええ（笑）。

松岡　あらかじめ確認しておきたいのですが、これらのことは「生命の誕生」や「情報の動向」を議論するときの拘束条件なんですか。

津田　そうだと思います。

松岡　そのへんを先に聞いておきたい。

生命の条件をめぐる「分化」を考える

津田　では、生命情報の出入りを問題にするとき、もっと他に何か拘束条件があるのかということを考えてみるとします。いま私が興味をもっている「分化」（differentiation）を例にして考えるとわかりやすいと思います。いわゆる機能分化や細胞分化の分化です。

松岡　うん、分化。

津田　たとえば脳ができあがっていく過程は機能分化によって説明できます。脳の後ろの方の後頭葉が視覚野に、横の方の側頭葉が聴覚野にといったように、細胞がどう分化していくのか、われわれは脳の機能がどう分化していくのか、このダイナミクスを持った原理は未解決なのですが、一つの仮説にもとづいて考えてみます。

その仮説とは、どういう拘束条件のもとで機能や細胞が分化するかを考えるものです。その中で成功したもののうちの一つは、システム（たとえば脳）に、あるマクロな拘束条件があって、この拘束条件を満たす形（何らかの量を最大にしたり最小にしたりすること）でシステムが組織されていったときに、そこにニューロン（神経細胞）みたいな「部品」ができる、というものです。

松岡　どうやって調べるんですか。

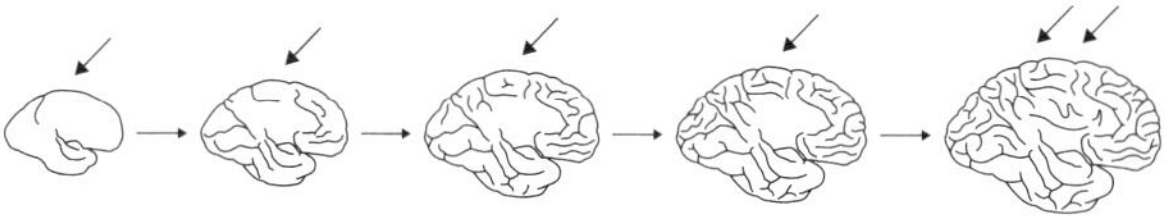

機能分化と拘束条件（例）

脳の発達過程では、発達の各段階でさまざまな拘束条件がある。胎児では子宮という拘束、また母親の声なども物理的、情報的拘束を与える。幼児期ではまわりの大人とのコミュニケーションによる情報的拘束があり、また身体の発達とともに身体からの拘束も顕著になってくる。言語的拘束もしだいに強くなってくる。

津田　数理モデルを作ってみるんですね。コンピュータにまず力学系のネットワークを作っておいて、外から情報を流すことで、そのネットワーク内で情報を最大に伝えるためには、どんな部品ができるかを調べる。ここでいう「情報」[9]とは、とりあえずは「複雑さ」だと思ってもらえばいいです。時間変化、信号の複雑さのようなものを情報に見立てて、それを最大化するように遺伝子を変える[10]。そうすると最終的には、神経細胞と同じ性質を持つ部品が選ばれてくることがわかった[11]。

松岡　なるほど、効率的な伝達をした。

津田　そう。この結果は、神経細胞は、外の情報を神経系の内部に最大限効率よく伝えるために必要な装置として生まれてきたのではないかという示唆を与えてくれます。「情報量を最大にしなさい」という拘束条件だけでも、実は神経細胞なんてできてしまうんじゃないかと考えてるんですね。

松岡　うん、拘束条件が情報をつくり、その情報の形成プロセスの何かが神経細胞のような部品になっていく。

津田　本来、部品はシステムの中に入ってこそはたらくものだから、外に取り出したら何の意味もない。でも、そういう神経細胞という「素子」がいったんできてしまえば、今度はそれをネットワーキングすることで、もう少し意味のある「情報」ができてくるかもしれないわけです。すると、脳の機能分化を考えてみるとき、分化したそれぞれのエリアは意味を持った情報を処理しているわけなので、「意味」の世界で扱えるような組織ができてくるんじゃないかと思える。

情報が先か、部品が先か

松岡　とても興味深い。「カルノー・エンジン」が先行したという話とつながる。どこかで「スイッチ素子」ができましたという話ですよね。

　これはね、いったい情報が先なのか、部品が先なのかということです。ここで情報発生以前とか生命発生以前のイメージを描いてみると、まず、どこかで光合成が発明されて細胞を組み合わせる原始的な生体系ができた。その細胞にはナトリウムイオンとかカリウムイオンのチャネルを持ったことによって生体膜（細胞膜）[12]ができ、内と外というものが分かれた。膜は、まあ当初の部品のようなものです。そこに外からミトコンドリアが取り込まれて多細胞生物が生まれ、遺伝子のはたらきによって巨大な進化がおきて、われわれが生まれた。

このプロセスの初期の場面で、おそらくはカルノー・サイクルのようなものが機能して、時間と神経細胞とが相互的にできあがって生体情報を処理する時間と解釈のしくみが生じたということでしょうね。でもさっきの湯川さんの話を例にとると、生体系という映画館に入るにはそれなりの順序があり、そこで情報をインプリントするにも「場」とともにその位置や局所環境がかかわってくるということになります。で、またそこから出ていくやつがいるということでもある。そういう入れ替えを含めた拘束条件のようなものが、もう一つ何かあるんじゃないかという気もしますね。

津田　それはものすごく大事な点です。交換のための拘束条件ですね。そこではエネルギーとエントロピーが共にかかわってくるでしょうから、自由エネルギーに対する拘束があったのかもしれませんね。これは大変興味深いことで、カール・フリストンの自由エネルギー原理[13]とも関係してくる話になるでしょう。

ちょっと余談ですけど、われわれがさっきのような話をすると、生物学者はあまり興味を持たないんです。なぜかというと、生物学者にとっては「膜」のない話って意味がないからです。

松岡　そうそう、その通り。

津田　われわれが抽象的なレベルで、力学系という数理モデルで説明していても、「でも、その力学系はどこに膜があるんですか？」と言われると、膜は実際のところないわけで、だから彼らはあまり興味を示さないんです。たぶん実際に膜を作ってあげると、「あっ、そういうことか」と納得するんだと思うんです。

もちろん膜は大事です。膜というのは脂質が二重になって構成されたものですけど、膜の存在によって、内と外に分かたれたことは何より大きい。膜によって内側の世界と外側の世界の意味がまったく違ってきた。膜を作るだけで境界ができてしまったんですから。さらにそこに、タンパク質でできた構造体が刺さっているわけです。チャネルタンパクといって、内と外のやり取りをするいろんなチャネルがグサグサッと刺さっていて、内と外がイオンでつながっている。それをコントロールできるわけです。神経細胞の膜は基本的にこのようなイオンチャネルの構造を持っている。

松岡　カルノー・エンジンとスイッチ素子だけでは、内と外というか、自己組織化が成立しないもんね。

津田　そうですね。膜も大事なのですが、すべては自己組織化していかないといけませんね。まずはカルノー・サイクルでエントロピー変化がゼロの状態ができた。湯川さんのＬＥＴＴＥＲのＴやＥをそれぞれ印刷された文字だけ入れ替えても文字列の複雑さは変化しませんからエントロピー変化はゼロ。こういった場の情報がエントロピー変化ゼロでまずできた。しかし、湯川さんの言っているのは、ハードの紙を切って入れ替えるとそこには物質の変化があるからエントロピー変化はゼロではなくなる、ということですよね。そういうソフトとハードの一体化がまずおこる。一体化する仕組みができたということでしょうか。そして、そこからが、エントロピーを減少させる自己組織化の原理になります。その仕組みが、たとえばプリゴジンの「散逸構造」の理論やハーケンの「隷属原理」によって、さらにその後の発展で少しわかってきたということです。

松岡　生命が情報を持つためのモデルを考えるときに、いまはカルノー・エンジン、スイッチ素子、そして「生体膜」（細胞膜）という三つのモデルがどこかでゴチャゴチャっと一緒になったのではないかと想定をしたわけだけれども、そういうふうに初源のモデルを縮めて発想したくなるのは、どうしてなんだろうね。初源のモデルを想定してみると、さらに「もと」になるものが何かあったのかというふうには考えずに、あとのことはさまざまなサブ現象として見ていくようになりますね。カルノー・エンジンと素子の誕生のモデルには他の要素は入らないんですか。

津田　思いつかないですね。

「情報」の起源はAI化できるのか？

松岡　とすると「情報の起源」というのはおそらく、まず何かが宇宙からはぐれて、地球条件と太陽系の熱力学的な条件をうまく生かしながら、伏見さんの言うような仕事ができる「エンジン」と、津田さん専門の「スイッチ素子」のようなものを生み出した。この二つの存在によって、簡単にいえばゼロイチが作れるようになり、やがて抑制反応と興奮反応によって情報処理が進み、時間はちゃんと管理できるようになったということになります。さらに、生体系の膜が内側と外側を分けて、外のものを取り込み、中のものを吐き出すようなことをし始めるわけですが、それによって無秩序から秩序が生まれるような自己組織化に当たるプロセスが生まれるのだというシナリオです。

その三つが何かの偶然によって首尾よく組み合わさったとして、そこで萌芽した「X」に対する「Y」というのは、それこそが「生命体」の起源であり、「情報」の起源であり、それなしには生命も生まれなかったような、情報も操作できないような仕組みの萌芽でもあったわけですよね。

で、話が急にとぶようだけれど、その仕組みが、たとえばコンピュータ化、あるいはＡＩ化できるものなのかというと、おそらくまだできないんじゃないかとぼくは思うんだけれども、そこはどうですか。

津田　できませんね。今のデジタル技術をもとにしたＡＩは、ディープラーニング[14]技術の寄与が大きいわけですが、これは八〇年代にはすでに出ていたものです。ジェフリー・ヒントン[15]

自身も言っていたし、日本では福島邦彦[16]さんが人工神経回路モデルのコグニトロンを何層にもするネオコグニトロンというパターン認識装置を作っていて、これが今日の深層ニューラルネットなのです。さらに、ヒントンたちが考えたバックプロパゲーション（誤差逆伝播法）という学習規則で深層学習が成り立ったわけですが、この学習法も、ヒントンたちよりずっと早くに甘利俊一[17]さんが提案していました。当時でも層の数をふやせばどんどん性能がよくなるという見通しがあったけれども、当時のデジタルコンピュータの性能（記憶容量と計算スピード）に関わる問題があって、当時は層をそんなにふやせなかったにすぎません。

　しかし、最近の計算資源は当時とは比べものにならないほど豊かになったことで、深層学習はパターン認識と自然言語処理に関してはうまくいっています。ビッグデータに対してはとくに強い。ビッグデータでガンガン学習させてやれば、とりあえずディープラーニングはできますよ。すべてのものは特徴抽出に還元可能だという考え方に立てば、パターンさえ学習してしまえば特徴を抽出できるので、異なるパターンを一つのカテゴリーに入れるという意味で同定もできるし、これとこれは違うと差異化することもできる。ということで、なんだか賢そうに見えるわけです。

　だけど、ビッグデータじゃないものはどうするのかというと、答えがない。つまりスモールデータをどうやって学習するのか、それをどう意味づけるのか、どう情報を編集していくのかというと、今のところまったくできないんですよね。

松岡　ディープラーニングだけでは、心とか意識だとか、あるいは記憶するとか記憶を忘却するとか、それから津田さんが大事にしている「まちがえる」ということを創発力として用いるようなことにはつながらないよね。

「幅のある時間」

津田　そうです、それは話を戻すと、さきほどの時間の問題とも関係してくる。生物学者の中村桂子さんがずっと言っている「生命誌」という考え方ですね。ようするに、遺伝情報の詰まったゲノムの中には、時間があらかじめ複雑に畳まれて織り込まれている。そういう時間構造を持ったものをベースにした情報システムは、今のＡＩにはとても実現できない。ＡＩには単純な時系列情報は処理できても、複雑に折り畳まれた時間は作れない。伏見さんが言う「幅のある時間」というのも当然作れない。

伏見さんは、粒子同士がものすごく速いスピードで相互作用しているから、そこには「時間の幅」ができると考えるんですが、さらに、個々の粒子が「固有時間」を持っていると見ている。つまり、相互作用するときには互いにぶつかっているのだから、個々にバラバラな固有時間を持ったものがぶつかるときには、それぞれが持つ固有の時間ではなく、すべて統一された同じ時間を持っているはずだというふうに見る。いろんな異なる粒子がぶつかっている間に、個々の粒子の持つ時間とは違う公共的な時間ができるはずだと言うんですね。

松岡 個と公と共。

津田 その伏見さんの見立てを裏付けるのは、時間とエネルギーとの不確定性関係です。量子力学には二種類の「不確定性原理」があって、通常話題になるのは、運動量の不確定性と位置の不確定性の積がある一定値より小さくできないという不確定性原理ですが、エネルギーの不確定性と時間の不確定性との積が一定値より小さくできない、という不確定性関係もあるわけです。つまり、エネルギーの観測誤差と時間の観測誤差を同時にはゼロにできないということですが、それと似たようなものが公共時間に対してもあるのではないかと考える。それは熱力学において、いろんな分子がぶつかってエネルギーを交換し合う中で、交換された平均的なエネルギーを温度と定義することにヒントを得ています。

もともと「温度」というのは個々の粒子たちがもっている「運動エネルギーの公共性」を表現しているのですが、そこで熱力学においては「温度」という公共性が出てきたんだから、素粒子のぶつかり合いの中での時間、いわば「幅のある時間」にも、同じように公共性を持たせられるんじゃないかと言うわけです。そんな話は誰も相手にしないんだけれども、でも非常に魅力的な考え方だと思います。

松岡　そうね。いま津田さんが「公共性」と表現されたものを「表現」（representation）と考えれば、たとえばギリシアの神話哲学におけるクロノス（時計）的な時間とアイオーン（時代、世紀）的な時間の違い、あるいは東洋の曼荼羅的な循環するカーラ的な時間とか、さまざまな時間の流れを想定することで森羅万象を考えたように、今の粒子のぶつかり合いのような出会いが何かを公共化するようなことはありうると思います。だから、当然「幅」もある。

幅だけではなく、伏見さんはたしか「ツイストする時間」だってあるんだともお書きになっていたと思いますが、時間が捩れることもあるし、ひょっとしたらぼくらはまだ体験してないけれども、崖から落ちて走馬灯のように一挙にいろんなことを思い出すような時間の流れ、あるいは、吊り橋を渡っている途中で不気味の谷がやってきて渡れなくなってしまうような、いわば別の時間系に入っちゃうような時間の流れもありうるでしょうね。でも、これらが「脳」や神経細胞のどんな特色にもとづくのかは、まだわからない。

第3章

編集という方法

Kurt Gödel
Ludwig Wittgenstein
$\mathrm{enc}(X_1\ X_2\ X_3\ \cdots X_n)$
$=2^{X1},3^{X2},5^{X3}\cdots Pu^{Xu}$
§§§§§

編集という方法

松岡　しょっぱなから「情報」や「生命」以前にすでに何かの装置が何かを準備していたのではないかという過激な話になったのですが（笑）、そして、それは「カルノー・エンジン」や「素子」や「膜」の誕生と関係あるんじゃないかという、専門的でかなりラディカルな話になったのですが、こういう話になるだろうなということは、なんとなく予想してました（笑）。

津田　私も（笑）。

松岡　二人ともそういうふうに過激になりたいんだから（笑）。

津田　そうかもしれない。世の中に少しうんざりしていますから。

松岡　そうね。「うっせぇ、うっせぇ、うっせぇわ」と言いたい（笑）。ところで生命と情報をめぐるこの手の話は、ぼくの編集工学や編集の立場からしても同じような議論になるんです。津田さんが物理で考えているようなことを編集工学でも考える。だからこそ津田さんと話したかったわけです。ということで、ここらで少しその話を挟んでいいですか。

津田　そこを聞きたかったんですから。

松岡　とりあえず入口のところだけの紹介ですが、編集（editing）というのは、情報が何かの流れに沿って仕事をしていることを観察することから始まるんです。ここでいう「情報」はかなり広い範疇のものです。クロード・シャノンの通信理論の情報だけではなく、負のエントロピーとしての情報だけでもない。芸術や科学が扱う情報も、シンボルも図像も、マンガやポップスも情報です。だから編集工学では、情報は何かの乗り物に乗っているとみなします。

ヴィークルですね。情報が速度や角加速度をもっているというより、情報は何かのヴィークルに乗って動いている。かつ持ち物をもっているとも見ます。情報はカバンとかポシェットをもっているんです。そこに何かが入っているんだけれど、その中身は時に応じて持ち出すもので、出さないときもある。

さらに情報にはそもそも「外見」というか「様子」というものがある。情報はハダカではなくて、なんらかの着物（衣装）を纏《まと》っているんですね。情報には柄や模様や、あるいは袖《そで》や裾《すそ》がついていると言ってもいい。情報の外見や様子は、それを観察する道具や器械によって異なりますし、観察者によっても異なります。なにより民族や地域の言語によって異なっている。言語は同じコトやモノを別の言い方にしてきましたからね。世界の言語がこんなにも分かれて営まれてきたということは、編集工学にとってとても重要な情報光景です。

つまり、情報は「乗りもの、持ちもの、着もの」を伴っている。このような情報を相手にして編集が始まるんですが、むろんのこと、それを始めたのはエディターやぼくではなくて、古代以来の哲学や科学や芸術が始めたことで、かれらによって最初の情報編集はかなりの名辞やコンテンツをつくってきた。しかし、たとえば科学史ではエーテル[1]やフロギストン[2]が想定されて、それからそれらに代わって新たな概念や法則がつくられたように、また衣服や住宅やアート表現が変化してきたように、情報の乗り物や持ち物や着物は時代を追って訂正されたり、変更されたり、破棄されたりもしてきたわけです。ゴシック建築とルネサンス様式は違いますし、元素の数もクォーク（物質を構成する最小の粒子）の数もだんだんふえてきたし、政体や兵器も変わってきた。そしてそのつど、これが最新だと捉えられてきた。

　こういうことは、ふつうは文明や文化の進化とか、学問の成長とか、あるいはコモディティやファッションの変化というふうに見られてきたわけですが、ぼくはこれらをすべて情報の変遷というふうに、情報がヴィークルを乗り換え、カバンを持ち替え、意匠を着替えてきたと見るんです。そう見ることで編集が始まる。

津田　情報が乗り換えたり着替えたりするっていうのは、よくわかる。明快です。

松岡　但し書きがあります。これらのいわば第一次編集やその変更による第二次編集では、何が「真理」だとか何が「オーソドクス」だとかは決まりません。編集工学では決めないと言ったほうがいいかもしれない。古代、中世、近代と続いた第一次編集と第二次編集の時期に、学問、専門領域、職人、流行、わかりやすさ、波及度というものがよくもわるくも進行したので、それらの事情に応じてそれぞれのフェーズでメインストリームが決まったりすることはあっても、それらの成果はそれぞれの時代の要請で確立していたのです。それぞれが「真理」や「オーソドクス」や「デファクト」を競いあってきた。しかし編集工学ではそこに囚われない。また、これらの成果は前の成果が未熟で、後の成果が進歩的であるとはみなさない。

というわけで、編集ではこれらをいったん読み直したり、並べ直したり、組み直したりします。これは第三次編集にあたるともいえますね。

津田　なるほど、そういう見方が前提になっているんですね。

なぜ「編集工学」なのか

松岡　では、編集は並べ替えたり組み直したりして何をするかというと、新たな理論を構築したり新たな新説を提案しようというのではないんです。文明や文化の進捗の中でどんな「方法」が有効になっているのか、その方法に着目することによって新たな現象や未知の現象にどんなアプローチが可能なのか、そこを励ますんです。

津田　励ます？

松岡　はい、励ます。それが生きがい（笑）。もちろんときには「うっせぇ、うっせぇわ」とも言いますし、「およしなさい」とも言いますが（笑）、べつだん真理の旗をふりかざすのではない。また証明するのでもない。なぜなら編集はテーマ（主題）にディペンドしたいのではなく、方法を掬《すく》いたいんです。ぼくが見るに世界解釈をめぐるテーマは古代ギリシア以来、古代中国の諸子百家以来、そんなに変わってこなかったし、言葉をつくってからの人類の体質も脳の認識力もそんなに変わってこなかった。キリスト教とイスラムと仏教ではテーマはほとんど変わりません。けれども方法はかなり違う。大事なのは方法なんです。さきほど物理学と生物学で「膜」の扱いが異なるという話が出ましたが、それはテーマが異なるのではなく、ぼくからすると物理と生物では編集の方法が違っているんです。

けれども方法に着目するのは、けっこうめんどうくさい。文明や文化の成果は時代が進むにしたがって「包みこみ」と「分類」を徹底していきますから、どの方法が自律的になっているかを見極めるのは、容易ではありません。とくに時代ごと、領域ごとに技術が発達してきたので、イノベーションのたびに方法が尖ったり、どんどん畳みこまれてしまいます。そこで編集にはリバース・エンジニアリング[3]が必要になる。情報的な事態や経緯に入りこんで、そこから出てくる必要がある。リバースしてくる必要がある。ハッキングと言ってもいいんですが、まあリバースです。たんなる「編集」ではなくて「編集工学」というふうに、工学的な言い方を借りているのはそのためです。でも学問としての工学を標榜しているのではない。

津田　私は物理と数学の研究者ですから、編集工学の、その「工学」というところにやや引っかかっていました。

松岡　そうでしょうね。以前にそんな話もしましたよね。でもぼくは工学屋の看板を掲げているんじゃないんです。工学といってもシステム工学からヒントをもらっているところが大きい。ぼくがホワイトヘッドに痺れ、そのホワイトヘッドに影響を受けたウォディントン[4]やベルタランフィ[5]の有機体理論や一般システム理論に関心をもってきたのは、そこです。

津田　なるほど。それで第三次編集はどういうふうに進むんですか。

松岡　励ますために進む（笑）。ちゃんと言うと「励起《れいき》」（excitation）させるために進むんです。もう少し平たくいうと、漫然となりすぎたり専門化しすぎたりしている情報の、乗り物・持ち物・着物をあらためて点検して、そのためにリバース・エンジニアリングが欠かせないんですが、そうすることによって「知」の新しい地図や回廊をつくり、そこからみなさんを励ます、いや情報を励ます。これが仕事です。

ただ、そんなことをしても編集は仕事にならない。本の編集や映画の編集がそうであるように、わずかな手間賃しかいただけない（笑）。ながらくそうでした。そこで仕事の方向性としては、編集というプロセスを、今日風にいうと少しは「見える化」しなくちゃいけない。ある想定されたステージやフォーマットに情報を持っていって仕事をさせるようにする必要があるんですね。そこに登場してきたのが編集装置です。

津田　励起のための編集装置？　どういうものですか。

編集装置を用意する

松岡　ぼくは世界がどのように制作されてきたかということを、ずっと考えてきたんですね。たとえば神話はどんなふうに各民族や部族で作られてきたか、古代言語で主語と述語は何を基本にしてできてきたのか、右辺と左辺を合わせる計算や反復するリズムはどのように発生し、それらはどんな方法でドキュメント化できる（記譜できる）ようになったのか、さらには生と死はどんな摑み方だったのか、哲学はアニミズムやシャーマニズムをどう整理したのかというようなことです。

いろいろ調べてみると、そこには初期設定があったはずなんです。世界を制作するための初期フォーマットのようなものが動き出したんだと思う。たとえば絵画は文明とともにのちにはアートとして発達していきますが、これはヨーロッパではショーヴェやアルタミラの洞窟画に始まるのだけれど、そこには洞窟の中で絵を浮かび上がらせるという暗闇フォーマットが作動していた。三万二千年ほども前のことです。

その石器時代のフォーマットがやがて平たい壁画となり、窓枠をもったようなタブローとなり、写真となり、暗闇で見る映画やＶＲになっていく。みんな四角いフォーマットですね。またたとえばメソポタミアの『ギルガメシュ』はいまのところ世界最古の叙事詩ですが、そこには拙いながらも物語を構成するための基本構造がすでに出ています。ストーリー（筋書き）、シーン（場面、プロット）、キャラクター（主人公、登場人物）、ナレーター（語り部）、ワールドモデル（物語の舞台）の五つです。これもその後にさまざまな物語作品に踏襲される。

あるいは「文章にする」や「書く」ということについても、各地域でフォーマットが動き出します。一行ずつ書くとか、ソネットにするとか、日本でいえば万葉集のように五七の音数で長歌と短歌を並べるとか、そういう初期設定がある。それがなかったら発達していかなかったんですね。学術もニュートンの時代までは王立協会に提出する論文スタイルがフォーマットですよね。ぼくはこういうことが情報編集の当初におこっていたことだと見て、時代の中での世界制作の方法にはなにかしら初期設定のようなものや「当初の編集方法」のようなものがあると確信するようになったんです。

津田　拘束条件でもある？

松岡　そう言ってもいいかもしれません。ドアをどっち側に開けるかで蝶番《ちょうつがい》のジョイントが決まるようなね。でも情報編集では、その拘束条件を前提にして考えるだけではない方向も想定しています。

それなら編集的にはその「当初」はどういうものになっているとみなすかというと、いわば「地の情報」に対して「図の情報」がくっついていくというしくみになっていると見る。「地の情報」は広いユートピックな（グローバルな）もの、「図の情報」は固有のトピック（ローカルな）なもの。これらが組み合わさり、その組み合わせのしくみ自体が編集装置となって、その後のあらゆる表現編集作業のプロトアーキテクチャとして機能しているのだろうと見るんです。

津田　プロトアーキテクチャは時空モデルのようなものですか。

松岡　はい、それも入るし、それとはかぎらないものもある。実際にもアボリジニやドゴン族はそういう時空モデルを当初からもっていますが、そうした時間や空間の特徴も、風雨や植物や動物の変化も、自分たちの生老病死の出来事も、挨拶の言葉としての基本コミュニケーションの応答も、部族や一族の発展とともに途中から縫い込んだり織り込んだりできるような、さしずめ「百代の過客」が泊まっては旅立っていく宿屋のような、湯川さんの言う映画館のような、そういうプロトアーキテクチャがあったんだろうと見ています。時空モデルは「仮の宿」なんです。

その仮の宿を「地の情報」と「図の情報」が出入りしながらメッセージを発していく。それらをあとから見ると「地の情報」がユートピックな分母のように、「図の情報」がトピックな分子のように見える。あるいは両者が「鍵と鍵穴の関係」のような役割をもった様相を呈するように見えるわけです。しかし、それは最初から分母と分子というふうに分かれていたわけじゃない。ＬＥＴＴＥＲの話でいえば、紙が分母で、タイプライターで打った文字が分子ですが、でも分子のＥＥやＴＴを分母の紙と一緒に入れ替えようとすると、別の出来事がおこる。

というわけで、第三次編集をするにあたっては、つまり編集工学をするにあたっては、一次編集・二次編集の情報群をいったん「地と図」で見直すということをします。ここまではいいですか。

津田　だんだん見えてきた。

「膜の発見」

松岡　次に試みるのは、いわば「膜の発見」です。別の言い方をすると「境界の引き方」や「内と外の仕分け」を編集しなおすということです。

言語的情報の原始古代的な起源をさぐると、「ここ」（here）と「むこう」（there）という分け目がとても重視されていることがわかります。村とか家族とか、山の彼方とか川向こうとか、峠のこちらとあちらというように、原始古代社会では「ここ」と「むこう」はかなり早期に峻別されています。やがて「この世」と「あの世」、天国と地獄、此岸《しがん》と彼岸《ひがん》、生者と死者というような、時間をともなう「here／there」の関係も確立される。「リアル／ヴァーチャル」にも拡張される。

なぜ「ここ」と「むこう」は分かれるのか。これは難問ですが、おそらくは情報が「内」と「外」に分かれることに深い関係があります。しかし、人間の社会のなかで初めて分かれたとは言えません。その前に動物たちによる「巣」（nest）や「テリトリー」や「ニッチ」が先行していたかもしれません。ヒトが直立二足歩行して草原に出てきたときも動物たちはその周囲に棲息していたのだから、ヒトも「内」と「外」のテリトリーを感じながら移動していたのでしょうね。それがヒトの脳にマッピングされたのかもしれない。

津田　私もそうだろうと思います。

松岡　こういうことから、われわれにはいつしか「内」と「外」という観念が強く巣くっていったんだと思います。いまなお多くの人が「うちの女房」「うちの学校」「うちの会社」と言う。あるいは「向こうさんはね」とか「向こうのことはほっておいて」とかと言う。そしてこういうことが情報編集のかなり根本的な仕切りをつくってきた。

　さて、これはいったい何だろう、世界にこの「仕切り」が生じたのはなぜだろうと、ぼくはずうっと考えてきた。こうしてひとつは身体感覚の問題が、もうひとつはシステムがもつ内外の問題が浮上してきた。身体感覚というのは閾値《いきち》の問題ですね。これはさまざまな例があるけれど、その究極は細胞が生体膜をもったということでしょう。さきほどの津田さんの話にも出てきたように、生体膜はリン脂質を二重にした透過膜ですが、これによって細胞の活動が内側と外側を感じながら機能するようになった。膜にはカリウムとナトリウムによるイオンチャネルも仕込まれた。

一方、システムもまた内と外をもった。自律システムが作る内と外は、わかりやすくは機械に代表されますが、機械は外から電気などのエネルギーを送りこまれ、機械システムの内側で仕事をして、その成果を外に出力するというふうになる。カルノー・エンジンが原型かもしれませんね。途中にフィードバックや「偶有性」（contingency）がしくまれることはあるけれど、システム（機械）も基本的には内部と外部を分けるものです。

こういうふうに、生体や機械が見せる内と外の関係、その内と外のあいだに生じる膜的な仕切りの出現は、世界が生成されたり制作されたりするときにおこるきわめて編集的な出来事なんです。ぼくはこういう膜的な仕切りを編集工学が作動するための編集装置にも用意する。ついでながら、さらにここには、自己組織化にまつわる「自己」（self）が登場してくる。自己組織化というときの自己の正体は摑みにくいものですが、おそらく自己は「ここ」に生ずるんだと思います。いや、正確には「むこう」を感じた「ここ」に生ずるのだろうと思う。

というわけで、編集という作業は「世界の生成と制作」に関して生ずる仕切り的なるものや膜的なるものに注目して、その膜的な仕切りを新たな世界観の編集のために稼働させようというものなんです。世の中にはすでにたくさんの分類的な境界ができていて、それが科学や人類学や技術を分けているのですが、その分類の境界ではなくて、世界が生成されるときの膜的な仕切りをもって新たに世界を語れるようにしようというのが、編集工学のお役目なんです。

津田　なるほど、かなりわかってきました。こういうふうに説明してもらったのは初めてですよね。

松岡　ついうっかりしてました（笑）。

「偶有性」を持たせる

津田　ところで、なぜそのような試みが「編集」というふうに言うといいんですか。

松岡　はいはい、エディティング（編集）とかエディトリアル・シンキングって言わなくてもいいんじゃないかということですよね。みんなからそう言われる（笑）。なんでロックなの？　どうしてジャズにこだわるの？　そんな感じで見られる。単純にはぼくが編集屋であったからでしょうが、もう少しちゃんとリクツづけると、おそらく第一には情報の「もと」を「何か」から借りていることを隠したくないから、その「何か」をこそ敬いたいから、第二には情報のふるまいをノイジーで、サイバネティックにしたままで扱いたいから、第三にホワイトヘッドのようにプロセスにアクチュアル・エンティティ（acutual entities 現実的実在）を保持させておきたいから、ということだと思います。

第一のリクツは、編集は情報の「もと」を生命の分化と進化の歴史から借りているということです。というよりも、生命という「何か」がしていることが情報編集なんですね。情報処理ではなくて情報編集。第二のリクツでサイバネティックにしたいからというのは、情報編集はフィードバックを伴うからです。編集はその系が生み出す外部性を自己代入する。第三のホワイトヘッドに準じたいというのは、原因や結果ではなくて、プロセスそれ自体がアクチュアルな編集だということです。こういう特色を既存の学術用語からうまくもってこられなかったので「エディティング」と言うことにした。まとめていえば、複雑な情報を複雑なまま編集したいということです。

津田　ああ、なるほどね。それはまさにカオスじゃないですか。

松岡　そう。編集は複雑系のためのもので、ノンリニアです。それから推論の方法を新しくしたいという動機もありましたね。ある流れをもって然るべき結末に至るその道筋を追いかけるときに、三つほどの新しい展開がありうると思うんです。

一つには、三段論法のようなロジックによって追跡と検証をするということがありますね。まず前提や仮定を置いて、それを順に証明する。演繹法と帰納法がある。しかし、これでは保留すべき情報がロジックから脱落しかねない。合理の辻褄合わせばかりになりかねない。そこでチャールズ・パース[6]はそこに「アブダクション」(abduction)という方法を発案した。当初から前提仮説に入らないようなイメージやヴィジョンやアイテムを仮説形成のフレームのほうに入れておく。そして、推論が滞った場合にそこから仮説情報を戻してきて、新たな結論を導くという方法です。三段論法のほうはみなさん（文明や学術）にお任せして、編集工学はこのアブダクティブ・アプローチを採ります。

二つ目には、文脈や文意を要素分解的に解釈するやり方がある。学校で国語の解釈や英文解釈で教わったもので、文法的です。シンタクスを下敷きにして意味を浮き上がらせ、その文章が言わんとするところのセマンティクスを追跡します。ところがここでは、たとえば「結構」とか「加減」という言葉がそうであるように、文脈の中に「これは結構ですね」と「これはもう結構です」というふうに同じ用語が別の意味や反対の意味をもつ場合も含まれるので、論理学が仮定や公理から始まるのとは違って、文脈依存的に情報を解読する方法が必要になります。編集はこちらを採用する。

そして三つ目が、あるものとあるものに類似性を見出すことをもって、対象情報の狙いをあてるというものです。見立てや比喩に近いものでもあるんですが、たとえば「プリンは富士山のようである」というメッセージは、プリンと富士山の相同性に行き着いているのですから、そこから次に進むことができないと思われ、しばしばトートロジーになってしまうとみなされます。しかし、編集工学的には、そうは見ない。これはアナロジカル・シンキングのダイナミックなプロセスだとみなすのです。ぼくは南部陽一郎さん[7]のヒッグス粒子（ヒッグス場）の仮説はこの方法で想定したものだと見ています。ないものを想定することで、あるものが成立するような類似の法則によって編集するやり方です。ここにはトートロジーに近づきながらもそこを一気に脱却するので、ちょっときわどい感じがするかもしれません。

とても簡単に言うと、以上の三つのようなアブダクションによる編集と、文脈的な編集と、それからアナロジカルな編集があって、これを同時に、あるいは入れ替わり立ち替わり、かわるがわるに使うのが編集の手法です。

ではなぜそれをエディティングと言うかというと、エディット（edit）はラテン語では“ēdere”から派生しているのですが、これは「to give out」という意味で、いわば意味の相転移をおこすということなんですね。編集によって意味というものを限定されたものでありながら非限定で、ある創発がその次の可能性を用意するような偶有性を持たせることができるようにするからです。

このことはぼくが編集行為の中で一番重視してるところです。既定の情報の読みならばビッグデータから読めばいいのであって、編集はそこにむしろ「別様の可能性」を付与させることによって、当該の現象や情報を新たに蘇らせることを重視しているんです。

津田　いやあ、初めて編集工学の方法論の概要を聞きましたが、非常にスッキリしました。アブダクションとコンテキストとアナロジーの中から、情報が編集的に生成されていくわけですね。一般には編集というと、世間の人はすでにあるものを配置しているとしか思わない人が多いのでしょうね。

松岡　配置もしますが、それこそ「場付きＬＥＴＴＥＲ」の配置ですから、もっとダイナミックで、創発的です。動的配置。

津田　松岡さんの編集については、私は以前から直感的にはわかっていましたけれども、いま聞いていてとても明快に感じたのは、方法に対する意図がちゃんとしているからです。それぞれがそれぞれの要素にもなっているというか、成分として入っている。全体を追いかけることと成分を全体で語ることがつながっている。

松岡　相互的です。ぼくは便宜的に編集のふるまいを自己編集性と相互編集性に分けていますが、本来はすべて相互的なんです。ミューチュアルでインターアクティブなんです。

津田　私が思うには、文脈（context）というのは一つの拘束（constraint）をかけているわけです。拘束をかけることで実は情報が生成されるということであると思うんです。さっきの機能分化にしても、拘束をかけないと実は出てこない。フリーにしておくと何も起きないのに、何か条件を与えると生み出されるものがある。そして、それこそが情報だと思うんです。

松岡　同感。フリーにしておくというのは世界の生成や制作にかかわらなかったというのではなくて、役目が生じないということでしょうね。ところが、そこに「ゆらぎ」や「バイアス」がかかると役目が生じて、そこから情報が出てくる。それが拘束条件がかかるということでしょうね。ぼくはそれをエディティング・フィルターをかけるとも言ってます。

津田　よくわかります。

見えないものを見る　代数の発明

松岡　おそらくぼくも津田さんも、方法というものが本質を呼び込むんだという確信があるでしょう？　その方法論はくりこみの場合もあれば、フラクタルの場合もあれば、カオスの場合もある。どれもたいてい奇妙に見える。これは不思議な共通点なんだけれども、なぜ一見リクツに合わなさそうなものが、ある本質を呼び込むトリガーになるのか、不思議だよね。そのあたりはどう思いますか。

津田　基本的には、私は物理の教育を受けて数学のほうへ行った人間ですけれども、物理と数学に共通点があるとすると、それは「見えないものを見ている」ということです。一言でいうと、まったく見えないものを見る。

そこにはお化けがいるかもしれないし、デーモンがいるかもしれない、何がいるかわからない。そのわからないもの、本来見えちゃいけないものまで見なきゃいけないんですよね。でも、見えているわけではないから、どのように見えないものを見えるようにするかという方法論が大事になってくる。それは実験して「はい、データが出ました。わかりましたね」というのとは違って、見えないものの奥にあるものに接近して、あたかも見たかのように追究していく、という姿勢です。そのアプローチは松岡さんの編集工学的なテクニックと似ているのかもしれない。

松岡　「いない、いない、ばあ」です（笑）。

津田　それはぴったりだ。

松岡　嬉しいな。とすると、またぼくのほうから津田さんの発想に少し近づいてみたいんですが、数学は、マイナス6とか10分の3とか、見えるような見えないような数の景色をいろいろ作りましたよね。その後、虚数とか平方根とかいろんなものを作った。これはどうして作れたのかというと、見えるもので作っていたはずの数学の中に、見えない数学記号や数学的な素子というかスイッチをはめ込めるようになったからですね。言ってみれば他の分野ではできなかった「いない、いない、ばあ」を早々にやってのけた。それゆえ、ゼロというとんでもないものも入れているわけでしょう。

津田　ゼロというのはたしかに難しい。ただ、最近「サイエンス」に論文が発表されて、ミツバチにはゼロが解かるということがわかったようです。複数のパネルに異なる数のパターンを描いた環境を用意して、よりパターン数の多いほうを選ぶ訓練をしたグループとよりパターン数の少ないパネルを選ぶ訓練をしたグループにミツバチを分ける。より少ない数を選ぶグループは4よりも3を、3よりも2を、2よりも1を選んだ。さらに、1よりも何もない（エンプティー）パネルを選ぶことができた。こういう実験が出ました。

それだけでミツバチがゼロを認識したと言えるかというのはちょっと問題ではあるんですけれど、何もないということはわかるみたいです。何もないということに実は価値があるということがわかるということですね。1もわかるし2もわかるし、1より2のほうが大きいことも、1よりもゼロのほうが小さいこともわかる。ということで、かれらもゼロの概念を理解しているというタイトルで論文が出ていました。この結論からどこまで拡大解釈していいかはべつとして、ゼロは数学的には難しい問題ではあるんです。何もないわけですからね。マイナスの概念だってかなり近年になってから定式化されている。

松岡　そうなの？

津田　ふつう、マイナスなんて考えられない。それまではプラスの数だけで十分だったんですからね。もちろん引き算をちゃんとやるためにはマイナス記号は必要なんだけれども、引くほうが引かれるものよりも大きいということがそのままでは現実的じゃない。だから、昔の人はマイナスという数を理解するために負債と同一視した。さらに虚数のように、本来はないと言われているものをなぜ考えることができたのかというと、たぶん素直に「べき」（冪）を定義していったんだと思いますね。

虚数というのは、xの2乗プラス1がゼロという方程式、つまり$x^2+1=0$という代数方程式に根《こん》があるはずだという見立てがあり、その根は実数の範囲では存在しないので、存在するとすれば数を拡張しないといけないので作られたものです。これを「体《たい》の拡大」というのですが、そうやって代数方程式の根が存在できるように入れものの数の空間を大きくしていって、そこから虚数が生まれてきた。

では虚数をどのように見えるようにするのかというと、サインとコサインという三角関数の形で書く。つまり回転というかたちで表現する。おそらく順序としては空間の運動みたいなものが想定されたんだと思うんですね。単に実数べきだったらずっと直線上や回転成分のない曲線上を行けばいいわけですけれども、虚数べきは回転することになる。運動として回るものをどう表現するかというところから虚数べきというものは生まれたのだろうと思います。だから想定できなかったものを想定したわけではない。

松岡　さすがにわかりやすい。虚数やゼロはデーモンでもゴーストでもない。

津田　身のまわりにある運動をどう書いていくか、どう表現していくかということが先にあって、そのために新しい数を定義していったんですね。

同定と区別が代数に

津田　ついでに言うと、実数の「無限」というようなものは、ゼロと同じぐらい発想が難しいんです。われわれはこの空間を見ていても、われわれ自身の時間の分解能（識別できる能力）が悪いから、空間も連続的なものに見えているつもりになっていますが、もしわれわれがもっと速く見ることができていたら、空間は割れて見えているはずです。けれども時間がすごくのろいものだから、空間も滑らかに見えてしまう。滑らかに見えているということは、ある種の隙間がないということなので、そういう意味での連続体があると想定して、それに対応する数を考えたときに、有理数だけではなく無理数も考えなければいけなくなるんです。

数についてもそういうところがある。有理数と無理数を合わせたものを実数と呼びますが、これは決して分断されていない隙間のない連続体になります。数を順々に用意して隙間を埋めていったからです。だから「ないはずの数」を作ったのはなぜかというと、それは世界が自分たちに見えているように表現したいという発想によるものじゃないかと思います。

松岡　それって編集ですよ。「ない」とか「見えない」を、「ないがある」とか「見えないが見える」というふうにする。

津田　ああ、なるほど。

松岡　ところで津田さんは一貫して、思考規則をシンプルにしたものが計算である、計算は基本的には「記憶する場所」と「書く場所」と「書く道具」の三つがあれば、どのようにも可能になる、と言ってますよね。これはいいかえれば記憶装置と運算装置とテープの三つです。チューリング・マシンですね。その考え方からすれば、マイナスの数も分数も虚数も、場所をもつだけのことですから、いくらでも可能でしょうね。

津田　その通りです。

松岡　そうなるのは代数がよくできているからですか。それとも代数的発想が数学の牙城だからですか。

津田　自分の脳が代数的じゃないんで認めたくないですけど（笑）、数学においては代数が基本ですね。少なくとも人間の認識の根本である区別と同一視を抽象化したものですから、代数構造はあらゆる認識の基本になります。

松岡　悔しい？（笑）

津田　まあ、代数はすべての数学の基本であることはまちがいないです。それは幾何をやろうと解析をやろうと応用をやろうと、どんな数学をやろうと、代数的なものが根底にあるので避けて通れない。それはなぜかといえば、やはり代数は今言ったように認識の構造を支えているし、「世界の構造」なんですよ。世界にはいろんな構造があるということを代数が言っている。それは幾何とか解析とはちょっと違うんです。感情、あるいはメンタリティのようなもの、といえばいいのか。

松岡　思考のメンタリティに近い。

津田　そういうベースになるものです。実は数学の中でも幾何と解析は紀元前一二～一三世紀ぐらいにすでにあったけれど、代数はそうではなくて新しい。ディオファントス[8]などに代表されるように、方程式という概念自体は古代ギリシアで三世紀くらいにはあったわけですが、計算という方向性が示されたのは中世のアラビアでした。さらにいえば、ずいぶん早い時代から人々は面積も計算しているし、区画整理なんかもしていたから、プリミティブなレベルの幾何とか解析は古くからあったわけです。だけど、いわゆる数を数える以外の場面で必要な抽象的な代数は、紀元後になってからアラビアでおこってきた後発のものなんですよね。

松岡　かなり早い時期、アル・フワーリズミー[9]とかバッターニ[10]とか、アラビアの連中が全部作った。

津田　そうです。ギリシア人は論証が好きで理屈っぽいんだけれども、計算というものは一切しなかった。方程式は作った一方で、それを一生懸命解こうという気はまったくない人たちだった。でも中世になってアラビアで初めて今の代数の基礎が築かれたんですね。

　でも計算できるというのはそんなに自明なことではない。数というのは何かの象徴なので、プロトコルに接近するようなものなんです。だけどそれが生身のままでは扱いづらい。Ⅰ、Ⅱ、Ⅲ……というようなローマ数字で計算しようとしても大変ですよね。足し算までは行けたとしても掛け算は難しい。他方で1、2、3……というアラビア数字（算用数字）は位取りができるので、簡単に計算ができる。

中世になってようやく、そういった取り扱い可能な数字ができてきた。すると計算ができます。計算って「手の運動」なので、運動として計算が認識できる。

松岡　それはチョー大きい。ギリシア人はコイネー（共通言語）とか『七〇人訳聖書』[11]を持ってからじゃないとヘレニズム、ようするにプトレマイオス宇宙[12]を作れていないんですよ。ギリシア人たちは計算が苦手だったと津田さんが言ったように、言語も実は共通言語がないとできないんですよ。共通言語っていうのは計算機に近い。つまり、愛知に生まれたとか茨城に生まれると、東京に来て東京弁を覚えないと思考ができないということに近いことがあって、ダンテなんかはそれに戸惑ったんですね、そこで方言論を書いて自分の方言をユニバーサル・ランゲージにしようとして『神曲』や『俗語論』を書いたんですね。するとありとあらゆるものが引用可能になるんです。このことがヒントになってボッカチオが『デカメロン』を書いたり、チョーサーが『カンタベリ物語』を書いて、宿屋に来た人がどんな話をしてもそれを書けるようにした。それによって文学が変わった。それと同じです。

津田　それで、おそらく物事と物事を区別するとか、物事をアイデンティファイ（同定）するような場面で必要になったんでしょう。たとえばここに異なる本が三冊あったとして、本来ならば一冊ずつ違う本なんですけれど、「本が三冊あります」とまとめた言い方ができるのは、いわば同じ種のものとして同定できているということです。だからアナロジーとは違うけれども、基本的には違うものを同じとみなすカテゴリー分けのようなことを、人間は素直にしているんです。

なぜ人間の脳が素直にそういうことをできるようになったかはまた別の問題ですが、とりあえず人間の基本的な認識構造として「同定」（identification）と「区別」（differentiation）があった。これとこれは同じ、これとこれは違う、その思考ができるからこそ、人間は1、2、3と数を数えられるんです。だから、われわれはごく当たり前に1冊、2冊、3冊と数を数えていますけど、これは同じものとしてアイデンティファイしているからできるのであって、違うものであったら数えることがそもそも意味を持たないんですね。だから、まずは同定がある、そして区別がある。これは基本の基本だと思います。

このことは人間の認識というか、世界をどう認識するのかということにかかわります。その構造を抽象化したのが代数だったので、代数はやはり数学の中でベースにならざるをえない。というか人間の思考のベースになったんです。他の幾何学や解析学も代数的要素を持たないと数学になっていかなかったんですね。

代数とトートロジー

松岡　ここに男2人と女3人がいるとして、うち男1人を2A、女1人を3Bと表すことにしてみます。当然、津田、松岡、鳥嶋、和泉……というように固有名で認識できる状態でもいいのですが、でもこれらを2Aと3Bという記号に切り替えるとします。このとき、この固有名詞から代数記号への抽象化によって何が得られたと見ればいいんですか。

津田　それはもう、まったく新しい意味が出てきますよね。カテゴリー分けするという意味が生じる。つまり、なぜAとBにするかといったら、そこに共通のものを見ているわけです。AならA、BならBに共通のものを見て、AとBは違うものという分け方をしている。今の場合だとAとBという記号化によって、男性と女性という意味が出てきた。やはり抽象化するということは、情報生成という意味をもつのだと思います。

松岡　それによって世界は一段上に上がるというか、やがては代数だけですべてが進むことになりますよね。ブール代数はそこに論理まで扱えるようにしましたからね。これは悔しいかもしれないけれどもすごいことですよね。

津田　ええ、すごいことです。しかも最初は男性と女性をそれぞれA、Bとしましょうという単なる置き換えの話だったのが、いったん記号に置き換えて抽象化しちゃうと、なんでもその記号（文字）に入れてしまえるようになるわけです。そうすると、いちいちこの人はこうで、あの人はああでと言う必要はなくて、世の男性はどうの、といった言い方ができるようになる。だから言語のあり方にもずいぶん関係してくるはずです。

松岡　ぼくにはずっと「代数にはやられたな」という思いがありまして、実は困っていたんです（笑）。困りながらも、言語というものもその視点から、つまり数学における代数のもつ意味を考えながら見直そうと思ってきた。とくにフレーゲの概念記法[13]や数理論理学を知ってからは、なんとか捲土重来しようと思ったんですが、ぐずぐずしているうちにヴィトゲンシュタインとゲーデルを読んでから、数学の最前線が計算主義というものから遠のいたことを知らされた。ヴィトゲンシュタインが「論理は私のところでぼけている」と言ったこと、ゲーデルが不完全性定理をゲーデル数を導入して証明したこと[14]、これで意欲が殺がれたんです。

津田　私はその逆でしたよ。完璧と信じられた数学の体系（証明の対象は自然数論を含む算術体系）に証明不可能な命題があると証明した「ゲーデルの不完全性定理」は「問題が解けない」というカオスの壁を乗り越えるヒントになったので。

松岡　そこがぼくと津田さんの分かれ道です。ただ、大問題がのこりました。というのも、なぜわれわれは代数的に物事を何かに置換しなければならないのかというと、おそらくどんな思考もどこかで置換なしには次に進めないからです。

津田　その通り。思考するというのは対象に言及することですが、対象はわれわれの思考体系とはそもそも無関係なものです。他方で、対象を自分の何らかの言語体系に写像したのちに写像されたものについて言及することは可能です。その言語が自然言語だったり、そのなかでも標準言語だったり、数学だったり、物理だったりする。

松岡　その置換の意図を数理から離れて考えることができるかどうか、はなはだ危なっかしくなった。だいたいどこで何に置き換えて次のステップに進むのかというと、これはまことに微妙なものです。

津田　人間の思考の基本には必ず置き換えがありますよね。置き換えないと次の思考ができないし、意味的に違うものを置き換えていくだけではなくて、意味的に同じものを次に進めるためにも、時間的に前のものを今のものに置き換えないと進まない。思考というのはつねにそうなっている。

松岡　そう、先行したものは後行するものに切り替えないと進まない。乗り換え、着替え、持ち替えです。

津田　だから三段論法でもいいんですけど、次に進むためには前提になったものが結論になって、結論になったものを次に前提にしてまた次の結論を出すという推論的思考をやらないと、思考は進んでいかない。いったん出した結論を今度は前提にして次に進めるということを、われわれは一定の時間の中でやっているので、おそらく置き換えというものが思考のプリミティブなレベルではたらいているんです。

松岡　そう、そう。そのかわりそこにトートロジー（tautology）という問題も出てきますね。同義反復とか類語反復とか訳されて、「知る人ぞ知る」などがトートロジーと言われますが、命題の真理をどう問えるかという問題からすると、もうちょっと論理的に厄介な問題です。トートロジーにはあまり幅を利かせてもらいたくないんだけど、トートロジーをやってみないと、そこから先には思考が進まないとも言えます。パルメニデスもヴィトゲンシュタインもそうだった。だけどトートロジーからはパラドックスも生じてしまうわけです。

数学はなぜ論理を必要としたのか

松岡　パラドックスは、それこそ古代ギリシア型の論理学からちょっとずつ出てきたよね。数学がパラドックスを気にするようになったのは、そもそもどうしてなんですか。

津田　数学者たちはみんな、自分たちは確固とした基礎を持って学問をやっていると思っていたわけですが、その基礎が「論理という観点」からすると危ういんです。論理を入れなければ別に危うくも何ともないんだけど。

松岡　なぜ入れたんだろうね。

津田　やむをえずでしょう。論証せざるをえないから、どうしても論理を入れなきゃいけない。多くの人は「数学＝論理」と思っているかもしれないけれど、本来は数や空間といった数学的対象と論理は違うわけです。だけど、論理は使わざるをえない。

松岡　言明を広げるために？

津田　身体運動を表現するために。抽象化することが情報生成につながるからでしょう。それと、まちがった命題を前提にしないかぎり、論理は数学に確証を与える。こういった二つの側面、情報生成と確証性が必要だったんです。

松岡　なるほどね。論理を気にするようになったのは、数学においてはずいぶん時間がたってからでしょう。ヒルベルトの手前ぐらいからだから、二〇世紀以後のことですよね。

津田　だいぶ後からです。数学はロジックというものを何世紀にもわたって問題にしていたわけではない。むろん、古代ギリシアのユークリッドの証明法のように、演繹法（三段論法）や背理法、帰納法などの思考の方法は[15]古くからありますが、それを形式化し、一般的なものとして形式論理学の形にしたのは、ブールをへてフレーゲ、ラッセルあたりからでしょう。論理を記号化したわけですね。

松岡　超数学の登場やゲーデルの不完全性定理によって、数学というジャンルは得をしたんですか。

津田　圧倒的に数学が進んだと思う。むろんこれは私の個人的感想です。多くの数学者がそう考えているかどうかはわかりませんが。超数学というのは「数学」について言明する体系を言います。数学は「数」についての言明。「1＋1＝2」は数学的言明ですが、「1＋1＝2は真である」は超数学的言明です。不完全性定理によって数学自身の中に証明不可能性がちゃんと入ることになった。

数学が完全ではないということはすごく健全なことなんです。ゲーデルの不完全性定理によって、数学というジャンルが「不完全なもの」をちゃんと内包できることを証明してくれたのだから、数学はきわめて健全な学問だというふうになります。不完全だからこそ発展できるんですね。そうでなくて、数学はすべてを証明できる完全な体系だったら、たぶん数学自体が小さくまとまって終わりになってしまったでしょう。むしろちょっとした破れ目があるので、みんな気持ち悪がるわけだけれども、ふだんの数学的な営みの中では、数学が抱えている不完全性なんてものは忘れていいわけです。だから、逆に忘れてもやれるということが大いに健全なんだと思います。

松岡　そうか、そう見ればいいんだ。

ちなみに数学や論理学はトートロジーさえ証明してしまいますね。なんというか、サムライっぽい（笑）。論理学では命題論理での恒真式、述語論理では矛盾式をつかう。まったく怯《ひる》まない。数学ではどうですか。言語における主語と述語の関係を、数学も証明によってクリアしていきますね。こちらはアスリートっぽい（笑）。

津田　そう感じますか。おもしろいですね。数学そのものには主語述語はないけれども、あえていえば定義を主語として、証明を述語化していますね。

松岡　それはちょっとヒントになりそうですね。「である」という方向に糸口がありそうだということですか。

津田　つまり定義っていうものは、数学をするとき最初から厳密に定めなくても数学的思考そのものは始められるので、あとから派生するものと位置付けられる。最初に定義してそこから始めるという作法は、教育上やっているだけのことですね。実際数学をやっている人も、ある程度進んで定義を措定してはじめて、「あ、違っていた。こういう定理が出たのなら定義が違うんだな」と気づいて、定義を考え直すこともあるでしょう。だから極端に言えば、定義が最後に定まるのでもいい。つまり、身体運動をずっと繰り返すことによって主体が出てくるという考え方でいいと思うんです。

そう考えると、定義のほうがどちらかといえば主語で、述語にあたるのは定理かなと思います。いわば定理に至った証明が世界を動かしているんですね。数学で証明が一番大事だというのは、これこそが世界を動かしながら理解する唯一の方法だからです。

身体運動と数学的思考

松岡　身体運動と数学的思考の関係にふれられていましたが、そこでちょっと話題にしたいことがあります。津田さんの『心はすべて数学である』はたいへんおもしろく読ませてもらいましたが、そのなかに「エフェランス・コピー」の話が出てきますね。

津田　ええ。

松岡　身体運動には外からの情報を脳の中心に持ってくるアファランスという求心的なアプローチと、逆にその情報を脳の中心から手足に出していくエフェランスという遠心的なアプローチとがあって、津田さんはアスリートたちがアファランスで判断しているだけではなく、しばしばエフェランスで身体に指令を出していることを例にあげている。サッカーボールを蹴るときや武道家が竹刀を払うときは、いちいち脳に求心的な判断をさせるのではなくて、遠心的な情報に関する指令のコピーを、膝や脚においてあるのではないかという議論をされている。それがエフェランス・コピーをどこに置いておくかという問題で、たいへん興味深かった。

それで津田さんは、エフェランス・コピーを末端に置いておけるということは、脳はそのことについて不定にしていると解説していた。そういうことはピアニストがピアノを弾くときにもおこっていて、そこには脳での判断をペンディングするということがおこっているらしいという。ぼくはそれに似たことが編集的学習行為にも、本来のエディティングにもおこっていると見ているんです。どうですか。

津田　「運動と知覚」という問題ですね。知覚するときには運動できないし、運動するときには知覚できない、というメカニズムは、「感覚減衰」として脳科学ではだいぶ説明ができるようになっているんですが、まだ完全にはわからないところがある。

無意識的にやる運動に関しては、基本的にそれで説明がつく。だけど随意運動には、意識がはたらきます。たとえば今コーヒーを飲みたいのでコップに手を伸ばすとします。すると伸びている手は見えている。だから必ずしも自分が運動している状態と自分の知覚（視覚）はコンピート（競合）していないように見える。そのとき、エフェランス・コピーは末梢まで下りてきません。でも、これは遅い運動を伴った知覚だからではないかと想像しているわけです。

運動が速ければ違ってくるんじゃないか。大脳そのものを使わない状態を作り出すことで、外界とすばやく対応できる即時適応というものが可能になる。この状態は身体と環境が一体化した状態です。編集的行為がうまくいくときにもそういったエンボディメント（身体化）があるのではないでしょうか。数学も編集も運動を通して世界を内包できる仕組みを持っているのではないかと思える。最近では、森田真生さんもそういった感覚で数学と世界を見ていますね。

松岡　彼は武道をヒントにしていましたね。エフェランス・コピーとエンボディメントの話は、脳と身体知にまつわる重大な秘密を解くかもしれません。

第4章

生命の物語を科学する

「物語る」とは何か

松岡　さて、ちょっとここで視点を変えて、津田さんもぼくもどこかでずっと気にしていた「物語」という話題をとりあげようと思います。津田さんは「物語る」という人間の行為の秘密は、脳の中のカオスにあるとおっしゃっている。

津田　人間がなぜ「物語る」のかは科学的にまだ解明されない問題です。それは心はどうやって生まれるのかという難問ともつながっている。

松岡　われわれはかつて文字を持っていなかったために、ずいぶん長きにわたってナラティブな情報に頼ってコミュニケーションや思索や、生活や喜怒哀楽のような感情も守ってきたわけです。しゃべり言葉の中にはむろんたくさんの情報が入っているはずですが、それは同じように再生できないために、語り部の力を借りて、再生可能な「物語様式」というものを何度もかわしたり、繰り返し語れるようにしたわけです。その中身はのちのトルバドゥール[1]やジョングルール[2]やミンストレル[3]ら（吟遊詩人たち）の唱導譚、『今昔物語』のエピソード、グリム童話のようなものでしょう。

　われわれが歴史を遡れるのはせいぜい文字を知って以後のことですから、その前の語り部たちによるオラルコミュニケーションの世界がどんなものだったか、実態はわかりません。けれどもホメロスや『ギルガメシュ』などの初期の写本になった口承の物語を読んでみると、どうも語り部の時代に、起承転結とか分節性とか韻とか脚韻とかの、物語をリピートできる情報維持装置があったようだとわかります。これはプロト物語装置ともいうべきもので、今日のわれわれの話でいうと「カルノー・エンジン」「スイッチ素子」「膜」「編集装置」に当たるようなものですね。

　文字が生まれた後は、『イリアス』や『オデュッセイア』、あるいはギリシア悲劇やギリシア神話や『聖書』や、中国の『淮《え》南子《なんじ》』や日本の『古事記』にのちに載ったような物語が躍如していたことを知ります。アーサー王伝説やダンテの『神曲』の素材になった物語などもいろいろ伝承されていたはずです。ということは私たちの思索や推理の起源の何かと物語とは、非常に関係があるだろうということです。

　事態や事情や現象、その因果関係、また真理や真相、あるいは論理や概念というものが、物語を内包するものから生まれているのだと考えると、物語とはもともと思索のエンジン機能そのものに潜んでいた構造であり、すこぶる先行的なものであろうとも思えます。つまり、ショーヴェやアルタミラの洞窟の絵を見れば、野牛や鹿を捕りたいという欲望や動機が何度でも繰り返し発現してくるように、物語を聞くと、そういう何かがダイナミックにリリースされていたんだと思われます。

津田　まさにそうだろうと思いますね。

松岡　一方、科学とか文学ができてからは、どうも科学と文学は二つの異なる文化形式だと呼ばれて、冒頭で話したようにC・P・スノーの『二つの文化と科学革命』以来そう思われているけれども、物語までさかのぼってみると、実は科学になったものと文学になったもの、音楽になったものと絵画になったものの起源は、そんなに違わないんじゃないかと思える。そうだとすれば、科学は科学なりに物語を研究すべきだし、物語そのものの中に逆に取り込まれてしまった文学はそこから一回脱出しなきゃいけないかもしれない。

ぼくはいっとき免疫学者の多田富雄さんに声をかけて、人類学者の山口昌男さんや江戸研究の田中優子さんらとともに物語研究会というものをテスト的にやっていたことがあって、科学にも物語があるんじゃないかということを言っていたんです。化学反応とか化学式、もっとわかりやすくいえば、元素周期律表やメンデルの法則のようなものにも、やっぱり物語が先行していたこととの「あらわれ」があるんじゃないか。そんなふうに言ったら、多田さんは「松岡さん、免疫系は物語の化学なんですよ」と言われた。膝を打ちました。そうか、「物語の化学」か。たしかに自己と非自己が鍵と鍵穴になっている免疫系は物語的だなと思った。多田さんはしかも能の研究者で、自身で小鼓を打たれるし、その後は脳死を扱った『無明の井』、アインシュタインの相対性理論を仕立てた『一石仙人』、ヒロシマの被爆を題材にした『原爆忌』という能の作品もありますよね。

科学にも物語性はあるか

松岡　ということで、科学も物語性をどこかに内包しているんじゃないかということです。また人間の行動にも実は物語が先行しているのではないかと、民族学における物語性をも考えたりしました。つまり戦争物語に合わせるかのように人間は戦争を起こしたりしているのではないかというのが、山口さんたちの考え方だった。

で、このへんから分け入りたいんだけれども、津田さんが「物語性」に関心をもったのは、何かを解釈することが可能なフォーマットが物語に潜んでいるにちがいないという先行的なアイデアがあってこそだったのではないかと思うんだけど、どうですか。

津田　そうですね。やっぱり脳の研究を、カオス力学系をベースにしてやったことが物語的なものに関心をもつに至った最大の理由だと思うんです。つまり、解釈というものをどう回していくのか、運動としてやっていくのかといったときに、先行的に物語性みたいなものがあって、それがある意味で方法論になるんじゃないかと思ったんですね。

松岡　早くに解釈学に関心をもっていましたね。

津田　そのころガダマーの『真理と方法』（法政大学出版局）に興味があった。

松岡　大著ですね。ガダマーはハイデガーやニーチェの影響を受けて解釈学にとりくんだんですが、ハーバーマスその他のコミュニケーション理論の論者との論争をへて「先行的把握」

という見方を確立しました。解釈学にはガダマーの前にもすでにハイデガーのものがあり、遡るとフッサールをはじめとする現象学があった。当時の解釈学にはすでに中世以来の聖書のテキスト解釈学があったわけで、それをこえてさまざまなテキストを解釈する方法が模索されていたんですが、ガダマーはそこに物語的構造のようなものを先行的に理解できることが、解釈を可能にしているという仮説を提案した。津田さんは『カオス的脳観』（サイエンス社）のなかでカオスの軌道にも先行的把握がおこっているんではないかというふうに書かれている。そういうことでいいですか。

津田　カオス力学系には、時間の無限の未来でその運動を始めたはずの初期の状態が決まってくる、生成系として捉えられるものがあります[4]。こういう観測から、カオス軌道には先行的理解の構造が入っているのではないか、と考えた。

松岡　おそらく物語のナラティビティには、そうした情報解釈がパッとわかる何かが含まれている可能性が高いんですね。それはテキストがないオラルな時代でもさまざまな昔話や説話のようなものが確実にリフレインされて、伝達可能な状態になっていたことから察するに、物語にはリピートしたくなる様相がインストールされているということかもしれない。これはかなり重要なことで、ぼくはそのようなリピートしたくなる物語のフォーマットがないかぎり、人間の思考は発達できなかったんじゃないかとさえ思いますね。となると、やっぱり先行的解釈力と物語は不即不離であるということですよ。

津田　いまリピートと言われたけれども、繰り返すことでちょっとまちがえるわけですよね。遺伝子もそうなんだけれども、「ちょっとまちがえる」というのが大事なんです。ちょっとだけ変異することによって、少しずつ何かがスリップしていくわけです。それが続いていくと、そこで新しい意味が生成されていく。

松岡　そう、そう、そこだよね。物語には「まちがえやすさ」というものがあるということです。もっと一般化していうと情報は少しずつ変異するから情報なんです。それは単なるミスではない、そこから何かが察知できたりする変化です。したがって津田さんが言うように、そこに意味が生成される可能性がある。物語の伝承は連想ゲームのようなものです。

津田　そうです、ではそれはいったい何なのか。科学にもそういう物語性があると言っても、おそらく多くの科学者はピンとこないと思うけれども、ただ科学的行為というのは、文学もそうであるように世界をどう読み解くかという一つの在り方です。たとえば宇宙をどう読み解くかとか、生命をどう読み解くかというときに、読み解くためのストーリーというのは、ある種の先行的な解釈なしに進まない。先行的に解釈するためには「先行的な理解」が必要です。そして先行的理解の一つに数学的な構造がある。この数学という共通言語によってすべての科学が物語を作っていく。数式で定式化する作業というのは最後に来るわけです。

解釈できる構造

松岡　さきほども少し説明しましたが、物語はだいたい五つの構成要素で成立します。ストーリー、シーン、キャラクター、ナレーター、ワールドモデルですね。これは、おそらく理科的なものにも、博物学的なものにも、それからもちろん人間の生きざまにもほとんどあてはまるものではないかと思う。ぼくが校長をやっているイシス編集学校では、この五つの構成要素をつかってそれぞれが物語をつくっています。しかも、そこに「物語マザー」と名付けたマザータイプがいくつか選べるようになって、生徒たちはそのヴァージョンをつくっていく。

津田　そういうふうに科学をやっている人はなかなかいないけれども、湯川さんなんかには似たような感覚はあったかもしれない。

松岡　物質は百代の過客で、宿屋に泊まってまた出て行くというあのモデルはすこぶる物語的だよね。もともと李白の漢詩「天地は万物の逆旅なり、光陰は百代の過客なり」にヒントを得たもので、湯川さんはそれを物質の本性にあてはめて、旅人が宿から宿へと移っていくようなものだと考えた。

津田　あの湯川さんのモデルは、私もカオス的遍歴を説明するときに使っているんです。私の場合には湯川さんのように「場」を最初に想定していないんですけど、旅人が宿から宿へ移ることで、宿というものの意味が確定するというふうに考えた。つまり宿は最終的な落ち着き先ではなく、そこから旅人が出ていく不安定なルートを内包しているということです。旅人の旅程というダイナミクスがあるから、宿は自宅とは異なるアトラクターとしての意味をもつ。

松岡　ああ、そうでしたね。

津田　湯川さんの言っている意味と同じかどうかと言われると微妙なところはあるんですが、少なくとも何か動いているものがあって、それによって「アトラクター」が定義できるところに、その比喩があてはめられると思った。最初にアトラクターがあってその間を動くのではなくて、動いていくものがあることによってアトラクターというものがだんだん定義されていくという考え方です。

松岡　最初に運動や移動があるというのがいい。それにしてもカオス論のために「解釈学」を応用するという発想は大胆でした。ぼくは喝采をおくったけれど、科学者がそこに関心をもつというのはきわめて異例なことでしょう。科学の説明に「物語性」を媒介させるとは、よくぞやった（笑）。

津田　あのとき私はマーがそういう発想をしていたんじゃないかと想像したんです。マーの場合はカオスではなく、脳ですが。

松岡　『ビジョン』（産業図書）の？　神経学者のデヴィッド・マー[5]？

津田　そう、夭折したマーです。三五歳のときに白血病で死んじゃった。フランシス・クリックも「たいへん残念だ」と書いている。そのマーの論文をずっと読んでいた。

松岡　そうでしたか、やっぱりね。

デヴィッド・マーとの出会い

津田　多少の前後の経緯を言うと、京都から東京に来る前にこれからは脳の研究をやろうと事前準備をしてたんだけれど、どんな本を読んでもあまりおもしろくない。脳科学の教科書を見ても医学的な本を読んでも、どうもピンとこない。そんななかでハンガリーのヤーノス・センタゴタイ(6)が書いた七〇ページくらいのレビューを一夏かけて読んだら、これがおもしろかった。解剖学の内容なんだけど、神経の構造のことだけではなく、ちゃんと自分の物語をもって書いている。この細胞はきっとこんなはたらきをしているはずだというイメージがある。

　脳生理学の論文は実験科学として物理化学的な書き方がされているので、私でも読んですぐわかるけれど、解剖学の論文はいままで読んだことがなかったんですが、実に物語的で感銘を受けた。ちなみにセンタゴタイが亡くなる少し前にハンガリーで会ったことがありましてね、そのとき手描きの絵を託された。それも物語的だった。

　というわけで、そういうセンタゴタイの論文を入口に、そのあと東京に行って、何を手掛かりに研究していこうかと考えていたときにデヴィッド・マーの論文群に没頭できたんですね。

マーの論文は読めるだけ読んでしまおうと思って全部読んだ。そうしたら、そこに解釈学的な論文があった。ビリッときました。

松岡　そういうときってあるよね。ヴァレリーの「雷鳴の一夜」[7]みたいなもので、翌日から何かをむさぼるようになる。ぼくは『ビジョン』しか読んでいないけれど、あれもとてもカッコいい視覚計算理論ですね。視覚を初期感覚（グレイレベル）・中間感覚（二・五次元モデル）・高次感覚（三次元モデル）に分けて、たくみに脳の可塑性を説明していましたね。

津田　あれもおもしろいんですが、有名なのは小脳の理論で、「小脳パーセプトロン説」というものです。われわれは何かを目で見ながらいろいろな活動（運動）ができるわけだけれど、運動を小脳がどのように情報処理しているのか、その突破口を開く理論を提示していた。でもさらにあと二つ、非常に解釈学的な論文を書いているんです。

デヴィッド・マー

一つは連想記憶をめぐる海馬のモデルについて。一九六八年か六九年に連想記憶が海馬で行われていることを予言していた。もう一つは大脳皮質の理論で、当時としては信頼できるデータがほとんどなかったんですが、マーは自分の考えに従って研究した結果、こういうことがステイトメント、命題として成り立つはずだと詳細を書いている。書かれているのはあくまでステイトメントなので、マー自身がそのステイトメントにどの程度の確信があるかを星印で示しているんです。三つ星は確信あり、二つ星はちょっとあやしい、星一つはあまり信用するなという意味らしい。それを見ると、脳の研究というのは、理論と実験を往復しながら理論を実証していく通常の物理科学のやり方がとても難しい分野だということがわかる。そのうえでマーは、「脳」については物語るしかないというようなことを言っている。

松岡　その「物語る」とか「解釈する」というのは、どういうふうに説明しているの？

津田　「ネイチャー」に掲載された一ページほどの論文で、「視覚皮質のこの細胞は外界のこういうものを解釈している」というふうに「解釈」(interpret) という言葉を使っているんです。

松岡　三五歳で夭折しなかったら、そこをもっと展開してたんだろうね。そこを津田さんが引き継いだ。なるほど、そういうことなんだ。

津田　マーには解釈学的なアタマがあるから、きっと論文のどこかで interpretation という言葉を使っているにちがいないと確信していたんですが、ほとんど使ってない。でもたった一回だけ interpret と言っている箇所を見つけて、「やっぱりそう思っていたんだ」と納得した。それで解釈学に関係する本を本屋さんで探し始めてみた。そうしたら解釈学というのは長い歴史を持っていて、聖書解釈学や文献解釈学、哲学的解釈学なんかがあるんだけれども、最後はやっぱり哲学的解釈学のアプローチがしっくりきたんです。

一方で、松岡さんの本を読んでいると、「物語る」ことがいかに大事かと書いてあったわけですね。先行理解でもって解釈というものを動かしていくときに、物語ることが駆動力として作動していないとダメだろうという論旨でしたね。

松岡　「夜想」という雑誌に連載していたものですね。そのころは幼児に出現するだろう物語回路のこととか、文芸史にひそむ物語マザーのこととか、トマス・シービオック[8]の推理構造を重視した見方とか、ウンベルト・エーコの世界言語仮説との関係とか、自己組織化理論からの援用とか、いろいろ書き散らしていた（笑）。とくに三歳くらいの児童が急に「ねえねえ、良子ね、わたしね、きのう赤いスカートの和子ちゃんと遊んでいたらね、変な音がしてね」というふうに、昨日の出来事を順にしゃべれるようになるのを知って、これは脳に何かが出現したなと思っていたんです。しかも一度そうなると、ほぼ同じ物語回路で出来事を追想できる。きっとナラティヴ・サーキットができたんでしょう。何べんでもそこを回る。そこに情報の尾鰭がついていく。というか、そのうちその子なりに情報のほうが主語になっていく。これはあやしいなと思ってました。

津田　私は私で先行的理解をドライブしていくものとして、物語の力を借りなければならないという感じがしていた。

変分問題の衝撃

松岡　ぼくもデヴィッド・マーは惜しい天才だと思いました。さっきのinterpretationという言葉が入っている論文は読んでないんですが、脳の先行的解釈過程として綴られた津田さんの文章を読んで仰天をして、すごくインスパイアされた。

そこで聞きたいんですが、津田さんは「全知全能の存在」についてはどこかで気になっていましたか。

津田　どこかで何か思っているところはあったと思いますね。そういうものが想定されることが思考にとっての足掛りになるのではないかなという思いはどこかにはありました。たぶんそう思っていたから最初に物理学をやることにしたんです。

松岡　なるほど。神めいたもの、ラプラスのデーモンのようなもの、そういうものを物理学は相手にせざるをえないということ？

津田　そうです。物理学の体系を作っている「X」は必ずあるはずなので、それを神と言うかどうかはべつとして、そういう総体のようなもの、宇宙全体を記述し尽くしてしまうものはどこかにあるかもしれないという感覚はあったと思いますよ。

松岡　ぼくはかつて、日本哲学会の会長をされていた下村寅太郎さんに工作舎から刊行する「ライプニッツ著作集」の監修をお願いしたことがあります。そのときしばしば、ライプニッツがどのように「世界の予定調和」や「神の全知全能性」について考えていたかをいろいろ伺って、それが大きなヒントになってます。ライプニッツが微積分法をつくったこと、世界思考を計算するための「ローギッシュ・マシーネ」（論理機械）をつくりたかったこと、二進法に気がついたこと、図書館の分類の工夫に学問の未来があると確信していたこと、自分の思索のアイデアは著作だけでなく気になる相手に手紙をおくることにもあらわれていると確信していたことなどは、すべてつながっていたというんです。

いわばライプニッツは計算理論の未来だけでなく、ブログや超ＡＩやハイパーアーカイブのようなものまで想定していた。そういうものを想定できたことはカッコいいなと思う一方で、しかしライプニッツですら「全知全能的なるもの」は人為的な人工システムとしてはありうるかもしれないけれども、自然界にあるとは確信できなかったというんですね。しかし、津田さんは自然界にあるかもしれないと思っていたんでしょう？

津田　そうです。

松岡　そのことに向かってどうやって戦ったのですか？

津田　最初の衝撃は「変分問題」です。汎関数（関数を値に変換する関数という意味で、関数の関数）の変化を考える変分問題というのは、やっぱり世界を書き尽くすわけで、神の視点に立っているものです。

松岡　うんうん。

津田　変分原理というものを書かれると、もうそこで記述が終わってしまうように思われがちですが、ところが変分というのは、何を変分するのかは実は決まってない。どちらかというと、こうなってほしいという最終状態を先に決めて、そこから初期状態と運動方程式を出すというかたちなんです。そうすると、変分原理はかたちの上では「神の原理」のように定式化されているんだけど、実は「破れ目」がやっぱりあるんです。

松岡　変分法（calculus of variations）はベルヌーイ[9]やオイラー[10]やラグランジュ[11]以来、解析学の大きな分野になったけれど、ライプニッツもとりくんだ問題です。変分法でとくに特徴的なのは極値を見いだせるということです。ただ、その「破れ目」があるというのはどういうことですか。もう少し詳しく。

津田　変分法というのは運動方程式を導く方法です。運動方程式にしたがえば運動が最初から最後まで進みますね。変分問題として最初と最後の状態はこうなってほしいと決めてあげれば、どんな運動方程式にしたがって、どんな初期値から出発した運動なのかが決まるような構造になっている。なので、変分法によって世界をあらわせば、一見すべてを書き尽くしたかのように見えるけれども、実は最終状態の選び方は任意なんです。その任意性が実はエントロピー増大則と結びついている。

エントロピーが増大するとは、最終状態が一意的に決まるということです。ところがオープンシステム（熱力学的開放系）になると、そんなふうには最終状態（終状態）は決まらない。それならエントロピーが増大しているような宇宙で、人間はどう存在できるかというと、初期値を決める任意性はもっている。それゆえ初期値を勝手に選んだら、どんな初期値を選んでも最終状態は一つの平衡状態に定まるようになる。初期値を選ぶ自由度は残っているんです。

だけど非平衡状態になって、エントロピーが減少するようなところに生命が介入したとしたら、最終状態は予測できません。逆に言うと、初期条件の選び方も任意じゃなくなる。まったく逆のことが起きるわけですから。だから、初期値を適当に選んでいるんだけれども、選んだかのように見えているんだけど、実はそうではなくて、最終状態としてどうなるかを措定して、それに対していい初期値を選ばないと、その系は破綻してしまう。つまりそこには「破れ目」がある。

われわれはそのために、ある最終状態を実現するベストな初期値を見つけて、そこからスタートして生命を作っていくしかないんですね。それこそが「自己組織化」だと思うんです。

神か、デーモンか

松岡　いよいよ大問題にさしかかってきましたね。これはね、世界はどのように秩序をつくったのか、その際に「ゆらぎ」や「破れ」や「無秩序」や「カオス」はどんな役割をしたのかということです。これらをすべて掛け合わせて自己組織化のほうへ進んだということですね。けれども、以上のことを一緒に語るのが難しい。もし一緒に語るとすれば、「神の目」や「ラプラスのデーモン」を想定するか、あるいはそれに代わるものを入れた理論をつくるしかない。

津田　ええ、だいたいはそういうことです。無秩序な中から秩序ができてくる自己組織化とは何かというと、「ベストな最終状態を得るためにどのような初期値を選んだらいいのか」という問題なんです。ここには進化の淘汰圧[12]がかかるわけですが、それが選ばれるということになる。だから統一場理論や量子重力理論などが試みているような「物理の統一原理」には、実は「破れ目」を入れておかなくてはいけないんです。

松岡　うんうん、どういうふうに？

津田　一つの破れ目は熱力学にありますよね。熱力学を覆《くつがえ》したのが「負のエントロピーを食べた生命」だとすると、これはまさに「破れ目」があったということです。これで、生命の進化は一応は約束される。すると、すべてを書き尽くすんじゃなくて、すべてを試してみるしかない、ということになりますよね。

松岡　「試してみる神」と「試させたデーモン」はいた。

津田　いるんです。けれども、それも結局は何かによって選ばれてしまうでしょう。進化のレベルでは選ばれてしまうけど、今の私にはそれを勝手に選ぶ、ということになりますね。

松岡　ライプニッツもそこで悩むんだよね。あの時代は熱力学や生命やエントロピーの問題は浮上していませんが、そのかわりモナド（単子）に窓を開けるか閉じるか、そこを迷います。

津田　もしかしたら、その選択のどちらかを選んだことによって、「私」は淘汰されるかもしれないからです。自然や社会から排斥されるかもしれない。というわけで、選んだ初期値がまちがっているかもしれないけど、でも選ぶのは自由です。そう考えると、書き尽くされた生命原理があるというのは幻想で、むしろ選び尽くすことはわれわれ生命の系に与えられた自由だということです。きっとそういうことだと思う。

松岡　たいへんな話になってきた（笑）。その最終状態は、生命が自立できる完全な要件が満たせるということですね。このまま進化が進んでいくわけだから。

津田　ええ、ですから、この話は生命が存在することが前提になってくるわけですけれど、最終的にこういう状態になりたいとするならば、今の時点ではこういう初期値が最もいいだろうという条件が導かれるわけです。それを予定調和的にうまくやっているのが進化というメカニズムです。だから、進化は選択圧（淘汰圧）という概念を入れて生命を選んできた。つまり、最終状態として悪い状態になるような生命はもう排除していいのだとして、いい初期値を選んだものが残るように選択圧をかけたんだろうということになる。

とはいえしかし、それはわれわれが関知することではないので、その意味において、われわれには選ぶ自由がある。すべてがあらかじめ書かれてはいなくて、いま次の瞬間に何をするかは自由なんです。そういう逃げ方というのが生命であり、ひいては人間なんだろうと思う。

松岡　これは科学者としての津田一郎の、世界制作の方法についてのメッセージだね。

津田　そうなりますね。

松岡　ネルソン・グッドマン[13]が『世界制作の方法』（ちくま学芸文庫）という本を書いているんですが、世界はピュアなオリジナルがあって、そこからヴァリエーションができていったのではなくて、最初からヴァージョン含みで世界制作が始まったと言っているんです。まさに変分法は世界をどうつくったかということと同じ問題に言及している。破れ目はヴァリエーションやヴァージョンの母なんです。

津田　それはおもしろいですね。

松岡　で、そこをさきほどの文脈で言い換えると、生命の原理には、いつまでも神のような全知全能が君臨しつづけるわけではないということになる。また、すべて決まったことが生起するようにプロセスを支配するデーモンがいるのでもないということになる。あるスタートの選択をすれば、自律的な進化活動がおこる、発現がおこりうる最適状態には到達するのだということにもなる。そして津田さんふうに言うと、それはカオスの遍歴にモデル化されているということになる。

津田　そう見ていただいて、結構です。

生命の統一原理は書けるのか

松岡　さらに議論を広げてみたいのですが、そうすると、たとえば個体の死とか環境との相互作用とか、こういうものは変分原理からはみ出るものなんですか。あるいは、それも含めて初期値が選べるんですか。

津田　それは非常に学術的に重要な問題ですし、今まさにトライしているところです。でも従来の変分原理には「環境変化」という項は入らない。だからあらためて、それを入れて再定式化しようとしています。もちろん、われわれが扱う生命のシステムには環境との相互作用が前提になります。生命活動には他の要素や現象との相互作用とか、あるいはもっと物理的な環境との相互作用とか、いろいろあるので、その項を入れないかぎり、私がさきほどから言っているようなことは実証できないので、そこはなんとか変分原理を書き直そうとしています。

松岡　そうなんですか。

津田　ただそうすると、拘束条件として定数ではなくて、運動方程式そのものを相手にすることになる。さらに難しいのは、意図的な拘束条件が入ることがあるということです。一見すると定量化できないもの、たとえばホルモンの関与や他者の意図のような、インテンショナルなものを考慮しないといけないことになるでしょうね。

松岡　それは入ったほうがいいんじゃない？

津田　ええ。それを入れようとしているんだけど、いきなり数式にはならないので、どう表現したものかと考えている。

松岡　それがもし書けたら「生命の統一原理」みたいなものができる？

津田　「生命の統一原理」でもあるし、「心の式」のようなものも出てくるだろうと思いますよ。でも、ここからが大変。

松岡　環境との相互作用とか、個体と系との関係、生態系の揺動性、こういうことを同じ変分原理に入れようとしているんですか。

津田　当然、そうですね。

松岡　両方とも入れようとしている。それはすごいね。

津田　両方とも環境変化なので、環境項として入れなきゃいけないでしょうね。

松岡　そこには、アインシュタインのラムダ項[14]じゃないけれども、いままで気がつかないものが必要になるんじゃないの？

津田　そのへんのことについては、その定式化をハミルトン形式として定量化できる部分だけでやろうとしたら、なんとディラック[15]が似たようなことを考えていたことがわかったんですよ。ディラックは環境という項を考えてないから厳密には違うんですけれども、突き当たる問題は同じなんです。

松岡　ディラックと同じ？　どういう方法論ですか。

津田　構造と拘束条件の掛け方の関係ですね。問題を解くために新しい拘束条件を導入して、さらに拘束条件に整合性の仮定を置くというちょっとアクロバティックなことをしています。少し話が難しくなってしまったので、ここでウォディントンの「エピジェネティック・ランドスケープ」（後成的風景）の話をしてみますね。

松岡　ぼくの大好きな話だ。発生と分化はジェネティック（前成的）にではなく、エピジェネティック（後成的）に決まっていく。

拘束条件とは　エピジェネティック・ランドスケープ

津田　発生分化の過程で細胞の運命は遺伝因子と環境因子の相互作用であることを提唱したコンラッド・ウォディントンの「エピジェネティック・ランドスケープ」というモデルでは、目や尻尾などの発生過程が、山の頂上から谷底に沿って転がるボールになぞらえて形容されています。谷Aの方に行ったら目になるとか、谷Bの方に行ったら尻尾ができるという分化の過程を示しているんですが、ただ、このポテンシャル場のモデルを見ると、発生は視覚的には不可逆なものに見えるんですね。山から谷へ、低い方へ転がり落ちるだけの時間的に一方向なものに思われる。

でも実は時間的には、谷を転がっていく途中で別のものが作用して、それとの相互作用でもう一回坂を登って元の位置に戻る若返りのフィードバックのようなものが想定されているんですが、それは描かれていない。行ったり来たりする発生のプロセスは描けないから、結果だけが描かれている。だから非常に誤解を生んでしまう絵なんです。

発生とはポテンシャル場があって、ポテンシャル場に沿って一方向に起きているような印象を与えてしまうんだけど、実際はそうではないんです。ある条件があって、その条件を満たしていると、結果的に目なら目、尻尾なら尻尾ができるような初期の状態があって、その初期の状態をいかに選ぶか、という問題になる。「ベストな最終状態を得るためにどのような初期値を選んだらいいか」という問題なんです。

その初期の状態には実は戻るプロセスも内包されていて、それがうまく回るといい発生が起きる初期値があることになる。そのいい初期値があると、結果的にポテンシャルに沿っていったように見える。つまりちゃんとした発生が起きる（たとえば目ができる）。でもフィードバックがうまくいかないと、変な初期値を選んでしまい、変な発生になる。だからちゃんとした発生を

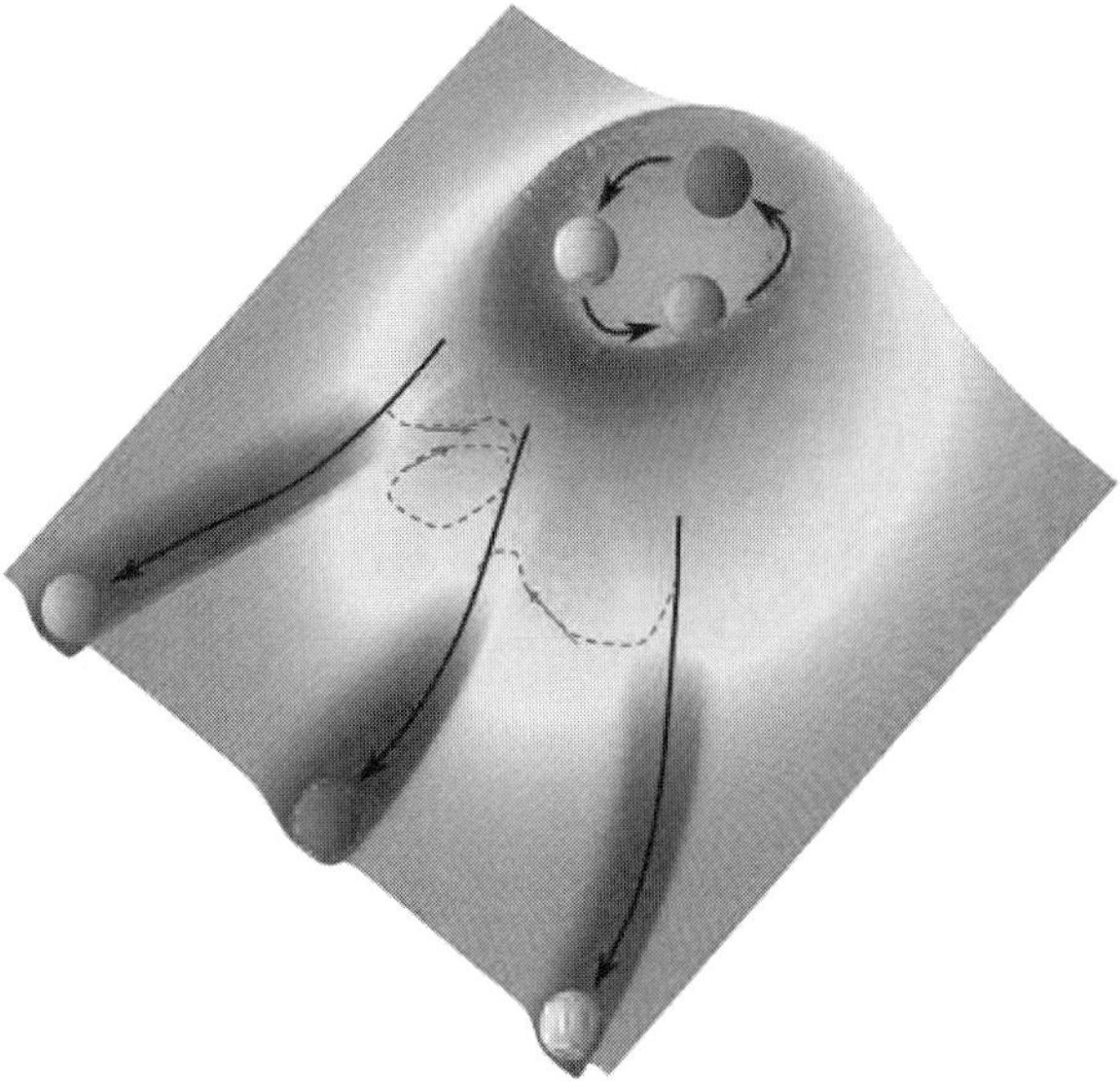

エピジェネティック・ランドスケープ（後成的風景）の概念図
（中部大学　渡部大志氏　作成）
ウォディントンによる発生と分化のしくみ。上部には幹細胞の状態を表す。分化は矢印のように進行し、最終的には濃淡の異なる球で表した細胞へと分化するが、点線矢印のように若返りなどの複雑な交差過程があり進行する。地形図（ランドスケープ）で示されているのは分化が完了した結果を描いているにすぎない。

するためにはいい初期値を選ばなければならない。そのためには行ったり来たり行ったり来たり、いろんな物質の相互作用を繰り返します。でも、ある初期値から出発すると、本来なら目的とすべき目なら目ができるようなプロセスも内包されるという問題なんですね。

そのために拘束条件が必要なのですが、結局のところ拘束条件とは、目的とダイナミクス自身です。目的と言っても「目を作りなさい」とか「尻尾を作りなさい」といった具体的な目的ではなくて、「エネルギーを最小にしましょう」とか、「情報量を最大にしましょう」といった抽象的な条件で、そうした抽象的な条件を入れて、いい力学系、うまい発生が起きそうなものを選ぶと、いい初期値が決まる。いいダイナミクスが決まって、いいパラメータ（変数）が決まると、方程式もちゃんと決まってくるので、あとは決定論的に発生が起きて、正しく目ができる。だから拘束条件というのは「目を作れ」というプログラムのような具体的な拘束条件ではなくて、きわめて抽象的なものなんですね。なにがしかの意図的な拘束条件とダイナミクスがあると、いいシミュレーションができる。

松岡　ウォディントンのエピジェネティック・ランドスケープという発想はすばらしいものでしたね。それをあらわした地形図は『発生と分化の原理』（共立出版）の中の最も重要な図にもなっているんですが、津田さんが言われたように、行ったり来たりするスイッチ回路は図から省かれているため、ちょっと誤解されやすい。でも、ウォディントンが「キャナリゼーション」（運河化）と名付けたように、発生と分化は必ずやキャナル化をおこして最終状態に向かっていくわけです。なぜそうなるかというと、一つには初期的な拘束条件が影響力をもつ、二つ目には発生分化のボールが転がっていく山のほうに坂や凹みがついている。そして三つ目には、ボールは転がりながら自分でダイナミクスを決めていくということですね。ウォディントンは「行ったり来たり」はアロステリックな酵素もかかわっていると仮説をしましたね。

津田　自然の中では本当は拘束条件自体も選ばれていると思うんです。拘束条件を選ぶ拘束条件もある。

松岡　ふうん、そうなんだ。

拘束条件と進化

津田　もう一度整理すると、ある拘束をかけてその拘束条件のもとで、組織化をします。その拘束条件は将来こうなってほしいという拘束条件です。いま、それを満たすような一番いい初期値を見つけなければいけないとすると、いい初期値とはいったい何ですかという逆問題になって、それを解こうとすると、未定のパラメータが出てくる。それを決めるための運動方程式が出てくれれば、あるいは何か別の拘束条件が出てくれれば、未定だったものが決まるので解けるんですけれども、そうはいかない。整合性をつけるために拘束条件をつけると、また別の拘束条件が生まれる。というように、際限なく続く可能性があるんです。どんどん未定のものが出るので、未定のものを決めるためにまた新たな拘束をつけて、また新たな未定乗数が出てきて、さらに決めるための拘束条件を付けて……ということをえんえん繰り返さなければならないかもしれない。収束するという保証がないんですね。

それと同じような構造の問題が物理にもあって、それをハミルトン力学系[16]で提案したのがディラックなんです。物理的な変数がとりうる値を計算する方法を編み出したんですが、ディラックが、そのように際限なく拘束条件をつけなければいけない場合に提出したのは、「最後が定まるまでがんばってやれ」みたいな方法なので、それはそれで難しい（笑）。でも、私も同じようなことを考えていたような気がします。

松岡　なるほど、拘束することによって運べる情報があるというところに難点があるんだ。

津田　生命というのは、拘束をかけないと情報が生成されないんです。拘束がないところで、ただ「自由にしていいよ」と言われたら、われわれだってあんまり何もできないですよね。ある程度は拘束をかけると人はがんばれる。そのように、生命システムというものも、何か拘束をかけてちょっと運動を制限してやると、すごく機能を発揮するところがあります。

たとえば、幹細胞に物理的な圧力をかけてやると、細胞が分化したりする。ある大学の先生が、二、三年前に幹細胞に振動を与える実験をしたところ、幹細胞が筋肉を作る細胞に分化した。だから、何か未分化のものに拘束をかけて分化していく過程というのは、きっと普遍的なんだろうと思います。おそらく実際の生物の進化過程においても同様のことがおこってきたのではないか。何らかの拘束がかかって、そこから生命が分化していった、それこそが進化なのではないかと思うんですね。

松岡　その拘束は外からの縛りばかりではなくて、内部からもかかるわけ？

津田　両方あります。内部からかかる拘束もあるし、外部からかかる拘束もある。生物進化にはたらく拘束条件としては、自然淘汰がよく言われますが、それ以外にもたとえば性選択のように、自然淘汰とは異なるものがありますよね。バクテリアと共生することでかかる淘汰圧というものもあります。

松岡　なぜ生命は、進化するために拘束条件を付けることを思いついたんだろうね。まるで発散問題を避けたかのようだよね。

津田　そこが非常に難しいですね。変分では出てこない。変分の中に拘束条件を入れることはできるけども、なぜ拘束がついたのかは、変分だけでは出てこない。

松岡　拘束条件が活きるのは、ほったらかしじゃ生まれない現象がある、何か負荷がかからなきゃ生まれない現象があるということです。その「何か」については、変分理論ではない他の理論はあるんですか。

津田　いや、ないですね。それが何かということこそ、まさにやらないといけない。

松岡　とうていダーウィニズムでは済まない。

津田　むろん、それだけでは済まないでしょうね。何かが欠けている。

松岡　淘汰圧の「もと」になるものは想定できますか。

津田　ありますね。逆に言うと、そこは偶然性があるかもしれない。最初の話に戻るようですが、「場所を占める」ことが拘束条件になることはありうるんです。場所を占めるってかなり強い拘束なので、物質があるつながり方をした途端に、そこに独特の淘汰圧がかかって、どんどんかたちを変えていくみたいなことが起こりうる。

いい初期値を選んだ者だけが生き残る

松岡　ちょっと強引な比喩かもしれませんが、遺伝子が発現するためには、DNAが情報の転写を始めるためのその準備をするRNAワールドのようなものが想定できますね。そこでいろいろ「破れ目」を準備した後にDNAにバトンを渡し、完全に複製プロセスに入る。このプロセスはしかし、RNAがDNAに情報編集のバトンを渡したとも言えるけれど、RNAワールドの破れがDNAのセントラルドグマになったとも言えるわけで、だからこそそこからは転写という仕組みが続いていったんでしょう。

この場合、何がトリガーになったのか、ぼくは「抜き型」のようなことがおこったと感じるんです。同じようなことが、世界が生成されたときにおこってきたように思う。トリガーが「抜き型」の格好をとっているという例がいろいろあるはずです。たとえば熱力学的なある条件の変化が最初の拘束条件のトリガーを引くということはないですか。

津田　それがまさにカルノー・サイクルとかですよ。

松岡　そうだ、あれこそ「抜き型」だった。

津田　カルノー・サイクルは物質過程から生命過程へ行く準備段階になっているわけですからね。伏見さんはそれが「生命」だと言っちゃったけど、それは言いすぎで、カルノー・サイクル的な準備段階が生命になる前に、おそらく一回挟まっているんだと思います。ただその後に進むには、やっぱり非平衡状態がないと行けない。非平衡とはエントロピーを下げることですが、エントロピーを下げるということは、結局いい初期値を選ぶという話につながってきて、そこでは選択圧が大事になってくる。すると、それは「進化」の話になるわけです。

松岡　エントロピーが下がったから生命過程が始まったのか、情報編集が始まって「捨てどころ」ができたからエントロピーが下がったのか。

津田　エントロピーってわりと大雑把な概念なので、エントロピーを持ち出して説明することを嫌う人も多いし、私もできるだけ使わないようにしてるんですが、今のような説明が一番スッキリしますね。なぜ進化が起こりうるのかというと、やっぱり初期値を選ばなきゃいけないからです。生命過程はカルノー・サイクルから卒業して、非平衡にしてエントロピーを下げるような系を作ったわけです。これはいい初期値を選べるかどうかの問題です。そこで淘汰圧がはたらいて、いい初期値を選んだやつだけが残った。

松岡　残ったやつがいたから、それが初期値になったとも言えるよね。文化史はほとんど、そういう決まり方です。自然主義文学はフローベールの『ボヴァリー夫人』から始まったとか、ブラックとピカソがキュビズムの原点だったとかね。

津田　「生命とは何か」という問いを発する人は、たぶん「生命の統一原理」のようなものをどこかで考えていると思うんですが、私は統一原理のようなものはないと思っている。素粒子の専門家たちもよく「統一原理がある」と言うでしょう。でも、その統一原理と、私が言う神のようなものというのはちょっと違っている。

松岡　たいへんきわどいところですね。でも編集的世界観から言っても、おそらく生命は統一原理によって進むのではないと思う。もっと「いない、いない、ばあ」的ですよ（笑）。じゃあどう「いない、いない、ばあ」するかというと、そこに「さしかかる」たびに「ばあ」をするというか、何かを「またぐ」たびに進む。きっと「抜き型」がはたらいたにちがいない。「ホメオスタシス」[17]（homeostasis）は当初から設定されているんではなくて、さしかかるたび、またぐたびにつくられたんです。だから一定度の値をもった。

こういう見方は従来の理論にはない様相を告げているので、どう名付けていいかは分かりませんが、少なくとも統一原理によってできたものではないでしょうね。場と位置（席）と運動を同時には記述できない以上は、統一原理ではありません。

津田　それはやっぱり「時間のたたみこみ」のようなものがあるからだと思いますね。比喩ですけど、古代ギリシア以来、クロノスとカイロスという時間がありますね。クロノス的な時間はクロック、つまり時計です。時計ってまさに時間を空間化しているもので、時計的な時の経過は、典型的には川が流れて渓谷を作っていく過程にあらわれている。時々刻々と地形が変化していくので、渓谷の形を見れば、川がどう流れてきたかという時間経過が空間に刻印されているのが見て取れるわけです。そうした地形は、川が過去どのように流れたかという、いわば時間の跡なわけですね。

対するにカイロスはどうかというと、「瞬間」ごとの時間を示す概念です。その一瞬、過ぎ去る一瞬の時間を指している。レオナルド・ダ・ヴィンチは乱流の絵を描いていますが、おそらくそういう形でしか描けない時間です。だから、この一瞬と、次の瞬間のあり方はもう違うんです。瞬間瞬間の姿が異なる。あえて言えば、カオスが存在しているために瞬間ごとにちょっとずつ姿が変わっていると言えます。

エルゴード問題と偶有性

松岡　東洋的で曼荼羅的な時間はカーラと言いますが、循環的です。絵にするときは縞々の同心円っぽくなる。ただし循環する時間は元に戻るときにちょっとずつずれるので、チベットのカーラチャクラ曼荼羅なんかも年輪みたいな片寄りをもつ層になる。そこがおもしろい。カイロスもクロノスもカーラも、それぞれに違う時間なんですよね。

ただ、ここであえて議論しておきたいのは、言語論と数学論、実験とディスカッション、西洋の成果と東洋の成果、重力論と量子論など、こういう出来のいいもののすべてを組み合わせて単一な原理を出そうとしても、そこから何かが生まれるわけではないということで、なぜそうなのかを本当は説明したいんですね。

このことはたいへん重要な問題で、当該分野の理論をつくる以上に大事なことで、理論間の統合を図ろうとするとお出ましになる大問題です。まさに相互編集的にならないと見えてこない問題です。しかもなぜ統合が阻まれるのか、統一しにくいのか、その理由をうまく説明できない。

それでもそこをさらに分け入っていくとすると、津田さんが言うように、さまざまな体系だった理論にはそれぞれ「時間のたたみこみ」がおこっているからだとも言えるのですが、一方、私たちは「そこ」にさしかかるたびに異なる「偶有性」と出会っているからだとも言えます。

ここで「偶有性」と言っているのはコンティンジェンシーということです。わかりやすく言うのが難しいんだけれど、ある概念、あるシステム、ある在り方を記述しようとしたり、追跡しようとしたりしたとき、そこに到達できるような気がしても、それはコンティンジェントなことであろう、偶有的なものと出会っているのであろうというふうに捉えること、そのことがコンティンジェントだというふうに使います。ぼくはシステムにたたまれていた「別様の可能性」との出会いと言っている。

津田　はい、よくわかります。

松岡　コンティンジェントな「別様の可能性」の出現は、現象やシステムの内側と外側の両方が関与しておこるので、コミュニケーション社会学のニクラス・ルーマンは「ダブル・コンティンジェンシー」という言い方を提案していますが、それはともかくとして、このような問題にわれわれが出会わざるをえないのはどうしてだと思いますか。

津田さんも『心はすべて数学である』で、決定論的でもなく確率論的でもないもの、必然でも偶然でもないもの、しかも途方もなく複雑である状態はコンティンジェントと呼ぶしかないというふうに書いていましたね。

津田　そう思います。その理由を詰めてみると、私の場合はカオスに引きずられすぎている見方になっているかもしれないけど、それはやっぱり「エルゴード問題[18]」のような感じがしますね。川の流れをある一定の場所で見てみたときに、水を構成する水分子がそのつど変化していながらも、川の流れとしてはいつも同じように見えるような、ね。

松岡　ほう、それはまた示唆的ですね。たんに統計的に処理できる問題ではなくて、エルゴード的にかかわっているというんですね。

津田　そうです。エルゴード問題というのは統計物理学の基礎を形づくる問題です。統計物理学の目的は熱力学で出てくるマクロな物理量、エントロピーとか体積とか圧力とか温度といった日常的な概念を分子のレベルから説明することです。このとき、分子衝突によって分子の状態がランダマイズされる。つまり分子的なレベルのカオスがあらわれるのですが、それが「二つの平均」（各分子の運動に関する物理量についての長時間平均と状態空間にわたる相平均）が等しくなるような程度にランダムであるということが、熱力学的巨視量（体積、圧力、エントロピー、温度など）を導くためには要請されなければならないというものですね。これがエルゴード問題です。

　この二つの平均が等しくなるとは、分子の状態が完全にランダムだということを意味しています。周期的な運動や準周期的な運動では、この二つの平均は一致しません。ランダムさが足りないんです。二つの平均が一致するというのは、それくらいに十分にランダムだということです。あるいは、平均的には確かに何か一つに決まるんだけど、個々の軌道の運動は全部違っていいものですね。それはあたかも一人ひとりの個性のようなもので、サンプルは全部違っているけれども、あわせてみるとある一つの何かであって、われわれの神経系の時間からすると、変わらない「不変的なもの」しか見えない。とはいえ、個々の軌道が運動している状態を感じることはできるような、そういうものだとも言える。

松岡　時間経過の中でアンサンブル（集まり方）がどうなるかという問題だよね。おこりうる微小な状態の数だけある系のレプリカ（似たものたち）をどう見るかという問題でもありますね。

津田　わかりやすくいえば、いつ見ても同じに見える川の流れがそういう例ですね。川の流れの断面をとると、毎回違う分子が流れています。流れとしてはいつもまったく同じに見える、けれどもわれわれはそこに何か違う分子が流れたと感じることはできる。

現象的に川の流れという統一されたものは見えるけども、一個一個の分子の運動は私たちの目には見えない。ただ、そこにある運動は毎回違うものだと知覚することはできて、でも統一されたものがあるように見える。それがエルゴード的であるということですね。

松岡　ぼくの感覚でいうと、エルゴード問題には見方によっては、親エルゴード、子エルゴード、孫エルゴードのように「だんだら」があるように思えていました。いまの川の例でいえば、川を統一された流れと見ることと、一個一個の分子の運動を見ることの間に、もう少し別の見方があるのではないかということです。それをエルゴードと呼べるかどうかわからないけれども、「ちびエルゴード問題」とでもいうべきものがいろいろあるのではないかと感じてきた。

津田　時空間のスケールを違えれば、また違ったものが見えてくるんですが、固定できないことがあるのでそういう中間的なレベルではエルゴード問題は定式化が難しいでしょう。だから、大きな系といちばん小さな系だけを問題にしてるんですね。たしかにもっと中間状態で見ることができたら、「統一感はあるけれど、でもちょっとずつ変わっていくような何か」が見えるかもしれませんが、でも、そのレベルでエルゴード定理を出すことがなかなかできない。というか、基本的にはできないんです。つまり、そういうおそろしく動的な問題は逆にエルゴード的ではないんです。カオス的遍歴みたいに。

松岡　エルゴード性の中に「遷移」があるということが現象に対する思考矛盾なんですね。

津田　そうです。物理や数学以外では研究者でも誤解している人が多いのですが、たとえば、アトラクターとして周期運動のようなものがあると、エルゴード性は破れるわけです。あるいは数学的には準周期と言って、トーラス[19]があってもエルゴード性は破れる。だからエルゴード性は激しくカオス的になってないとダメなんです。そこに淀みがあると、エルゴディックではなくなってしまう。アトラクターの間をカオス的に遷移するようなカオス的遍歴のようなことがおきると、エルゴード性は極めてあやしくなるんです。

松岡　もっと考えてみます。いま思い出しましたが、津田さんと一夜を過ごしたときすでに、津田さんはマルコフ過程[20]の話をしていましたねえ。

津田　はい。ずうっとこのことを考えているんです。

第5章

脳と情報

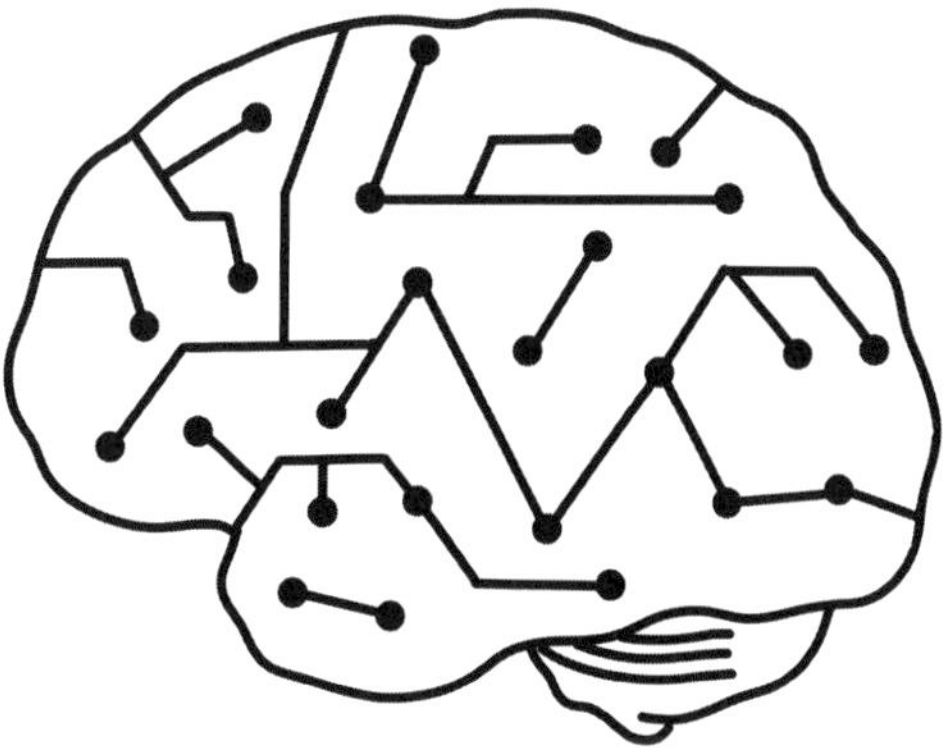

脳と「情報の編集」

松岡　それではいよいよというか、そろそろというか、「脳」をめぐってみたいと思います。そろそろかな（笑）。

さきほど、拘束条件問題が生命の進化原理の何かのスタートに当たるものであるというところまで話は進んだんだけれども、このことと「脳」はどこで折り合いをつけているのかということです。そのへんから始めますか。

津田　まず「脳」がどうやってできたのか、ということです。もちろん正解はわかりませんが、おそらく鍵を握るのは「情報をためる」ことです。われわれのモデルシミュレーションによると、外部の情報を最大限にシステム（系）に伝えるような拘束をかけると、ニューロン（神経細胞）に似たものが出てくるので、おそらく生物的なニューロンもまた、外の情報を中に溜め込むことによって同じようにできたのではないかと考えられるんですね。おそらく情報の「ためこみ」に失敗したものは淘汰され、うまくためたものだけが生き残ったのだろうと推測できる。

松岡　なるほど。「ためこみ」ね。初等的な生命系において、そのモデルシミュレーションを試してみたということですか。

津田　実際の生物モデルを作ったわけではないですが、数学的な関数がプリミティブな生物に備わったと考えて、関数によって定義された力学系のネットワークという数学モデルを考えました。その関数を使って外部情報を受容し、身体全体にその情報を伝えるということを試みたところ、「情報をためる」ことができた。生物のいちばん初等レベルでそういうものが生まれたとすると、それは「情報を編集する」というレベルではなく、単に「情報をためる」というプリミティブなレベルだった。つまり、進化の初期段階では、脳はあくまで外部の記憶をためる装置として存在したんじゃないか。

松岡　なぜ情報をためられたのか。

津田　それはカオスがあるからです。カオスのダイナミクスの中で脳は情報を蓄えることができる。個々のカオスでは初期状態の情報は時間とともに失われていきます。このことがカオスの中で因果性が成り立たないことを保証しているのですが、カオスがネットワークを作ると事情が変わってくる。そこでは因果関係が復活する。だから弱いカオス状態にしておけば、外から情報を入れても壊れない。

ネットワークを構成するカオスに情報が入ってくると、そのカオスの中では情報はどんどん失われていくのですが、完全に失われる前に他のカオスに情報を受け渡すことで、ネットワーク全体では情報を保持できるんです。だからニューラルネットワーク全体が、つねに外の情報を時間をずらしながら再現することで、個々の情報をいつでもどこでも再現することができる。

そういうものがおそらく脳のいちばん最初の原型ではないかと思うんですね。

松岡　それならば中枢の神経系までいかなくてもよかったのでは？

津田　そのレベルなら中枢はいらない。しかしなぜ中枢まで出来上がったかというと、そこからは「情報の編集」という機能が大きかったのだろうと思います。

ようするに外の情報を単に中に入れて転写するだけだと、生物は実際に行動したときに困るわけです。行動をすると、視覚情報一つとっても変化するわけで、さらにそこに敵が来たら逃げなきゃいけない。ぼうっとしていたらダメで、敵に向かって進むような神経系を作っていたら食われてしまう。敵から逃げなきゃいけない。視覚で見て、あるいは匂いを嗅いで、音を聞いて逃げる行動をおこすためには、かなり複雑な神経系を作らなければいけない。

そのためには、もっと大きなネットワークが必要になる。つまり、別々の情報を別々のものとして処理して、その後、統合するようなネットワークが必要になります。視覚から入ってきた情報と、聴覚から入ってきた情報と、嗅覚から入ってきた情報が、最終的に「敵が来た」ことをあらわす情報として統一されないことには、敵から逃げられない。視覚情報では相手が味方なはずなのに、匂いを嗅いでみたら敵だとなると困りますから。そうならないために情報の統一が必要で、そのためには「学習」や「編集」が必要になるわけです。

松岡　そうですね。中枢で情報編集する必要があります。しかしぼくは、その情報編集は中枢がなくても始まっていると思う。転写というのは情報をトランジットさせるということですが、そこにはインタープリテーションも誤訳も入っている。たとえば、空を見たら暗いので「雨が降るな」と視覚的に感知するのと、ポツっと雨滴がカエルに触覚的に当たるのと、草いきれの匂いで雨模様を感知するのとは、中枢統合しなくとも「雨」についての編集が始まっているということだろうと思う。そう言うと、それは転写じゃなくて学習だろう、学習は情報編集の生物学的な進捗じゃないだろうという反論があるかもしれませんが、さあ、そこですね。

学習とはニューロンの結合が変わること

津田　おもしろいところですね。それなら、いったい「学習」とは何かというと、ニューロンの結合が変わっていくことです。そして、そこにも「進化」と同じような規則を使うことができる。そのことを最初に指摘したのはジェラルド・エーデルマン[1]で、免疫の業績でノーベル賞をとった神経科学者です。

松岡　「脳は空より広いか」と言った。クオリアの研究者だよね。「感じ《フィール》」の研究者。

津田　そうです。エーデルマンは、ニューロンもダーウィン進化的な学習をしていて、通常の進化とは時間スケールが違うだけだと言った。この見方はそれほどまちがってはいないかもしれない。私の研究グループもその理論を研究に導入しているんですが、そこそこおもしろい。

もし生物に聴覚も視覚もなく、嗅覚だけで外部情報を獲得するのであれば、反射だけで情報を得られるわけなので、単純なニューロンだけでできてしまったでしょう。でもわれわれには目も耳も、鼻も口もある。皮膚もある。動いたら動いたで、感覚が違ってくる。視覚と聴覚と体性感覚と嗅覚といった異なる感覚を統合するのは非常に難しくて、まだそのメカニズムの詳細はわかっていないのですが、情報の統合のためにはやはり高度なものが必要だろうと思う。末梢の反射だけではなかなかできない。何かに触れたら自己受容のフィードバックがかかって、外界と自分との関係に関する情報がありとあらゆるところから入ってくる。それを統合しなきゃいけないとなったときに、何が必要になるのかというと、それは「物語る」ということなのです。

松岡　物語編集。

津田　物語ることによってバラバラなものが寄り集まって、そこに一つの世界ができる。

松岡　津田さんはそれも学習だと思う？

津田　高次の学習。

松岡　ニューロンの結合を変えているのが「物語る」という編集の発揚だとしたら、たしかに高次の学習だよね。

津田　エーデルマンだけではなく、私もそう思っている。

松岡　そこが興味深いところで、ぼくは生物においては「物語る」という操作はけっこう早くにテストされていると感じるんです。じゃなきゃディスプレイも紋様も生まれてこない。

津田　おそらく脳が大きくなってくると、「記憶」や「学習」や「物語る」という行為がほとんど同時に発生するんじゃないか。そうでないと社会的にも人間は生きのびられない。人間社会は「生きのびる」ということだけとれば、動物よりもずっと生きのびられる。しかし動物の場合は、たえず敵からの生存の危機にさらされるので、生きのびるために住むところを変えなければいけない。当然、紋様もディスプレイも変化しますよ。

電気信号と化学信号

松岡　話を戻して、いつ中枢神経ができ上がって情報編集力がイノベートされたかははっきりしないにしても、カオスというものは生物史的にどのあたりから認めていいんですか。

津田　細胞が生まれた段階で、カオスはすでに発生しています。ただ、それがどう役に立っていたのかはちょっとわからない。細胞集団のある種のリズミックな運動、たとえば腸の蠕動《ぜんどう》運動や心臓の拍動などには、カオスは典型的にみられますね。ようするに自律分散をするようになったかどうか。非線形なオシレーター（非線形振動子）で体の運動をコントロールしているわけです。

松岡　オシレーション（振動）は神経細胞以外でもおこっている。

津田　胃や腸といった消化管の運動は、自律神経によるオシレーターが結合した系を形成します。その系が周期的なふるまいやカオティックなふるまいを生成する。それが実際の運動につながる。

松岡　ニューロンは電気信号を受けて、これを化学信号に変えますね。外界から入力されてくる電気的なところはゼロイチ型の、悉無《しつむ》律《りつ》型になっていて、途中からシナプスで化学信号に切りかわる。どうしてこの仕組みでいこうと決めたのか。アメーバや粘菌類に戻って考えると、電気信号よりも化学信号のほうが先にあったような気がするのに、脳が発達するにつれてそれはひっくり返ったのか、それとももともと膜電位のようなものがあって、それがぎゅっと神経系の中にミエリン化（ミエリン鞘という絶縁物質でほとんどの部分が覆われること）されて伸びていったのか、そこはどう見ればいいんですか。

津田　たぶん膜ができて、チャネルができるという順番です。膜にタンパクが入って、イオンチャネルができれば、電気信号が伝わる。だから、その膜にタンパク質が埋め込まれる事件がいつ起きたか、ということになると思います。

たとえば粘菌にはいわゆる神経系はないけれど、中の原形質流動はかなりカオティックになるし、カルシウムが情報源になっていますから、カルシウム波というカオス的な波を流すことで情報を体全体に伝えていくことができる。

松岡　うん。ケミカルですよね。

津田　完全にケミカルなんですけど、神経系が最初にできるぐらい簡単な海の動物（たとえばクラゲのような）なんかだと、なぜか知らないけど、そこにタンパク質が放り込まれてしまう。イオンももちろんケミカルですが、一応は電離しているので、そういう電気を帯びたものが出入りするようになったということから、電気で伝えるほうが早いので効率がよくなったんじゃないですか。

ただ、海の生物はギャップ・ジャンクションという細胞間結合が多いので、化学反応を介さない。いわば雷と同じで、絶縁破壊のような感じで電気が流れます。電気だけでも情報をやりとりできるんですね。これは初期の生物にはわりと見られますね。それがだんだん高等動物になってくると、むしろ化学反応を介入させることで速度を遅くしているんだと思います。たとえば一個のシナプス結合だったら、電気シナプスを介して一ミリ秒ぐらいの速さで送れるんだけど、シナプスを介することで速度は十ミリ秒ぐらいになる。さらにそこに学習機能が入ると、二百ミリ秒ぐらいまで遅くなる。というように、高等動物になればなるほど遅くなっていく。それはなぜかというと、おそらく、わりと高次の「記憶」と「判断」を形成するためではないかと思う。

松岡　反応速度を稼いでいる？

津田　そういうふうにも言えますね。さっき「物語」があると言いましたけど、物語があるということは、外の情報を知覚して記憶にため込みながら解釈していくので、それがわかった段階で判断して「逃げるか、寄っていくか」という行動に移す。しかし、あまりその判断を早くやると、まちがえる確率が高くなる。生命系というものは物語が中心になってできているので、神経系だけが早く反応してしまうと、単に動いているだけで、計算もできなければ判断もできないということになるんです。

松岡　そこに何チャンク（文節）かの短い回路、いわばショート・コンテキストを入れておく必要があったんだと思うんですよ。それによってディレイ（遅延）をつくり、その間に学習エンジンが作動して判断や確信が成立する。敵が来たからパッと逃げるというんじゃなくて、いったん敵かどうかを判断してから逃げるのだし、その経験をこまめに貯蓄できるようにする。とくにフィードバックというようなチャンクは、その単位がコンマ何秒かのレベルかもしれないんだけれども、その後の学習の全プロセスにとってたいへん効果が高い。

　このことは、言語力や編集力にも、好みやセクシャリティにも関係があるんですよ。そのコンマ何秒かの判断が繰り返されることで、われわれのコミュニケーションや解釈の感度がかたちづくられる。それは、ある好みの決定にも及ぶ。みんなそうだと思うんだけれど、幼稚園や学校に行って、あの子がいいなと思うのはあっというまの決定ですね。ぼくが幼稚園で「よこしまたかこ」ちゃんを気にいるのに、数秒もかかっていない（笑）。それはその後もずっと同じで、数時間の合コンなど必要ありません（笑）。逆に、こいつは苦手だなという決定も驚くほど速い。ここには動物界のセクシャリティの動向、ネオフィリアやネオフォビアに関する重大な秘密が隠れているはずです。

というわけで、この電気信号と化学信号の関係についてまだ正確なことはわからないけれども、何かの秘密を持っていると思いますね。で、そのチャンクの量というか分節（アーティキュレーション）の量が、神経系のネットワークのパターンとか、長さの分岐の数のもとじゃないかという気がするんですが、どうでしょう？

津田　最近わかってきているのは、脳の狭い領域のニューラルネットワークはスモールワールド的だということです。だいたい数シナプスで元に戻っちゃう。速いと言っても遅いんですけど、1シナプスだけで循環がおこるのではなく、何回か行って戻るという中間層レベルでの循環です。

松岡　メゾスコピック。

津田　そうです。それに対してもっと広領域の全体を見ると、スケールフリーをうまく使っていて、短いのもあるし長いのもありますが、分布が「べき」になっている。そこから、どういうシナプスの結合をしているのかがわかってきた。おそらくは「内的な時間」をつくるのに、数段階があると想像できる。

松岡　それは巧妙でうまいレスポンスだよね。言語に文章とか詩だとかのほかに俳句だとかソネットのようなもの、あるいは歌だとか、赤ちゃんの喃語のようなものがあるのは、このレスポンスによって、もっと大きなことを推進するためのウォーミングアップだったのかもしれない。というわけで、脳はどこまでも長くシナプスの回路をつくれるけれども、全体がスモールワールド化できているとしたら、最短単位はそれほど多くないはずですね。五つとか七つという単位ではなかったですか。

津田　そうです。昔、ジョン・ニコリス[2]とまさにチャンク数をめぐる共同論文を書いたことがあるんですが、人間が瞬時に記憶できるチャンク数は7プラスマイナス2の範囲です。チャンクにもいろいろあるんだけれども、たとえば一瞬にして分類できる数は七つぐらい、一瞬にして覚えられる数字も七つくらいでした。それから、把握できる文章の入れ子構造の上限もそうですね。「AさんがBさんがCさんがDさんを殴ったと聞いたということを言った」とかいった入れ子構造も、7プラスマイナス2。

松岡　コンビニで七つ以上買うと、帰ってきた部屋でどれをどうしたかったのか、わけがわからなくなってしまうもんね（笑）。他人の話も七つ以上聞くと記憶からこぼれ落ちてしまう。物語という情報保存様式をもっていれば、十個くらいなんとかなるけれども、そうでないと記憶には限界がある。

津田　だから物語をもつと、非常に大きな容量のカテゴリーを記憶できるんです。

松岡　ヴィゴツキー[3]がそれを「認知道具」と名付けたのが、よくわかる。語り部やミンネジンガー（吟遊詩人）にはそのへんの技能が鍛えられていたんだと思う。

神経系に「分子言語」はあるのか

津田　「物語る」ことを可能にしたのがまさに言語なわけですが、では言語がどこから生まれるかということも考えたくなる。

松岡　文字や単語や文法をもっているものが言語だということはなくて、もっと広く波及していると思いますよ。「さえずり」や「鳴き声」までね。文様や縄の結び方も、鍵と鍵穴の関係も言語でしょう。もちろんＡ・Ｔ・Ｇ・Ｃを三つずつコドンとして組み合わせて使うなんてのは、かなり出来のいい言語活動ですよ。クオリアもひょっとすると化学言語的なものじゃないですか。

津田　脳はそのへんをどう活用したか。

松岡　もともと初期の神経ネットワークの中にも、そうした言語的なるものに似たものがいろいろあるんでしょうね。ニューロンが興奮するか抑制されるかというのも、二つに一つというのではないんじゃないかしら。もっと微細なはずですよ。

津田　さきほども述べましたが、神経細胞のネットワークは、電気的結合のみのギャップ・ジャンクション以外は、電気的な情報伝播において神経伝達物質を使っています。

松岡　そのシナプスから放出される神経伝達物質は、原言語（proto-language）そのものですよ。神経伝達物質とも分子ホルモンとも脳内ホルモンとも言われていますが、セロトニン、ドーパミンなど、いずれも分泌分量や放出回数や誤答率を含めて、かなり微細なコントロールができているはずです。分子言語は、もともとは特定の細胞で作られて、血流によって臓器に運ばれ、その臓器に作用して特定の応答を引き起こすケミカルな物質ですね。

津田　そういう物質は生体内において使い回されている。たとえば典型的な例でいうと、アセチルコリンは覚醒レベルをモニターしているので、アセチルコリンが出れば覚醒するし、アセチルコリンが少なくなると眠くなってしまう。他方で、もともとアセチルコリンは神経筋伝達のための伝達物質なので、神経信号を筋肉に伝えるときに使われていたのに、なぜかそれを使い回して覚醒の度合いにしている。その理由は生物学者や神経学者に聞いても、わからない。なぜか知らないけど、とにかく生体でできたものはまず捨てないんだと言うんです。

松岡　使いまわしても別のものにはたらくわけでしょう？

津田　そうですね。文脈依存的にはたらきを変える。他にもたとえば興奮性ギャバ（ＧＡＢＡ）というものがあります。ギャバというのは抑制性細胞から発せられる神経伝達物質ですが、生まれてすぐの段階では興奮性としてはたらいているんです。ところが成長すると抑制性として働くようになる。だったら最初から抑制性細胞としてはたらけばいいようなものの、一人の人間の中でそうした変化がおきている。

松岡　ぼくはこの「分子言語問題」はヴィトゲンシュタイン以降で、やらなきゃいけない言語論の大きな領域だと思っています。

「閾値」をどう決めているか

松岡　ところで、私たちは古代からキナノキを飲むとか、イチジクの汁を飲むということをしていて、魚だとか木の実のような自然物に潜んだ毒が薬になるような二重性を機能させますよね。アヘンやコカインで快楽にも耽るし、体が蝕まれることもある。ペニシリンも毒にも薬にもなる。アルカロイドなんてたいへん複雑で、決定的な毒にもなるけれど、多様な効能を引き出すこともできます。

そうなってくると、今日の話の奥には、もうひとつ、実は「適量」とか「最適値」とか「臨界値」という問題が疼いていて、これがものを言っていることになります。

ここまで「カルノー・サイクル」をはじめ、わりに構成的に話をしてきたけれども、ここで「出る・出ない」「出す・出さない」「効く・効かない」という閾値や臨界値の問題、つまり分量の度合いを機能させるしくみを俎上にのせる必要があるように思うんです。

津田　そうですね。少し厄介な問題ですが、それは、「ホメオスタシス」に関係することだと思いますね。ステイシスっていうのは静的状態ですから、基本的に安定なものが保持されているという思想が背景にあるわけです。だけど、本当はダイナミックに変動したものが保持されているはずで、スタティックなものが保持されているのではない。だからそれは本当はホメオステイシスじゃないということを強調したい。われわれはホメオダイナミクスと言ったりホメオキネティクスと言ったり、ホメオケイオティクスと言ったりしています。

松岡　閾値とホメオスタシスとはどう関係しているんだろうね。

津田　そこですよね。私はなぜ閾値ができるかという研究をしたことがあるんです。これは「論理」を使ってみたんですね。まず、適当な論理、たとえば古典論理や直観論理のような論理を一つ仮定して、自然現象に対してそれを「命題」の形で組み立てて、その「命題」の真偽を推論する。そのために論理に時間を導入してみます。

ふつう、論理には時間という概念がありません。あえていえば一瞬にして前提から結論を出すわけで、そこには時間の入る隙間がない。たとえば「私の言うことはウソです」（「私はウソつきです」でも同じ）というような有名なウソつきパラドックスを考えます。なぜこれがパラドックスかというと、「私の言うことがウソ」ならこの言明自体がウソになり、したがって「私の言うこと」は本当（真）になり、ということはウソになり、というふうに無限にウソと本当が繰り返されて真偽が決まらないからです。このように、いくら論理を駆使して検討しても、結果は堂々めぐりで定まらない。こうした「ウソつきパラドックス」は、命題が自己言及的である、という言い方をします。

松岡　卵がニワトリになるのだから卵が先。しかし、その卵はニワトリが生んだのだから、ニワトリが先、というように自己言及すると真偽が決まらない。

津田　論理学で判断するときは時間の導入はありませんが、われわれ人間がこの言明の真偽を推論すると、必ず時間とともに推論していきます。しかも、前に出た結論を次の推論の前提にしていることもわかりますよね。

　このように、ある時間に前提だったものを仮定して、次の何秒か、何分か、何時間か後に結論を出すわけですが、いったん出た結論を前提に戻して再び推論をして結論を出すことを繰り返す論理の連鎖の形をしているので、ここには離散的な時間があります。その時間が何秒か、何分かは場合によりますが、そこを抽象化というか規格化して一単位時間というものを導入して、前提から結論に一単位時間かかるとします。推論という心の動きを数学的枠組みで捉えるために、一回の推論に時間の一単位を割り当て、推論の各ステップ間の関係を「写像」(4)とみなしてみたんですね。

松岡　うんうん。

津田　で、各ステップで得た結論を次のステップでの前提に置き換えて、「写像」を繰り返すことで「命題」の真偽に関する推論を離散時間力学系の形に書くと、さきほどの「私の言うことはウソです」という命題の真理値をSという記号であらわし、nステップ目の真偽をS_nと書くと、$S_{n+1}=1-S_n$という力学系が得られます。この方程式の解として「真である」と「偽である」が異なる時間の結論として得られるので、与えられた現象が出現することの度合いのようなものをダイナミクスとして記述できるわけです。これを神経細胞膜のイオンチャネルでおこるキナーゼとホスフォターゼの関係に応用すると、「閾値」が自然とあらわれたのです。

キナーゼとホスフォターゼ　「自己他者言及的」な反応

津田　キナーゼとホスフォターゼという酵素があって、おおざっぱに言うとキナーゼはタンパク質でできているイオンチャネルを活性化させ細胞外のシグナルを細胞内に送るんですが、ホスフォターゼはそれに対して不活性化させる役目を持ちます。神経細胞の場合も同様です。この活性化の仕方を力学系として記述することができます。膜イオンチャネルはある状態にならないとオープンにならないんだけれど、いわばその鍵穴をオープンしたりクローズしたりするのに関係する酵素が、キナーゼとホスフォターゼなんですね。

このキナーゼとホスフォターゼの反応を見ていると、二つの酵素がまるで語り合っているような相互作用的な反応をしている。「俺がこいつを抑制するから、おまえはあいつを抑制しろ」というような「自己他者言及的」な反応ですね。

松岡　ほう、神経細胞膜でね。それはおもしろい。

津田　で、さきほど言ったようにそれを「命題」の形で言語で書いて、そのロジックが正しいかどうかをダイナミクスとして計算します。たとえば、さっきのパラドックスと同じ構造のパラドックスである「エピメニデスのパラドックス」は、クレタ人であったエピメニデスが「クレタ人はすべてウソつきだ」と言ったときに、エピメニデスはウソをついているのかどうかという問題を提示しているわけですが、いくら論理を駆使して検討しても、結果は堂々めぐりで定まらない。こうした「ウソつきパラドックス」は、命題が「自己言及的」なので、真（1）と偽（0）の真理値（真であるとき1をとり、偽であるときに0をとる）を周期的に繰り返します。しかし、「自己言及的」ではなくて、「自己他者言及的」に相互作用するような高度な自己言及を含む命題の論理ダイナミクスをやると、ダイナミクスはカオス的になるのです。

むろん使うロジックによってダイナミクスは異なります。古典論理のような二値論理ではカオスは出てきませんが、ウカシェビッチ論理のような連続値論理なら、命題によってはダイナミクスはカオスになる。われわれはこのような連続値論理をキナーゼとホスフォターゼの「自己他者言及」に使ったんですね。このとき、カオス軌道の確率密度を計算すると、あるところで急激に立ち上がるシグモイド関数[5]に近いものになります。確率が高い領域と低い領域がはっきりと分かれるのです。

つまり、キナーゼの活性化度合いが低いほうから高いほうに眺めてみると、活性化の度合いが十分に低い状態があらわれる確率は非常に小さいが、この確率が活性化度合いをあげていくと徐々に上がっていく。しかし、ある活性化度合いを超えるとその確率が急激に高くなって、それ以上に上げても確率は徐々に高くなるだけでそれほど変わらなくなる。確率分布がSの字の上端を右に、下端を左に引っ張ってできた延びたS字のような格好になるのですね。

そこでもう一段、話を進めます。タンパク質が「自己記述能力」（自分の状態を自分で記述すること。タンパク質の状態をタンパク質自身が知っている状態になること）をもつ、と仮定します。さきほどのような「命題」に対して、キナーゼとホスフォターゼの状態に対する真理値に対して記述するというフェーズを導入すると、記述のレベルが一段上がって、それらの真理値に関する方程式が出てきます。関数はある変数に対して値を返す操作ですが、その操作自体が別の規則に従って操作自体の変化の式が出てくるんですね。これを「関数写像」と言ったりしますが、その関数がとりうる値は、ある値を境にして二つの領域にくっきりと分かれる。この意味で、閾値が生成されたといえるのではないかと考えたのです。

閾値と文学

津田[7]　ちなみに関数写像というアイデアは片岡直人と金子邦彦[6]によって最初に導入されたもので、これが円城塔の記述そのものが自己言及するという文学につながったと聞きました。ここでは、関数写像の形が異なっていて、ウカシェビッチ論理にもとづいた形になり、閾値が出

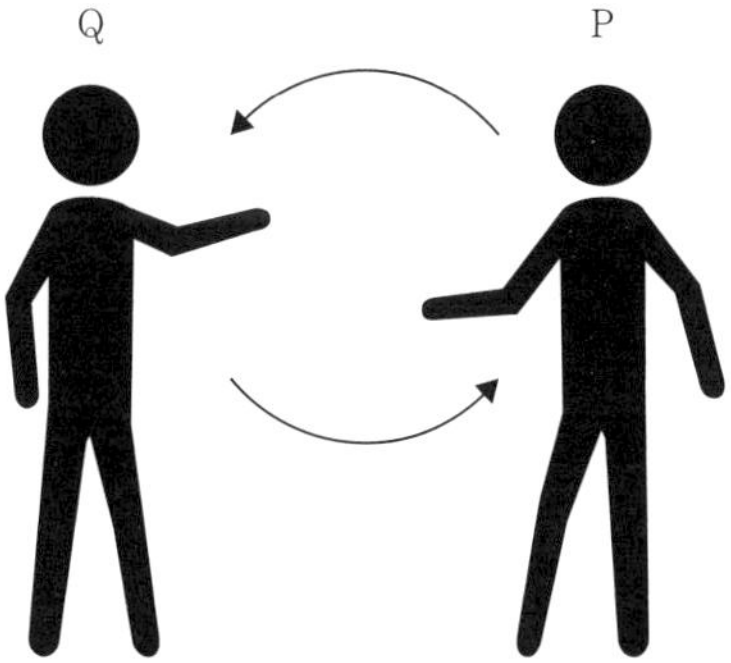

自己他者言及

(1)
P：Qの言うことはウソです
Q：Pの言うことはウソです

不定＝ウソと仮定すればウソ、
ホントと仮定すればホント
「PホントかつQウソ、あるいは、
PウソかつQホント」が真。

(2)
P：Qの言うことはウソです
Q：Pの言うことはホントです

矛盾＝ウソと仮定すればホント、
ホントと仮定すればウソ

てくるんですよ。真偽に対応する不動点（nが変化しても変化しない解）が不安定になるんです。

松岡　円城塔は金子さんの生徒さんだったんだよね。かなりユニークな作家です。関数写像っておもしろいね。

津田　論理ダイナミクスで書いていいかどうかという問題はもちろんあるんだけど、まんざらでたらめでもなくて、この論理ダイナミクスを言語的に書いたものは、ポピュレーション・ダイナミクス（個体群動態論）になる。つまり、このキナーゼとホスフォターゼの１対１のやりとりじゃなくて、たくさんのキナーゼとたくさんのホスフォターゼの平均的なやりとりと考えれば、キナーゼのポピュレーションが全体として増えるのか減るのかという群としてのダイナミクスを、自己他者言及として書けたんです。

松岡　ほとんどの重要な文学は自己他者言及ですよ。たとえば津軽人とケルト人が出会ってどういう会話をするかと考えると、馴染みのＡとＢが抽象的に語り合うものではないものが必ず生まれるので、自己他者が非常にはっきりしてきて、境界が明瞭になったり、閾値が出てきたりする。

　それはもともと、ジョイスからベケットに至る文学の流れの中に、ざあっと出てきたものですよね。とくにベケットの『ゴドーを待ちながら』は、エストラゴンとウラジミールという二人が、まるでキナーゼとホスフォターゼのように語り合いながら、いつ神（ゴドー）がやってくるか、どこにそれを阻む壁があるのかを探っていく。重要な文学はどこかでこのことに絡んでいます。そのぐらい重要なモデルだよね。でも、このモデルでも大事なのはまたまたカオスですか。

津田　そうです。ここもまたカオスの話になるんだけど、カオス状態が相空間（状態空間）のどこに存在しているのかという状態分布を書くと、さきほども言ったようにシグモイド関数のようなものが出てくる。ということは、ここに閾値の萌芽があるということです。それを一回自己言及すると閾値が出てくる。つまり、キナーゼとホスフォターゼのような言語的分子たちが言語的な活動をすることによって閾値が出る、ということがわかったんですね。

松岡　ホメオスタシスは、外部環境との関係で体温を上下させたり鳥肌を立たせたり汗をかかせたりするわけだけれども、内部環境でそれがどう閾値を作っているのかが重要ですよ。だから問題の要となるのはいわゆるホメオスタシスじゃなくて、むしろ閾値です。

津田　キナーゼとホスフォターゼというのは、どんな生体内の分子反応にも効いているんです。とくにチャネルタンパクの状態をどう変化させるのか、オープンにするのかクローズにするか、とかいうことに効いている。だから繰り返しになりますが、チャネルタンパクの開閉のシステムに、キナーゼとホスフォターゼが自己言及的に効いているのであれば、チャネルタンパクには閾値がある、したがって神経細胞には閾値があると言えることになる。

松岡　それをどうして最初から自己言及的だとみなすんですか？

津田　というか自己言及的な文章を作ったときだけ、カオスの発生によって閾値が出てくるわけです。単純にキナーゼがホスフォターゼを抑制しました、という文章の真理値ダイナミクスをやっても、閾値は何も出てこない。でも自己他者言及的にして、ウカシェビッチ論理に従ってダイナミクスを構成すると、フィードバックと非線形性によってカオスが出現し、それを一回自己言及的に書くと、関数写像になり閾値が生まれる。連続値論理の、とくにウカシェビッチ論理を推論規則として使ったところがミソだと思いますね。

松岡　閾値論理方程式みたいなもの。カオスが閾値を決めているんですね。カオスによる閾値スイッチがあるということか。

津田　そうです。言語ダイナミクスのなかで、キナーゼとホスフォターゼがお互いに人間の言語のようにコミュニケーションしている。そのときに出てくるカオティックな状態がもとになって、ある領域の中で、真理値が偽のほうに偏る場合と真のほうに偏る場合が出てくる。すると真ん中に閾値がありますね。ロジックの中でカオス的状況ができることによって閾値ができるということです。

松岡　その値は一回できて、また消えるんですか。それとも継続される？

津田　自己他者言及が起きるかぎりは継続する。

松岡　おもしろいね。「いない、いない、ばあ」がずっと続くんだ。

酵素にはデーモンが入っている

松岡　ケミストリーにも使いまわしがあるというのは、さきほど多田富雄さんの話をしましたが、多田さんの免疫論もそこを重視されていましたね。

津田　化学はもともと錬金術ですから、もっと何でもできるはずですよ。有機化学はとくにそうです。ただ有機化学反応はとても時間がかかるので、実験においても三時間くらい待たないと変化に出会えませんよね。それゆえ生体は大いに工夫をしたんです。それが触媒である「酵素」です。生体は酵素をいろいろ工夫することによって、放っておくと三時間待たなければいけない反応が一、二分でできるようにした。生体内での酵素の発明はすごいことだと思います。できれば、私としてはもともと酵素がなぜできたのかを解き明かしたいほどです。

松岡　酵素こそ生体情報の「編集の秘密」を握っていますよ。生体が物質をなんとかしようとして、吸収・分布・代謝・排泄を組み立てていくすべての段階の化学反応に、酵素はかかわっていますからね。しばしば触媒作用をもっていると言われてきましたが、その程度のことじゃないですね。もうそこそこの考え方ができてるんじゃない？

津田　まだまだ仮説の途中ですが、そこに実は「デーモン」が関係してくるんです。

松岡　ほらほら、やっぱり「いない、いない、ばあ」だ（笑）。津田さんはもともと数理モデルで酵素を作りたかったんですよ。
津田　そうなんでしょうね。もし酵素が数理モデルでできればけっこう納得できますからね。
松岡　可能性はあります。デーモンも出てくる。
津田　「酵素にはデーモンが入っている」とはどういうことかというと、自分自身は変化しないけれども、他人の反応を促進するということです。そのためには、酵素はかなり大きな構造をもってないといけない。大きいと何が違うかといえば、たとえば周囲の水などと反応するときに、その水は熱力学的な役目を果たせない。ふつうは物質の回りに水があると、物質は一定温度の熱力学的に平衡な状態に保たれるのですが、分子が大きいとそういうふうにはならない。だから酵素のある部分は温度T1、別の部分は温度T2、さらに別の部分は温度T3というように、局所局所で温度が仮に定義できたとしても、酵素は部分部分で異なる温度の環境をもつはずです。
しかも、酵素はエネルギーを内側にしばらく蓄えられる。エネルギーを貯めるのはどういう機構なのだろうかということに興味があって、実はずいぶん前にその解明にチャレンジしたことがあるんですけど、シミュレーションをしているときに病気になったんです。
松岡　もう挑戦済みなんだ。それで？
津田　プログラムを書いても書いてもできあがらなくて連日連夜コンを詰めていたら、そのうち医者から急性胃腸炎だと言われた。休みながらまた再開してと続けているうちに、四回目にとうとう盲腸になってしまって断念したんです。ただ、できたような気配はあった。コンピュータの中に分子をたくさん作っておいて衝突させるだけですが、ただし通常の完全弾性衝突のようなことはしない。化学反応、それも酵素反応を想定しているので、衝突したときに、作用・反作用の法則を破るように設定しました。つまり、運動量保存則が破れるようにした。
通常、分子反応がおこるとき、反応のエネルギーの一部は分子の回転や振動といったモードにも分散されます。これが熱になってエネルギー損失の部分になります。しかし、酵素反応というのはこういったエネルギー損失があってはならないのだと私は考えていました。

松岡　そこが津田さんらしい。

津田　エネルギー損失はほとんどないような状態でないと、自分の状態を変化させず他の分子反応を促進するなんてことはできないと思っていたからですね。つまり、酵素はその「内部自由度」にある程度の時間、エネルギーをため込む機構があるにちがいない。だから酵素は大きくないといけないというわけです。
酵素反応ではエネルギーは保存してほしい。しかし、自分の状態は保っておきながら他者の状態を変化させるには、何か物理の衝突ではないものがあるはずで、それを象徴するために運動量保存則を破るような衝突を考えてみた。

松岡　そしたらデーモンが登場してきた（笑）。

津田　そうです。その衝突の可能性を考えていくと、いろんな構造ができることがわかった。分子衝突が起こるときのエントロピーも計算してみた。エントロピーは、そういう「秩序」ができたときは下がるはずですが、実際には下がったんです。だから、できたものそれ自体が酵素かどうかわかりませんけど、そこにエネルギーを入れてみて、エネルギーはしばらくその構造体の中に蓄えられているということを示したかったわけです。そして、それはどうやら示せたようだった。しかし、その機構がまだよくわからなかったんですね。

松岡　酵素って相互性や他者関与性をもっていますよね。サブジェクティブではない連中です。しかも閾値内では隠れているものが、ある閾値を超えるとたちまち動き出す。それも複数の酵素が鍵と鍵穴のように動き出す。この酵素言語学のような、酵素現象学のような問題が解けたら、いままで解けてないものが一気に解けるはずです。

津田　それは生物化学のとても重要な問題の一つです。なんとか解き明かしたかったけれど、そういうわけでできなかった。でも誰かが継いでくれるかというと、継いでくれる人もいないんですね[8]（笑）。

酵素は編集子

松岡　前にも言ったかもしれないけど、シリコンバレーの次はエンザイムバレーですよ。エンザイム（酵素）を素子にして、スイッチ回路をつくって、フリップフロップ回路[9]にまでもっていく「酵素コンピュータによる推論過程」ができたらいいんじゃないかと期待します。

津田　それは真面目に考える価値があると思います。生物とか化学反応がどういう情報処理機械なのかという命題はありうるわけですから。すべては情報処理をしているんだと考えれば、われわれもそうだし、自然現象はみんな情報機械だと考えれば、ではいったいどういう類いの情報機械なのかという問題になりますからね。だから推論もできるのかもしれないし、何か異なる別の機能があるかもしれない。そういう発想は非常に大事なんです。

松岡　おそらく自己言及問題の将来は、酵素のほうが気張って解いてくれるんじゃないかと思う。さっきも言ったように情報を編集するのには「そこにさしかかる」ということが、いちばん大事な編集自由状態をつくるんです。「そこにさしかかる」と、それまで伏せられていたものが開く。「いない、いない」が「ばあ」になる。じっとしたスタティックなものが全知全能であるわけではなく、それにかかわることをやる編集的な作用が、つまりは酵素的な作用がいちばんおもしろいところです。

若いころ、そういうことを可能にした最初のモデルはＲＮＡワールドだったんじゃないかと考えていました。先に仕事を始めているし、後からは陰に隠れてお手伝いをしている。とくにメッセンジャーＲＮＡはまさに「さしかかる」というあり方を体現しているようですから、そのあたりの研究をみなさんにがんばってほしかった。とくにフランシス・クリックさんには突っ込んでほしかったんだけども、途中でおわりましたね。そのうちに、いやそれはＲＮＡだけではなくて、生体の中に連続的におこっていることにほぼすべてかかわっている酵素に注目すべきだろうと思うようになった。そうしたら酵素って数があまりにも多い。

津田　多いですよ。だから大変です。

松岡　さっきの脳内物質以上でしょう？

津田　そうかもしれませんね。でも、これは明白だと確信していますが、酵素の構造変換も実はカオス遍歴的です。北大にいる松本健司さんが研究していたんだけれども、何年間かずっと計算しつづけても最終状態に至らないと言っていました。塩基配列からするとそんなに長くない酵素を使ったらしいんだけど、シミュレーションがどこで終わるのといったら、終わらない。

松岡　それはやばいな。

津田　いつまでたっても最終状態がわからないみたいですね。さっきもちょっと触れたけど、もともと化学反応というのは大変遅い。とくに有機反応は遅い。理系学部だと大学に入って一年目には化学の実験があると思いますが、有機反応はあきれるほど長く待たないといけないから、セットして、反応が起こるまでよく外に遊びに行っていました。じっと待つのが辛いくらいゆっくり反応する。そこに酵素が入ってくると反応を促進します。自分自身は変化しないで化学反応を促進する。生体内の化学反応も酵素があるから、すばやく進む。

他方、酵素は自身の内部構造の中にエネルギーをためこんでいます。熱になって散逸しないような形でためこんでいる。回転や振動の自由度があると熱になって散逸するから、そういう自由度ではない、おそらくカオス的な状態変化をおこせるような複雑な内部自由度がエネルギーの貯蔵庫になっている可能性があるんです。そしてそれを小出しにして、反応がおこるたびにエネルギーを出して反応を促進する役目を発揮する。おそらく、そういうふうな機構があるのだと思います。

酵素Aという化学物質をBという化学物質に変換します。これはAをBに変えるという言語的な写像の制御パラメータとみなすことができるんじゃないかと思います。パラメータだからそれ自体は変化しません。しかし、それが写像に作用することで変換が可能になる。こうしてAをBにすばやく変える。こう考えると、酵素的な化学反応というのは言語変換のプロセスとしても、言語生成のプロセスともみなすことができて、酵素はそれを実際に駆動させる編集子、とみなすことができるのではないでしょうか。

松岡　編集子！　まさにそうかもしれない。酵素は編集プロフェッショナルです。

津田　きっと、そうでしょう。

対談風景（世田谷区赤堤イシス館本楼）

第6章

言語の秘密／科学の謎

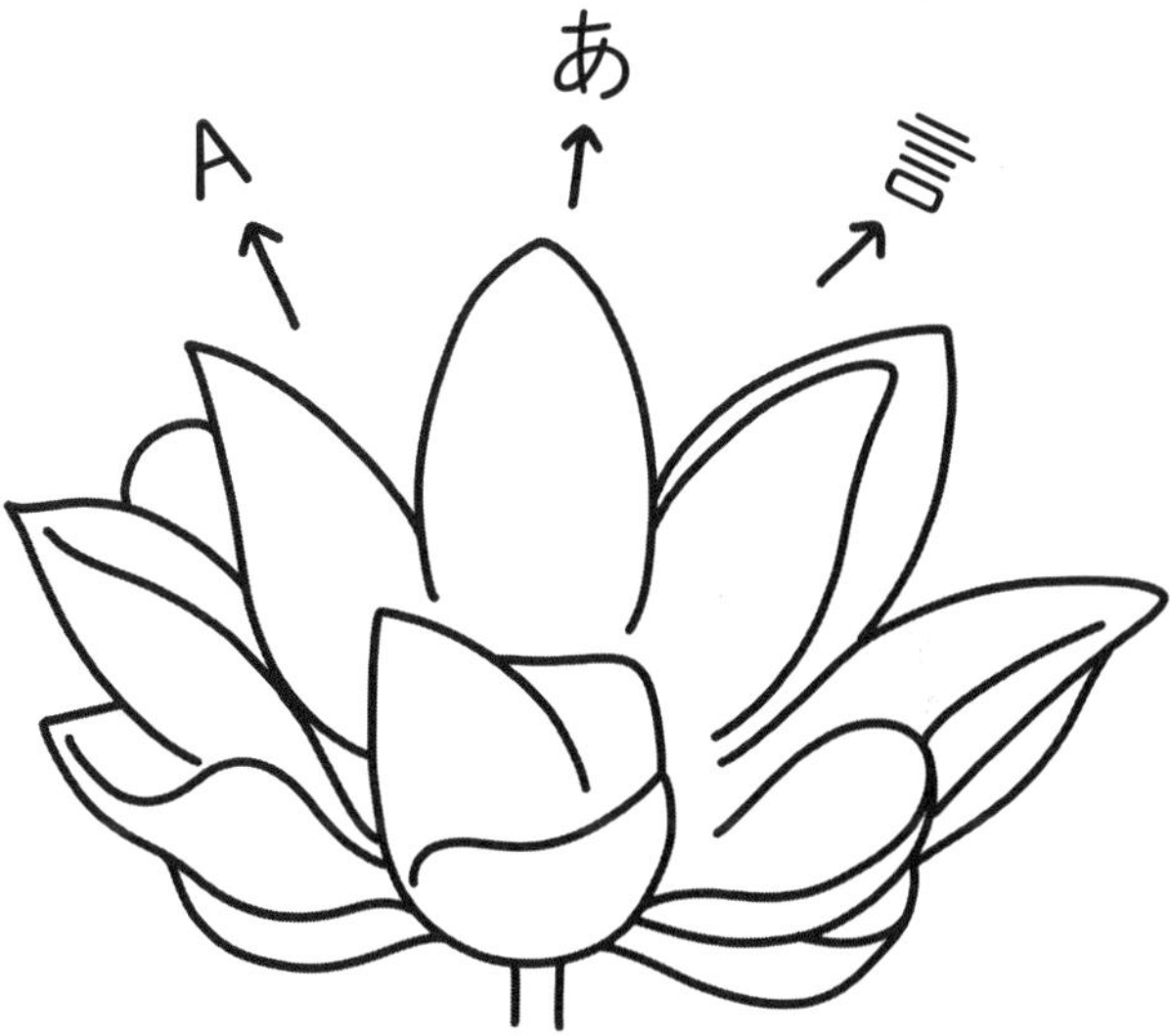

人類が提出した世界観をふりかえる

松岡　半分くらい来ましたかね。ぼくが聞き役になることが多くて、津田さんにだいぶん負担をかけてるんだけど、そうなっているのは、津田さんが『ダイナミックな脳』（岩波書店）でデーモンTとデーモンOに答える博士という問答形式を見せていたでしょう。この本ではぼくがデーモン役をやらなくちゃなと思っていたところもあったんです。

津田　そうでしたか。松岡さんにそんな役をさせるのは申し訳ない。

松岡　いやいや、そんなことはない。けっこうデーモンしたいときがあるから（笑）。マックスウェルの魔やラプラスの魔とも遊んできたし。でも、実はぼくはゴーストのほうに親しいんです（笑）。だから後半のホームストレッチにかかってきたらゴースト役にまわります（笑）。それはともかくとして、ここらあたりから後半戦ですが、人間がヒトザルから分かれて、言語をつくり、道具を使い、社会や国家や学校を営んできて、さてどういう世界観や自然観をもったのか、ひとつはそこを話題にしたいですね。ぼくは二一世紀になって、文明はかつてないほどに世界観を喪失していると思っています。津田さんはどう思われるか。

津田　同感ですよ。

松岡　近代以降、通貨が大量に流通し、産業革命以降は自立した機械がずらり登場し、情報の複製力や再現性が進歩して、コンピュータ・ネットワークが世界を覆うようになって、われわれはどんな「自己」や「意識」の持ち主として思考するようになったのか、あるいはどういうチシキとイシキを活動させるといいのか、そのへんに触知してみたい。これらのことはわれわれが文明的に抱えているだろう大きなテーマなので、津田さんもぼくもこの数十年というもの、そのチシキとイシキの使い勝手とその組み合わせによってそれなりの解釈と展望に、津田さんは数理科学的に、ぼくは編集工学的にとりくんできたわけだけれど、それが歴史とどう交差しているのか、そこを少しふりかえります。

大きな意味での人間という存在は、脳と言語と火と道具を持ってからというもの、さまざまな推理、分析、構想、表現というものを試みてきて、その挙句、飛行機や蒸気機関車や飛行機による速度や、写真や蓄音機による記録力や、国家や企業や学校などの組織性によって、ひょっとしたら大きな変更を受けたかもしれないという歴史を歩んできましたね。そして、ふと気づいたら電子ネットワークが張りめぐらされる日々の中にいた。いまや世界中がスマホを持って、一人ずつがIDのアカウントを出入りさせている。こんなこと、人類の歴史では思いもよらぬほどの初めてのことです。でも、あいかわらず飢餓も貧富も差別もある。

このことをどう考えるか。自分たちが作った道具や機械や数値にすっかり取り囲まれ、グローバル資本主義にぐるりと包まれ、あらゆる情報がウェブ状にわれわれの気持ちに入り込むようになっているようだけれど、はたしてそれでいいのかどうか。そこにどんな問題があるのかあまりわかっていない状態になっています。ぼくはあまりにも「過剰と不足」がアンバランスに目立っていると思っています。けれども時代社会はそこを点検するまでには至らない。どんどん流されている。

それでどうなりつつあるかというと、最もナイーブでフラジャイルな「心」というもの、社会の動向に埋没しつつある「文化」というもの、その正体がかなり見えにくくなったようです。なぜ見えにくくなったのか。これについてはコンピュータ世代は、デカルトが心身を分離して心身二元論を説いたのがそもそもの過誤だったのではないかというふうに思い始めたようです。グレゴリー・ベイトソン[1]の判断などがフラッグになってますね。そこに、一九三〇年代にアラン・チューリング[2]によって提唱された計算理論に基づいて第二次世界大戦の最中に考案されたノイマン型コンピュータ（汎用デジタル計算機）とサイバネティクスの適用を背景に、あらためて心のしくみを特徴づけようという認知科学がかぶさってきた。そしてコンピュータなどで心を「取り出す」ことをめざしたわけですね。

心や精神の正体に迫ろうとする別の試みには、ペンフィールド[3]やエクルズ[4]をはじめとする脳科学の登場があった。脳科学をもって心の本体に迫る「脳から心へ」というアプローチです。「心」はどこから発生してきているのか、まずは脳の地図を作って回路を調べようとしてみた。

そのとき、ラットやサルを使ってその正体に迫ろうとすることへの隔靴掻痒な気持ちが芽生えてきた。それならばむしろ、コンピュータの中にプログラムを作って「心らしきもの」「脳らしきもの」をモデル化していじっていけばいいのではないか、そうやって心のモデルを「作ってみる」ことで意識の正体に迫れるのではないか、というアプローチが派生してきたわけです。津田さんもそこにおられる。しかし津田さんは、その渦中にいながらもかなり大胆な抵抗をして、根本的な「組み直し」を提案しようとしているわけです。

「言語」を考える

松岡　そこで次に二人で交わしてみたいのは、そういう渦中で「言語」というものをどのように取り扱ったらいいかということです。

　なぜそういうことを考えたほうがいいのかというと、コンピュータはたしかに0と1のバイナリーなプログラミング言語を作ったけれども、そうやってできたパソコンで自然言語処理をするようになったことで、いろいろ捨象してしまったものがあるんじゃないか。脳科学とか心理学とか言語人類学というものがもっている「別様の可能性」や「奇妙さ」や「クィアな傾向」を、ほったらかしにしているんじゃないかと思えるからです。何を捨てないで、何を変更したらいいのか。そこが混乱している。ここまではいいですか。

津田　少し訂正したいところはありますが、まずはざっとした流れを提供してください。

松岡　ここから先はざっとした流れというより、ぼく自身が以上のような流れにどう棹をさしてきたかということを含んで話しますが、以上の流れには、実は時代ごとにさまざまなディシプリンがあったわけですよね。

とくに支配的なディシプリンは、欧米でいえば、たとえばプラトンのイデア論、アリストテレスの自然学と形而上学、オリゲネスやアウグスティヌスのキリスト教神学、知の地図を提供する博物学、ニュートンの古典力学、経験哲学、ロマン主義、歴史主義、ダーウィニズム、近現代の数学、マルクス主義、ナショナリズム、近代経済学、実存主義、相対性理論、文学思想、ファシズム、ソシュール言語学、フロイト以降の心理学、医療科学、量子論、ビッグバン理論、エソロジー（動物行動学）、分子生物学、ポストモダン思想、分析哲学、そして資本主義的な経済思想などなどです。

これらのほかにたくさんの思想や思潮があって、そしてそこにはアナキズム、商品感覚、消費欲望、ポップカルチャー、個人主義、フェミニズム、ロックとファッション、サブカル、おたく主義、ＬＧＢＴＱのような動向があるのですが、これらには精緻な理論的な組み立てはあまりありません。ないけれども、これらは大きな影響力をもった。

一方、アジアやその他の地域の潮流についてはどうかというと、アニミズムとシャーマニズムとさまざまな宗教思想が古代このかた多様につながってきているのですが、とうてい一概には展望できない。あえてまとめるとヒンドゥイズム、仏教、儒教、老荘思想、イスラム思想、民俗思想、職人思想、生活思想、神秘主義、環境問題、エコロジー、高齢問題などがピックアップしやすいかもしれません。

　他方、ディシプリンというより、考え方に大きな改変の可能性をもたらしたのは論理学や数理科学や表象論や、そして複雑系の科学ですね。これらは世界観のために形成されたものというより、いずれもすぐれた「方法」をもって登場してきた理論や思想なのですが、その中には従来の世界観を書き換えられる力があるものがまじっているだろうと思います。津田さんが依拠されたカオス論は複雑系の科学のひとつですが、すでに津田さんが試みられているように、そこから世界観を変更する切り口がいくつも飛び出しつつありますよね。

　いろいろあげていくとキリがないのでこのへんにしておきますが、では、これらをなべて議論することができる視座がどこかで用意されてきたかというと、ぼくが知るかぎりはまだありません。ただ、これらに共通する切り口があるとすると、おそらくは、ひとつは「言語」をめぐるものです。

津田　そうだろうと思います。

「言語の起源」の謎

松岡　世界中の言語はバベルの塔が崩れて以降、各地各様のローカルな言葉が派生してきたわけですが、今日地球上に残っているものでも三千以上の言語があって、数世紀前は一万以上もの言語が林立していたわけです。メインになる言語と「消滅していく言語」との攻防がたえず局地的に繰り返される中で、ではなぜ言語はこんなにもたくさんあるのかということは、あいかわらず謎なんですね。もともとヒトの群れの中で言葉が交わされるようになったころからの謎でしょう。それでも「言語の起源」をめぐっては、ルソーをはじめ、グリム兄弟やフンボルト兄弟のような言語文化の研究者が出てきて、いくつかの仮説が並列してきました。

地球上にはたくさんの言語があるけれども、もとの起源は一つの言語であったという説。人類学的な見方で、アフリカ大陸からルーシー（アウストラロピテクス）たちが分散移動していくにつれて、農耕や遊牧などの生活形態やさまざまな風土や気候条件によって身体の発音機構も変わったので、皮膚や目の色が変わるように言語も変化していったのではないかという説。大きくはチョムスキーの生得説とピアジェの獲得説に分かれるんですが、言語は髪や皮膚以前の問題、すなわち脳や進化の奥にあるものが出てきて言語になったと考える説、あらゆる言語に対して普遍的な文法があると考える説。いろいろの主張があった。そこに、言語以前の「認知」に焦点を当てる見方が加わってきた。認知科学や認知言語学です。ここでは、「脳」と

「心」と「言語」を同時に内包するシステムが機能していると見立てて、コンピュータの中でモデル化する試みも出てきた。フォーダー[5]やミンスキー[6]のような人気のある仮説も出てきました。一言でいえば「脳」と「心」と「言語」にはこれらを構成したり代理したりする、ユニットやフレームやエージェントがあるんじゃないかというものです。

しかし、こうした主要な説を破るような言語観もある。ぼくはわりに若い時期に、空海の「声字実相義《しょうじじつそうぎ》」という考え方に出会いました。それは、声になっているものと文字になっているものは分けられなくて、われわれの頭や身体の中には「内声《ないしょう》の文字」がすでにひそんでいて、それが躍動しているという考えです。空海の言う「内声の文字」はプシュケーとかプラーナみたいもので、ふだんは蕾（スポータ）の状態になっている。そういういまにもはち切れようとしているものが「内声の文字」としてあって、それが弾けて外に出ていくんだけれど、もともとその奥には蕾に秘められたマントラや言霊《ことだま》のようなものがあって、それはのちのちの変化の可能性をもちながらも分節化されていない基体としてあるというんですね。

空海は真言宗を興したので、マントラや言霊はのちに「真言」というふうにまとめられてしまうんですが、なかなか刺激的でした。

ぼくが若いときに影響を受けた言語観は、そのほか、ライプニッツとフレーゲと三浦梅園と本居宣長と白川静ですね。ライプニッツの考え方は、世界の現象をあらわすためにはせいぜいアルファベットと同じ程度の数の、二〇から三〇の構成要素的言語があればすべてあらわせるというもので、フレーゲの言語観は一八七九年の『概念記法』で示されたものですが、知識を測る思考ツールとしての「式言語」であらわしている。論理式とも共鳴するものですが、最初にこれを見たときは仰天しました。

津田さんも興味をもたれている三浦梅園の言語観は、『玄語』などの三部作として発表されていて、その考え方は「反観合一の条理学」として示されていますね。梅園はそのことを「分かれて相反し、合して一になる」と説明しています。どんな概念もその奥では二つのプレ概念が向かいあうか、表裏一体になっていて、その対置しあうものがメタな言語性を統合した姿なんだと言っているんですね。宣長の言語観は「からごころ」を排して、古代日本語を読むという方法にあらわれます。歴史は「タダの詞《ことば》」で説明してもいいが、本質は「アヤの詞」でしか示せないという、すこぶる日本的な言語思想です。

これから話しあってみたいのは、こうしたいろいろな言語観を、ではどのように科学的な世界観や世界モデルとの照応関係のなかで持ち出せばいいかということですね。

それでは、このへんで津田さんの見方を伺いたいのですが、世界観と言語観を結ぶ見方は、たとえばタンパク質とアミノ酸の関係、タンパク質と核酸の関係、ネットワークとシナプスと神経伝達物質の関係、あるいは遺伝子と進化の関係などに、けっこう交差できると考えますか。

そのためには、言語の謎をもっと解くべきなのか、それともそういうものを科学が取り込んでしまうのがいいのかどうか、そのへんも含めてお聞きしたい。

タンパク質と言語の情報コーディング

津田　ずっと聞いてるだけでもいいような大きな問題がずらりと提示されましたが、ひとまず私の問題意識を示すためにタンパク質の話をしてみたいと思います。タンパク質をめぐっては、昔からあるパラドックスがあります。「レヴィンタールのパラドックス」です。

　タンパク質というのは、百個以上のアミノ酸がペプチド結合によってつながれています。細胞内で一定の秩序構造に正確に折りたたまれることで、アミノ酸配列に固有の機能を付与するのですが、百個のアミノ酸残基のタンパク質にはおよそ３の２００乗（およそ10の１００乗）通りの立体構造が可能であり、そうするとタンパク質が網羅的に安定状態を探すことは現実的に不可能であるというパラドックスです。詳しい計算は以下のようにして導かれます。

　１００残基のポリペプチドがあるとすると、99のペプチド結合があるわけですけれども、それぞれのペプチド結合には二つの角度があるので、立体構造には全部で１９８通りの組み合わせがあることになる。発現するタンパク質にも三つの安定な状態がありえて、そのうちどれか一つをとってタンパク質の機能が発現するのだとすると、組み合わせの数は３の１９８乗、つ

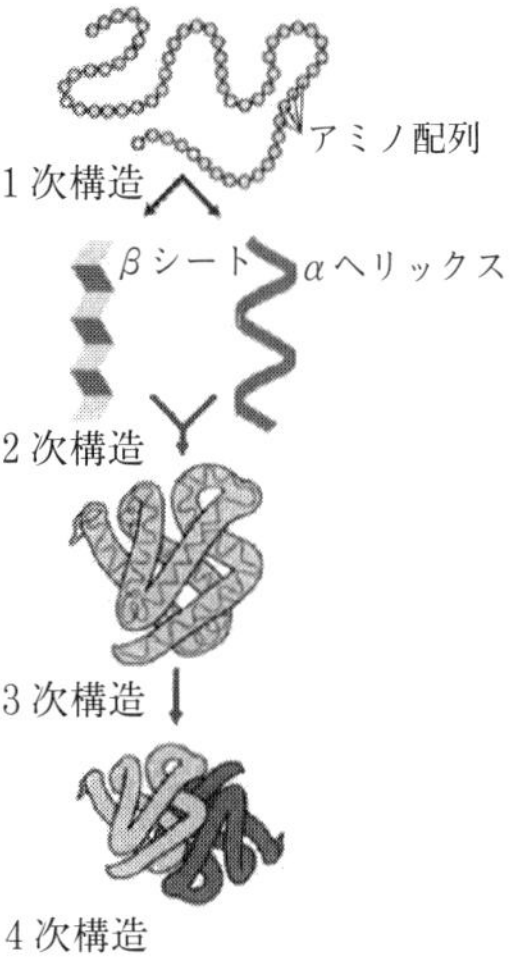

タンパク質の階層構造

まりおよそ10の96乗くらいになるわけですよね。そうすると、たとえば1ピコ秒（10の－12乗）に一回の速いペースで折りたたみが起きて、最安定構造を探っていくのだとしても、トータルで10の84乗くらいの秒数がかかる。

　しかし、宇宙年齢は10の18乗秒しかないんですよ。だから猛烈な速さですべての可能な状態を通過して安定状態に落ち着くなんてことは、とてもじゃないけれどできない。つまり、全探索はしていない。となると、どうやってタンパク質はベストな対応をつけていくのか、そこが謎としてのこるんです。

松岡　うん、勘定が合わない。

津田　というか、全探索ではない最良の方法とは何かという問題です。一方で、タンパク質には正しく折りたたまれるための回路があって、三次構造としての立体構造をもつタンパク質の折りたたみは、実際にはアミノ酸の一次構造で全部決まっているという仮説が出たりしました。「アミノ酸配列さえ決まれば、タンパク質の立体構造は一義に決定する」とするものです。

固有の構造を獲得するためのシナリオはあらかじめ決まっているのだとする見方。

しかし実際には、細胞内のタンパク質はかなり混み合っているので、しばしば他の分子との相互作用によって〝変性〟が起きてしまう。タンパクが劣化していく変性のプロセスというのは、疎水性のものが表に出たときに、疎水性のもの同士が結合していってモルテングロビュールという糸玉状のものになって機能が発現しなくなる、というものですね。ヘタしたらそれがアルツハイマー病でたまると言われているアミロイドβとか、狂牛病のプリオンというものになる。これはタンパク質の三次構造の折りたたみの段階で失敗が起きることが原因です。それはまずいんだけれども、じゃあ折りたたみの失敗を元に戻せるかというと、ゆで卵を生卵に戻せないようにムリである。不可逆過程だからムリだというんですね。ただ最近は、小さいタンパク質であれば可逆的で、ある程度は再生できると言われるようになってきた。変性する要因になっている阻害剤を徐々に取っ払っていくと、元に戻せるようです。

実際にもそうした再生プロセスは生体の中でもおきているらしく、それを可能にするのが「シャペロン」（chaperone）というタンパク質です。シャペロンはタンパクの疎水性の部分に蓋をする性質を持っているので、先にシャペロンが疎水性の部分にくっついてしまうと、他のものがくっつくのを防ぐんですね。するとタンパクがおかしな変性をすることなく、きちんと機能を発揮するよう折りたたんでいくことができる。あるいは、いったん変性してしまっても、そうやってシャペロン風のものをうまく使えば、もう一回、機能を持ったものに戻れる。

もともと「タンパク質が変性する」とは、ポテンシャルを移行させることなんだけれども、そのポテンシャル自体はものすごく小さいので、実際には移行といってもほとんど平坦な変化です。深い谷があって変性するわけではなくて、あるのはものすごく浅い谷なので、物理の知識からすれば戻せるだろうと思えます。そして、実際に小さいタンパクならこれまでは戻らなかったものを戻せることがわかったんですね。

だから生体の中には、さしずめ「マントラ」に近い仕組みが、遺伝子レベルではないにせよ、タンパク質レベルではあるということなんですよ。

松岡　おおっと、シャペロンが一挙にマントラになった（笑）。シャペロンって、もともとの意味はヨーロッパの貴族社会で若い女性が社交界にデビューするときに付き添う年上の女性のことでしょう。誘導者みたいな役割です。そんな雰囲気がある用語を、折りたたまれていない変性状態のタンパク質に近づいて折りたたまれるものにフォールディング（折りたたむ）する機能のネーミングに使ったというのは、洒落てるよね。それがどうやら酵素や神経伝達物質やホルモンの機能が発揮される秘密を握っているらしいわけだから、さらにおもしろい。津田さんは、そこに言語とアナロジーできるしくみがあるだろうというんですね。もう少し、説明を続けてください。

津田　正しく折りたたまれず変性した状態はエントロピーが高くなっている。孤立系なら、熱力学第二法則があるから元に戻らない非可逆過程だけど、この場合は開放系で、シャペロンなんかが相互作用してくる。そうするとエントロピーを減少させるような若返りの過程がおこってまた正しい折り畳みの道を探ることができる。むろんシャペロンのエネルギーが使われているわけですが、この過程は、文章をある場所で書きまちがえて意味がまったく通らなくなってもいったんそこを削って、周りの意味から文脈がわかり、それで文章の一部を書き換えることができる過程に似ています。

松岡　なるほど、その見方につながっていく。シャペロンって正しい相手があらわれるまでは、新生ポリペプチドの疎水性部分を水分子から隠したりもしますね。「いない、いない、ばあ」をする（笑）。

津田　そうかもしれない。

言語とタンパク質の「選択原理」

松岡　少しぼくの拙いアイデアを添えると、タンパク質と同じように、言語において似たようなことを考えてみると、言葉をすべてコーディングするのではあまりに膨大になります。途中に矛盾もおきるし、絡みもおこる、重ね合わせや折りたたみや折り合わせということもおこる。したがって言語が確立していく過程では、何かの理由によって「集団符号化」（ポピュレーションコーディング）ではなくて、むしろ「スパースコーディング」（まばらにコード化すること）がおこるようになったのではないかということが考えられるんです。つまり、情報の重複をできるだけ抑えるような言語セットに向かったのではないかということです。

というのも、幼児は一八ヶ月で言葉を喋り始めるわけだけれども、模倣言語にしてもマンマとかワンワンとか、身近なところから入っていくでしょう。二歳で操れる言葉の数は五〇語くらいになる。それでもまだまだ少なくて、三歳で一気に一〇〇〇語くらいになりますね。しかし、この言葉の幅の増加は五〇が一〇〇〇に一気にふえてポピュレートしたのではなくて、スパースされたものをうまく組み合わせる余地がどこかに潜んでいて、その組み合わせ機能の発現によって一気にふえるんじゃないかと思うんですね。

その後、六歳では一万三千語くらい、一五歳過ぎると六万語くらいに増加幅はどんどん大きくなっていく。それはトークン（交換可能なもの）の数からするとものすごい数だけれども、タイプからするとそんなにべらぼうではない。物理や生物学や脳科学における知見が、この言語獲得の過程のメカニズムをうまく援助してくれると、数理言語学のようなものも、もうちょっと説明がつくんじゃないのかな。

津田　そうですね。どんなものであれ、組み合わせの数はものすごく多いわけですが、実際にそれをすべてやるわけではない。その中でどういう選択原理がはたらくのかはわからないけれど、でもたしかに選択をしているはずです。タンパク質の場合にはあきらかに酵素によって反応がバラエティに富んでいくし、意味づけられるわけですね。酵素がない普通の化学反応だとトークンになるんだけれども、酵素が入ることでちゃんと意味が出てタイプになる。

では、なぜ酵素のようなものが生み出されたのかというのはまだ謎なんですが、おそらく言語にもそのような、「てにをは」のようにすべてを紡いでいけるような仕組みがあって、それが言語を紡ぐだけでなく、さらにセレクションをしていくんだと思うんですね。体内の細胞の中で起きている生物学的な化学反応と、実際に操っている言語とのあいだには、創造性において密接な関連性があるんじゃないかと思う。だからそこをベースにした新たな言語学ができるとおもしろいですよね。

松岡　それがなかなか出てこなくてね。ウンベルト・エーコの『完全言語の探求』（平凡社ライブラリー）がそういうユニバーサル・ランゲージを探していましたが、新しい試みはまったく不発でしたね。

思考するリバース・エンジニアリング

津田　ちょっと話がそれるかもしれませんけれど、チンパンジーの場合、むかし松沢哲郎[7]さんが「アイちゃん言語」というのを作りましたね。チンパンジーのアイちゃんが認識できるパターンを用意して、「赤」や「黄色」という色と模様（記号）を対応させるようにした。ある模様を見せると赤と対応させられる、別の模様を見せると黄色と対応させられる。記号に対応する色を認識できるようになった。でも色から模様がわかるかというと、そうはならない。バナナを見せてもアイちゃん語の「黄色」を取ってこられない。つまりA→Bがわかっても、B→Aができない、それがチンパンジーであって、B→Aまでできてしまうのは人間の言葉づかいの特色です。しかしそういう人間の言語はそこが弱点であるのかもしれない。

松岡　「どっちつかず」がふえるから？

津田　論理まちがいを導いてしまうからです。「AならばB」から「BならばA」は導けないが、人は（とくに日本人は）このまちがいをよくしてますね。しかし、今の話だとこれがむしろ言語の豊かさをもたらしたということですね。両方に自由に行けることが。

松岡　「どっちつかず」じゃなくて「あっちも、こっちも」でね。それがリバースモードです。なぜ人間の思考にリバースが効くのかというと、もともと言葉は文字言語からではなくオラルコミュニケーションからスタートしているからだという仮説があります。オラルコミュニケーションにはプロトカンバセーション（原会話）があって、実際に言葉でやりとりするときには、こちらとあちらを行ったり来たりする「言葉の細胞膜」のようなものがもともと組み合わさっている。そこがチンパンジーとは違うところです。言語学ではそれをターンテイキングと言うんだけれども、ターンして理解していく。ひっくり返して理解する、行って帰ってきて理解する、自分でぶつけてみて反応を見る、ということですね。

　赤ん坊はお母さんが笑ったり泣いたりするのを見て、反応を見てその行為を身につけるわけだけれども、そうやってターンテイキングしながらプロトカンバセーションにおける対面性を実用モデルにしているのかもしれません。これはたしかにタンパク質が生成されていくときの「いきさつ」に近いような気がする。

　精神医学の木村敏さんがヴァイツゼッカー[8]の『ゲシュタルトクライス』（みすず書房）という本を翻訳してますけど、そこから考え方を借りると、「回転扉」の比喩がありました。回転扉は向こうから来る者とこっちから行く者とがぐるりと回転する。そのように、認知と言語が一緒に発達するということと、さきほどのスパースコーディング（まばらにコード化すること）によって「過剰」というものを避けたのだろうということは、つながっているんじゃないかというんです。つまり、知覚しながらそれを可能にしている運動を知覚することはできず、運動しながらその条件となっている知覚をすることはできないというように、知覚と運動は相互に隠蔽関係にあるということをヴァイツゼッカーは「回転扉の原理」と言ったわけですが、言語と認知というのも同じ関係にあるのではないかと思う。

津田　3章でも述べたように、知覚と運動が同時には成り立たないというのは「感覚減衰」と呼ばれ、その神経基盤はかなりわかってきている。

松岡　もうひとつ、アルノルト・ゲーレン[9]という哲学者が言い出したことで、なかなか立証できないんだけれども、そこそこおもしろい説に「言語は何かを負担免除しているのではないか」というのがあるんです。たとえば毛を失うとか聴力が落ちるとか、走力が低くなるというような、過剰な負担をもつ変化が人類におこって、その結果、人類は幼形成熟（ネオテニー）しなければならなくなったのではないかという説です。そういう高い負荷を背負ったのがホモ・サピエンスだとすると、だいたい一八ヶ月の時点で幼児が喋り始めるのは、人類がかなり初期の時点で何か負荷免除の対策をとったと考えられるのではないか。それが言語の発達を促したんじゃないか。これはまったく人類学的な推理なんですが、ぼくはどこか当たっているところがあると思う。

津田　ありうる話ですね。

松岡　人類学者で進化生物学者のロビン・ダンバー[10]が『ことばの起源　猿の毛づくろい、人のゴシップ』（青土社）というおもしろい本を書いていた。毛を失って体がツルツルになったホモ・サピエンスは、毛づくろいで済んでいたはずのコミュニケーションを失ったので、何か毛づくろいに値する負荷をかけないとギスギスを回避できなくなったというようなことを書いているんだけれど、たしかに、そこで「ねえ、寒いね」とか「一緒にいようね」とか毛づくろいに代わる言葉を交わすようになったのだとすれば、それもある種のリスク回避だと言えます。

津田　過剰と回避とはちょっと違う。

因果はどこから生まれるのか

松岡　そういえば、フランシス・クリックとクリストフ・コッホ[11]はずっとNCC（neural correlates of consciousness）という、特定の意識的知覚が生じるために必要な神経相関単位のようなものを想定していましたね。あれは言語とか意識には要素組み合わせの単位以外にもうひとつ、「～についての単位」というもの、つまり「about」とか「as」という投げ縄で括れるような用法の単位がかなり初期からあるんじゃないかというものですね。言語や意識は、「～についての単位」というものを持っているのだというわけです。それはいわば、結合性の最小単位ではないかというものでした。

津田　「～についての単位」についての神経相関は、私にはちょっと疑問ですね。というのも neural correlate と言った場合、中身は〝相関〟なんですよ。神経相関を求めるという言い方はたしかに脳科学でいっとき流行りましたが、ただ、相関というと因果関係ではないですね。相関関係がわかるだけでは根源的な理論にはならない。

最近、神経活動の因果関係を決める方法が開発され始めました。たとえば血圧計で現在の血圧の状態を絶えずモニターできるようにしておくと、意識するだけで血圧を上げたり下げたりできるようになる、これを「バイオフィードバック」（生体自己制御）と言いますが、このバイオフィードバックがニューロンのレベルでも実現できるかどうか研究されています[12]。

それによると、サルがある意図をもって外部の機械を動かしたいと思ったとき、その脳活動を強化していくことは可能で、あるシグナルを見て脳の状態を自分で変えていくことがある程度はできるようになるんですね。そうするとデコーディング（復号化＝記号を情報に還元すること）だけがわかるから、コーディング（符号化＝情報を記号で表すこと）はわからなくてもいいわけです。「出力」がわかれば「入力」は必ずしもわからなくていい。デコーディングだけあれば、「解読」が強化されていき、因果性を作っていくことができるようになる。つまり、因果性があるのではなくて、自分で因果性を作ることで脳の状態と事象とを関係させることができるようになるわけですね。それは相関関係によっては見えなかったものです。

松岡　ああ、そこはおもしろい。

津田　いずれにせよわれわれには「コーディング」はわからない。何をコードしているのかはわからない。ましてそれを脳の問題として考えるときに、あるシグナルが脳の何に対応しているのか、それは強さなのか、変化なのか、持続なのかはわからない。私は、つどつど変化していく状態に外界の事象がコードされているテンポラルコーディングだと思っているのですが、これも実証は難しいんです。

松岡　変化の方向に行くために「因果」というものを作っていくと言われたけれども、この因果の方向にコーディングしようとか、コミュニケーションしようとか、タンパク質の機能を高めようというような強化のシグナルや、因果をつけるためのバランス調整はどこから出てくるんだろうね。

津田　そこですね。物理学の話からします。そこに人の行為の方向性が典型的にあらわれているからです。

マクロにはニュートン力学があります。ただそれは結果である加速度運動とその原因であるはずの力の間に因果をつけたんですね。「質量×加速度が力である」というニュートンの運動の第二法則と呼ばれているものは、原因が力で結果が加速度運動、つまり加速度運動するものの原因として力を定義した。定義だから等号で equivalent にしてありますが、どちらが原因でどちらが結果とは言えないものの、理論の構成上そのように理解しようとした。その理解に則れば、相対性理論であろうと量子論であろうと、物理学は因果的に書かれていますね。

ただミクロの量子論においてはその因果性がやや破れるという見方が可能なので、いわゆる「観測の理論」をちゃんと入れないと因果は成立しない。量子的対象には不確定性関係があって、粒子の位置と運動量は同時には決定できない。つまり、速度を決めたら粒子の場所はわからないし、場所を特定できたらどんな速度の運動かを決めることはできません。つまり、因果的に粒子の運動を決定することができない。因果性をもった状態として決定論的方程式で書けるのは、たとえば波動関数のようなそれ自体は観測できないものです。観測するという行為によって初めて量子状態の一つが決まるという因果性が出てくるわけです。

松岡　はい、それはそうだけれど、そういう物理学の因果性が巨視的であれ微視的で量子的であれ、生命活動の情報の動向にもあてはまるかどうか。そこはどうですか。

津田　むろん物理学の因果的記述がそのまま脳に適用できるわけではありませんが、言いたいことは物理学の因果性は人がそのように見ようとしているもので、物理現象そのものに因果性はないということです。現象はあくまで意思を持たない。そこにあるだけです。

しかし、それを理解したい人間にとって理解の方法として因果的方法がある。脳科学はまさにそういう意思をもつ脳の研究です。われわれの脳は意思や意識経験によって因果性を作っていくのだと思う。ですから、トリガーは意識（とくに自意識）の存在ということになります。

もう少し脳科学に根差していうと次のようになります。因果をつけるためのバランス調整は、おそらく大脳辺縁系での志向性のシグナルだと思います。そのシグナルが言語活動を含む行動を開始させ世界を変える。それを知覚することで脳内に気づきが生じ、その連鎖として意識が生まれる。この意識によってバランスがとれたかどうかが自覚される。おおむね、こういった流れではないかと思います。ですから、「〜についての単位」は自己が世界に向けて作用する志向性の単位ということになるでしょうか。

観測者とは何か

松岡　ちょうどいいタイミングだから、ここで、観測者というもの、もっと一般的には「自己」というものを話題にしてみましょうか。これはかなり厄介な問題です。

　そもそもわれわれは世界とどういう関係にあるかというと、世界を知覚したり考察したりしているけれども、そういうわれわれ自身が世界からつくられているので、われわれという自分は世界の内部そのものでもあるわけです。ハイデガーはこれを「世界-内-存在」と名付けましたね。しかし、その世界のほうも物質から生命を誕生させているのだから、そこには自己組織化をおこすプロセスもあったわけで、その「自己」は物質と生命のあいだのもの、まさに「情報管轄者」と呼ぶしかないものです。こういうことを二重三重の背景にして、われわれは観測者であって、かつ自己でありつづけている。そこをタンパク質や言語と絡めてどう考えるか。これは難問です。

　たとえば免疫学では、体内に「自己」が確立していくには「非自己」を識別するしくみが複雑にはたらいていることをかなり研究して、異物（非自己）を抗原とみなし、これに対抗する免疫グロブリンなどの大きなタンパク質の抗体作用（自己認知）がどういうものかを解明してきました。自己と非自己を取り違えることが、アレルギーなどの免疫疾患をおこすこともわかってきた。「自己」って扱いが難しいんですね。

一方、言語について考えなければならないことのひとつに、「思うこと」と「言うこと」とはどこまで対応しているのかということがあります。デカルトはそこをコギト（思う）とスム（自分がいる）とでつなげてみせたけれど、なかなかそうはいかないこともある。「感じてはいるんだけど、言葉にならなくて」とはよく聞く話です。これは知覚の起源と言語の起源がたぶん別のところからきているからでしょう。そこで「思う」と「言う」の二つを、あらためていろいろ橋渡しする必要があるわけです。

ぼくは編集工学で「単語の目録」と「イメージの辞書」と「ルールの群」を編集術の参照系として装備するといいと言っているのですが、文明文化史上の「言葉の進化」においては、おおむねこの順番でスキルとしくみができあがってきた。まずモノやコトや人についての名辞《ネーミング》機能があって、それにイメージや印象をあらわしたり補助したりするメタファーやオノマトペイアや比較級が加わり、やがてコミュニケーションのための言語ルールが成立していった。しかし、自分が使っている言葉がぴったりくるものかどうかということは、自分にしかわからない。では、そういう「言葉のいきさつ」、もっとちゃんといえば、言葉を含む「情報のいきさつ」をモニターしている観測者というのは、脳の中にもいるのかどうかということになる。

津田　フォン・ノイマンがまさにそう考えた。観測者の存在をどんどん脳の中へ中へと求めて行って、最終的には抽象的な自己というものが存在して、それが意識の核としてインテンションを与えていると考えたんだけれども、私はそういう「抽象的な自己」はないんじゃないかという気がする。

松岡　ぼくもそう思う。

津田　さきほども言いましたが、量子脳理論の中では「自己」や「観測者」が出てきます。観測者が問題になるのは量子力学と相対論で、いずれも違う意味があります。相対論はあくまで古典なので、観測者が別に系にいたずらをするわけではなく、観測者と相対的に系の運動状態が決まるとするものですが、量子力学では観測者が系を乱すことで、観測しなかったときの状態を知りえないという状況が出てくる。脳が量子力学的かどうかは世界中で議論されていて、私自身は否定的なんですが、否定する根拠はなかなか見つかりません。

松岡　「抽象的な自己」はないけれども、でもそういうふうに観察はしているということですね。

津田　そうなんですが、実際にはそういう「抽象的な自己」ではなくて、マクロスコピックな人間が観測している。基本的にはマクロ状態全体が観測者なのであって、そこに根源的な自己みたいなものがあるわけではない。ここでマクロ状態全体と言っているのは、脳と身体を含めた個体全体、さらには他者の意図が反映した個体全体のことです。

松岡　マクロ状態の全体が観測者か。なるほど、そうかもしれない。

「定常的な自己」はなぜ可能なのか

津田　さきほど松岡さんからスパースコーディングの話が出ましたが、スパースコーディングが重要なのは、少数自由度に「還元」（reduction）できるということです。自由度を少ない変数に落とせる、少なく落としてそこだけで話ができるのでコーディングが成立するのだという考え方で、脳の状態も実際にほとんどそうなっているんだと思う。

　私の友人だったウォルター・フリーマン[13]（フリーマンⅢ世）がウサギのにおいの実験で示したように、志向性が発動されるようなときは脳の活動状態は少数自由度に落ちている。スパースコーディングが成り立って少数の変数で書ける。だからマクロスコピックと言っても少数の変数で書けるという意味でマクロスコピックであるということなんですが、そういう状態をつくっているのが観測者なんです。

　とはいえ観測者は時々刻々変わっている。「私の脳」が時々刻々変わっているからです。しかしそこまでは量子力学では書けない。観測者が変わっていたら式が書けなくなってしまう。そこできわめて「定常的な観測者」を仮定しているんですが、でも実際の脳はもっと変化しているわけです。だから、ある程度そこに整合性をつけていかないと、量子的な観測結果は解釈できない。

松岡　ある程度というと？

津田　少し荒っぽいことを言えば、「自己の定常性」は一週間はもつでしょう。タンパク質のターンオーバーはだいたい一週間です。一週間ごとに変わっているので、一週間前の私と現在の私とは違う私だと言ってもいい。ただ一週間で私が変化していくといっても、その変化の仕方はスパースコーディング（少数自由度）だから、要素系が少しずつ変わっていくのであって、全部がいっぺんに変わるわけではないんですね。

松岡　おそらくわれわれには、スパースコーディングされた「あらかた自分」のようなものが想定してあって、その「あらかた自分」が自己組織化にも顔を出すし、観測者としても顔を出す。けれどもどこが「あらかた」かは顔を出してみなければわからない。顔を出してみて「辻褄」や「因果」があやしい場合は、たとえばホメオスタティック・セルフみたいなものにフィードバックをかけて調整するのでしょう。でも、それはコアでもないしベタでもないよねえ。かといって神のような俯瞰的な関与でもない。適当に概括したミドル・セルフみたいなものでまとめているにちがいない。

津田　意識に対してスパースコーディングが正しければ、意識はよく言われるように解くことが原理的に難しいハードプロブレムではなく、解決可能な問題だと思います。スパースコーディングをすることで自己が保てるのだとすると、それがなければたえず自己が変わっていかなければいけないので、「定常的な自己」というものが存在できない。全部をデコードしていたらつねに変化していることになるので、いつもいつも違う自分になってしまいます。でも現実はそうなっていない。ちゃんと昨日の自分と一週間後の自分が同じ自分だとわかる。ということは、意識はスパースコーディングによって成り立っているのだと言ってもいいのかもしれないということです。

松岡　あるいは意識はモニターにすぎないか。おそらくそのどちらかでしょうね。しかし、だからこそチシキとイシキが動き出せた。そこに世界観がつくれることになったとも言うべきです。ぼくはそういうことをする自己を「エディティング・セルフ」（editing self 編集的自己）と言っている。この「自己」はスパースコーディングされたいくつかのプレ自己が組み合わさってできていて、ふだんはトータルに全体の崩壊をおこさないようにするんだけど、実はわずかな食いちがいや、わずかな「対称性の破れ」（symmetry breaking）や、わずかな他者の介入を許すような余地はもたせている。自己言及する自己ではなく、対応する自己です。それがエディティング・セルフです。それはスパースコーディングされた「複数自己」（少数型複数自己）のようなもの、「たくさんの私」のようなものですよ。そういう「編集的自己」をかなり初期から想定しないと、人間は物理も生物も社会も言語もわからないんじゃないかと思う。

それは言ってみれば「oneとanotherという関係」だと思うのね。つまり、「あるもの＝one」がわかれば「他のもの＝another」がわかる、逆にanotherがわかればoneが対応している。そうしたone＝anotherという関係がスパースコーディングの秘密なんだろうと思う。

津田　なるほど。

松岡　三浦梅園の反観合一の条理学ではそこを「一即一一、一一即一」と言って、一に対して必ず他を対応させる、それによってoneとanotherの関係を説いたんですね。特定の何か（一）はそれに反する何か（一）を前提にして成り立っている、そしてその両者の対峙そのものがそれらによって成り立つ何か（一一）なのであると言う。さきほど津田さんがいみじくも大問題を出されたけれども、コーディングというのはいったいAとBの何を対応させているのかという問題です。Aという「脳のしくみ」がBという「心のはたらき」に当たっている脳機能だというような一対一対応の関係については決定打が出ているわけではないですからね。

「心」と「言語」は似ている

津田　さっき松岡さんは、言語にはマントラのような核があって、奥に蓄みたいなものがあって、それがパッと弾けて外に出ると言われましたよね。私が興味があるのは、心にはその蕾があるのかどうかということです。弾けたことで蕾があることが初めてわかるというか、蕾だったことが発現されるような破れ方をしているのではないかとも思える。

松岡　うん、うん。

津田　言語もそれに似てますよね。いや、心に蕾の破れがあるから、言語もそういうふうに捉えられたんではないかと思うんですよ。言語ってヘタに使うと閉じていく。人との関係性もそうだし、言語の創発性においても、うまくいかない。それで生成性がなくなるんだけど、でも「破れ目」をうまくつくって、弾いて外に放り出してあげるような機能をもてる言語であれば、いろんな意味を生み出せる。そのあたりをもう少し松岡さんに聞いてみたい。

松岡　「破れ目」と「意味」ね。たいへん興味深いところだけれど、難問です。そこで少し手前のことを推理すると、言語はもともと破れ目ができやすいようになっているんだと思います。というよりも、破れ目が言語を生じさせたようなところがある。

　自然環境の一角で定住を始めたヒトが集団性を感じるようになって、気候変動や穀物収穫や生老病死を前に互いにいろいろなジェスチャーや発声をしたわけですが、それはまだたどたどしい段階です。けれどもやがて、そういう出来事の決定的な変化と、ヒトのプリミティブでぐずぐずした情報伝達のあいだに生じた破れ目みたいなものが、原言語を駆動させたんだと思います。このとき少数の母音に子音が多めに組み合わさり、知覚体験とSVOが対応するようになったり、名辞のネーミングがカンブリア爆発的にふえたり、「身ぶり」や「歌」が分節力をもったりしたんでしょうね。

　で、これらのことから推測すれば、言葉を駆動させたのは「心」や「意識」を管轄することになる脳の活動でしょうから、その脳と心のあいだで蕾が破れるようなことがいくつもおこっていたということになります。この蕾に似た「胚胎のモナド」のようなものについては、ギリシア哲学のプシュケー、ヒンドゥ哲学のプラーナ、古代インド言語学のスポータ、中国の「気」、東南アジアのピー、日本の言霊《ことだま》など、いろんな呼び名で議論されてきました。みんな似たようなものです。ちなみにスポータは「スポーツ」の語源ですね。スポーツはみなぎった状態が弾けるという意味です。

　そして言うまでもなく、そういう心は脳が司っているのだろうから、脳にだって蕾にあたるもの、破れ目と深い関係をもつものがなんらかのかたちで先行していたということになる。それは津田さんの推察どおりです。ただ、言語をめぐるめんどうな問題はここからです。たくさん問題が噴出する。

津田　たとえば？

松岡　たとえば、民族や部族によって言語（母語など）が異なっていったのはなぜかということ、「バベルの塔」はなぜ崩壊したのかということですね。またたとえば、音声と文字の関係はどのように対応したのかということ、これも難問です。ここには表意文字と表音文字の違い、書き言葉（文語）と話し言葉（口語）の分かれ方、方言やクレオールの多様性のこと、喃語の役割、オノマトペイアの効用、バズワードの流行などが入ります。どのように言葉は鎖のように長く喋れたり、文章がつくれるようになったのかということもある。アーティキュレーション（分節）や関係詞や代名詞や句読点はどのようにできて、何のために形成されたのかということも、まだ十分にはわかっていない。

津田　解明されていないんですか。

松岡　いろいろ仮説はありますが、統合理論は皆無です。言語学はとてもおもしろい研究分野ですが、おおむね閉じていて、他の分野との連動や掛け合わせを大胆に試みません。言語っぽいものとノンバーバル・コミュニケーションの関連についても、言語学のほうからはめったに言及しない。むしろ鳥のさえずりを研究している動物学者や「刷り込み」を研究しているエソロジストが言葉のことを考える。たとえば、分子生物学が解いてみせた遺伝子の文法がありますね。二重螺旋やコドンの活用や始発と終点の指示などで説明ができていますが、あのしくみは自然言語のしくみとはほとんど類縁性がない。けれどもあれは「生体系の言語学」ですよね。しかし言語学では、そうは考えられていません。

これはぼくがときどき気になっていることですが、分子生物学のほうも文法的には解いていない。次から次へと新しい機能を発見して、それを別々の分子や機能用語にしている。イントロン、染色体のテロメア、メッセンジャーＲＮＡ、トランスファーＲＮＡ、ＡＬＤＨ２遺伝子というふうにね。これは言語学でいえば次々に品詞をふやして説明しているようなもので、遺伝子言語学とはいうものの、そうはなっていませんね。けれども生体情報のしくみにはそうはならないところがあるんだと考えれば、従来の言語学のほうが考え方を改めて、これまでの分類や文法学に手を入れてもいいはずなんですが、そういうこともおこりません。

　というようなわけで、いろいろ問題は山積しているのですが、二一世紀の言語文化のための座標はぐちゃぐちゃなままだということです。

津田　松岡さんはぐちゃぐちゃぐちゃじゃないでしょう？

松岡　ぐにゃぐにゃです（笑）。

津田　そうですか？

松岡　行ったり来たり。

声と文字の関係

松岡　まあ、それでも何を考えようとしてきたのかと言いますとね、第一には「声」とは何かということです。なんといっても音声や鳴き声は生物的なシグナルです。身体が連動している。ただし音域が狭いので、これを遠くに伝えるために文字にした。文字は空間をまたいで運べます。そこで「耳のシグナル」を「目のサイン」にして、これを連動させたわけです。でも、文字文化の根底に「耳のシグナル」があったとしたら、言葉の問題はどこかで必ず「声」の問題に帰着するところがあるだろうと思うんですね。

第二には「トークン」はどんな役割をはたしたかですね。言葉は交わすもので、コミュニケーションのためのもの、何かの「代わり」をして、人間の交換行為を支えている。では、言葉がトークンだとしたら、何の代わりなのか、逆に何かの代わりとして言葉がこれほど普及したのかということです。たとえば貨幣もトークンで、かつ異様に普及したものですが、そのあたりの関係は説明つくのかということですね。

第三に「記録」と「記憶」と「表現」の関係です。言葉はこれらのいずれでもすばらしい力を発揮してきましたが、文明と技術の変遷のなかで、その座をさまざまなメディアに譲ってきた。文様、絵画、信号コミュニケーション、ダンス、演劇、そして数学的表現などにね。では言葉ならではの記録・記憶・表現としてどんなものがあるのかということですね。このためにぼくはいつも文学や歌やパスワードやジャーゴンを点検しています。

第四にいよいよ「意味」とは何かですね。意味は言語文化の歴史が持ち出した最大の価値観の系譜事例で、哲学の大半は意味をめぐる意味論だといってもいいほどですが、現代社会ではいまや言葉を離れて意味が交わされています。しかし、まだ意味の本質は探求しきれていないし、言葉がつくった意味ではない意味が広がってもいるので、その蝶番《ちょうつがい》を編集的に補いたいのです。ここには音楽やファッションやアートやデジタルメディアのいっさいが入ってくる。とくにイメージと意味との関係が重要です。

そして第五にはやはり「情報」ですね。情報としての言語の正体を追いかけるのもありなんだけれど、ぼくが考えているのは、物理と数理と生理で説明されている情報的動向を、できるだけ言葉にしておこうということです。これはこの対話の冒頭から言ってきたことです。

津田　いろいろ聞きたいことはあるんですが、やっぱり声と文字の関係が気になります。文字を持てなかった種族もいますよね。

松岡　そうですね。日本人も縄文時代以来、漢字がくるまで文字を持っていなかったわけです。声によるオラルコミュニケーションを一万年以上続けていた。しかし文字が入ってくるのはとてもマジカルな出来事で、たとえば「漢委奴国王」の金印をもって、これが中国のキングからの「印」だと言われると、力を感じたんだと思う。白川静さんは一貫して「漢字には呪能があった」と言ってました。錬金術の記号が魔術だったようなものですね。

ぼくは「おまえの名前はこういう字を書くんだよ」と「正剛」という漢字を教えられたとき

は、かなり怖かった覚えがありますよ。セイゴーという響きが角々の線分であらわされた「正剛」ですからね。松岡正剛と四つ並べると、「岡」が二つも入っている。これ、親がまちがったんじゃないのと思いました（笑）。

津田　音声はアナログで、文字はデジタルですから、デジタルのほうが圧倒的に記述能力は高いわけですよね。だけど一方で音声との対応なくしては文字は単なる記号です。「読み」がなければ意味を持たせることはできなかった。だから、音声がある種の触媒的な作用をしていたように思います。そう考えていいですか。

松岡　はい、そのとおりです。文字が生まれた初期の頃は、すべての文字を音読していたわけですね。ルネサンスや一七世紀後半ぐらいまでは、どんな文字も音読しないとわからなかったはずです。だからアコースティックな回路と文字の並びとは一蓮託生だったわけです。しかし、活版印刷の普及によって文字と言語と意味が合体するようになって、音声が文字から離れて話し言葉の領域になっていったんですね。

では、それまで文字を読むときに音声が伴っていたのはなぜかというと、写本だったからです。写本をするときはAテキストをBに写すのですが、そのときぶつぶつ声をだしながら写していた。これは「カテーナ」（鎖）と言われていたもので、文章を声の鎖のようにしてAからBへ移していく。声にはその転移力があったんですね。

ですから長いあいだ、読書は音読が中心です。当時の図書館も大判の本が多いんですが、キャレルという閲覧ブースの中に入って、みんな声をぶつぶつ出しながら読んでいた。閲覧机の仕切りには隣りの声が邪魔にならないように衝立がしてあったものです。つまり、音読って「声の再生」だったんです。

　声の力をいまなお堂々と告げているのはイスラムの『コーラン』（クルアーン）ですね。あれは声を出さないと読んだことにはなりません。しかもイスラムは世界史上初めて文字を持ってあらわれた世界宗教で、『コーラン』の第一節、第二節、第三節はナスターリックやクーフィックなどのさまざまな書体で書かれているんですね。音声と文字を一致させようとしている。ぼくは、「もう一度、音読社会を取り戻せ」と言っている。

津田　われわれも小学校のころは声を出してしか文字を読めなかったですよ。学校では「黙って読みなさい」と黙読を促されるんだけど、最初それはどういうことなのかよくわからなかった。音読しかできないので、黙読に戸惑っていました。たしかに慣れると読むスピードは速い。ぱっと見て文字情報を入れられるから、情報を入れる速度は速くなる。音に出せば、当然ながら音のスピードでしか読めませんからね。だけど声に出すと、黙読のときとは全然違うものが感じられる。黙読だとさっと読んでしまうようなところが、もっと五感をもって感じられる。

　私はいまでも黙読していても、アタマの中で音を出して読んでいます。だから読むのが遅いんです。アタマの中で声を出して読まないと、感じが摑めてこない。なんとなく黙読できるようになってはいるけど、実は文字通りの黙読はしていないようなところがあるんです。

松岡　それは津田さんの才能かもしれない。音読はリニアだけれど、「次から次」という展開軸がしっかり刻印できるということがおこります。黙読はスペーシヴで、文脈や場面の単位で読める。映像的で、プロジェクション型なんです。マンガがそうですね。しかし、こうしたことには言葉の歴史を通した文化人類学的な継続と転換があるんですね。また、聾唖などの障害との関係もある。ぼくはおそらく日本で初めての試みだと思うんですが、目が不自由な人、読唇術で会話をする人、手話の人、筆談の人といったパネリストの中で、ぼく一人が健常者というシンポジウムをしたことがあるんですが、たいへん示唆深いものでした。

ちなみに津田さんはしゃべっていてもとてもリテラルだよね。だから書いていることと話すこととがあまり分離してない。書いているとすごいけど、喋ると何を言っているかわからない知識人はけっこう多いんですよ（笑）。実名を出しますが、吉本隆明は話しているときは共振状態というか、ハウリングというか、話がとてもポリフォニックでした。だから文字起こしするのがたいへん。でも書くと人が変わったかのように、すごく明晰になる。

津田　きっとそこに「破れ目」が隠れているんです。それがどう弾けるのか。

ノイズや「破れ目」が意味を生成する

松岡　グレゴリー・ベイトソンのお父さんは生物学者のウィリアム・ベイトソン[14]ですね。サミュエル・バトラー[15]に学んで遺伝学にとりくんだ。遺伝と変異の研究です。その研究を通して、自分が科学者として大事にすべきことは何かというと、「感じ」（feel）というものではないかと気が付いた。ここで言う「感じ」はいわゆる印象ではありません。生命をもった有機体のシステムが変化や変異に対応してあらわしていること、それが「感じ」なんですね。それは有機体が発している世界としての「感じ」です。

息子のベイトソンはこのことを承《う》けて、生物や人間においての「感じ」というのはきっとフィードバックを伴う情報の交換とコミュニケーションのかたちになっていると考えた。そこで部族言語の調査をするんですが、そのコミュニケーションで「シズモジェネシス」がおこっていた。シズモジェネシスは訳しにくい概念ですが、「分裂生成」というふうに訳されています。ベイトソンがそれを発見したのは、ある部族（ナヴェン族）に互いの役割を交換する儀式が二つあって、ひとつは男どうしが役割を交換する「対称的シズモジェネシス」で、もうひとつは男女が役割を交換する「相補的シズモジェネシス」でした。前者は対比的であるけれど表面的で、後者は深いところで相補的な交換がおこって創発性をもっている。

世界とかかわるというのは、こういう深い交換に気づくということなんだろうと思います。

それには、まちがってもいいから世界についての「読み」を試さなければならないんじゃないですかね。

津田　かつて金子郁容さんや松岡さんとよく話していたことですが、「誤読の効用」って大きいと思うんです。われわれは科学者なので、もちろんあまり誤読はできないんですが、ただ物事を進めるときにある種の誤解とか取り違えというのはけっこう大事なことなんです。科学者どうしも実は互いにすごく誤解をしている。

松岡　そうなんだ。

津田　ええ、お互いに意味をまったく取り違えていることはよくありまして（笑）、でもそれでも案外、意気投合して研究が進むことがある。勝手に相手の研究を誤解して、それでまた新たな理論ができたりもするので、やみくもに相手の誤解を解かないほうがよかったりする。おそらく文学の分野ではもっと誤読がおこりやすく、たぶん私なんかしょっちゅう誤読しているんだと思いますけれど、それはそれでいいんですよ。というか、だからこそものを作っていけるんです。

とくに「情報」を作っていくためには、そこにノイズ的なものや誤差的なものが入っていくことがかなり必要で、それなしには意味をスリップさせることができないくらいです。学術的な「意味」というのはものすごく強固にできあがっているので、ノイズのようなものなしには、研究の多くがおそらく閉じた世界になってしまう。閉じると「破れ目」がどこにもできないので、強引にでもノイズを入れて意味をスリップさせることが必要になります。少なくとも私が想定している「あるべき宇宙」や「あらまほしき世界」では、そうなっているのです。

松岡　よくわかります。

津田　だからノイズの役割というのは意外に大きい。カオスには軌道不安定性があって軌道が指数的に分離していくんだけれども、ノイズをかけるとそれがあんまり分離せずに、わりと秩序化するんです。そのことを示したのがこの対話でもときどき話題にしていただいているノイズインデュースド・オーダーです。

松岡　宇宙の始まりにランダムなノイズがなければ何もおこらなかったでしょうね。最初のインフレーションやビッグバンの手前に「真空のゆらぎ」がないかぎりは、何も始まらなかったでしょう。

津田　それで対称性の破れが起きて、どちらかの世界ができた。どっちかしかできないですよ。それには、どちらかに転がしてあげないとそうならない。

松岡　そう、そう。そこが「破れ目」がもっているポテンシャル（潜在力）でしょう。ずっと以前にアメリカでインタビューしたルネ・デュボス[16]（抗生物質の研究者）はそれを「エンシオスの神がはたらく」と言った。エンシオス（entheos）はギリシア語で、現象の奥からやってくるもののことですね。英語の「インスピレーション」（inspiration）の母体になった。対称性の破れはエンシオスの神の仕業です（笑）。

津田　けっこう合点がいきます。

松岡　ところで、ちょっと話が変わるけれど、人類が「秩序」（order）というものを考え出した時期はけっこう遅かったように思いますね。もっともいったん思いつくと、秩序とともに調和をめざした。そこから調和のための「理性」（ratio）というものが析出され、学問的で社会的な合理性（rationality）がだんだん重視されるようになったわけですが、それは知識の学術化や平準化のためには結構なことだったけれど、合理が破れることに臆病になったところもあるんですね。

ぼくはときどきそこが気になるんです。もっと折りこめ、もっと畳んでいけ、もっと割れ目をつくったり破ったりせよと思っていた。そんなとき、折り目やカスプ分布に注目したカタストロフィ理論[17]や、多値論理や曖昧性を扱ったロトフィ・ザデー[18]のファジイ理論[19]などが六〇年代に登場し、よしよしこれはいいぞと思っていたら、次にカオス理論が登場してきて、いよいよ「淵」や「破れ目」が脚光を浴びました。これはまんざらではないぞと膝を叩いていたんです。カタストロフィ理論はポアンカレのトポロジーの考え方から始まったもので、ルネ・トムとともにエリック・クリストファー・ジーマン[20]なども取り組んでましたね。

津田　カオスもポアンカレから始まっています。私たちがカオスに惹かれたのは、そこにすべてが入っているからです。ノイズ的な無秩序の数学的表現が入っている。また秩序の数学的表現も入っている。その両方が共存しているのが数学的に「カオス」と呼ばれたものなんです。カオスは現象としてあらわれたときには予測不能だったりする一方、ものすごく秩序化されていて、しかもこの世のものとは思えないぐらいきれいな構造を見せます。そこにはやっぱり震えるものがあるんです。でもその美しさは、残念ながらなかなか伝わらない。カオスがいかに美しい構造をもっているのか、なかなか伝わらない。

松岡　なぜですか？

津田　数学的にかなり勉強しないとわからないからでしょうかね。多くはカオスの現象のところだけを見る。「軌道不安定性がありますね、指数関数的にエラーが拡大していきますね」というところだけ見ていても、カオスの美しさはわからないんですね。代数構造や幾何的構造をちゃんと見なければ見えてこないんです。

松岡　じゃあ、ぼくは見えてない（笑）。

津田　松岡さんはポアンカレが出発点だから、実は見えているんです。

松岡　そうかなあ。

津田　いやいや、見えている。

第7章
「見えないもの」の数学

高次の美しさ、非線形的な世界

松岡　ぼくにはカオスの美の生態が見えていない証拠に野暮なことを尋ねますが、カオスの数学が見せる美しさとは、どういう美しさなんですか。数学の歴史の中の数々の傑作数式のおもしろみと近いものですか。それともエレガントなもの？　オイラーの等式のようなもの？　ぼくは若い時期に重力場方程式[1]に参りましたが、それは唸るような意味に富んでいたからです。アインシュタインがその式を導いてきたプロセスが美しいとは感じられなかった。

津田　カオスの場合はやっぱり「数の配置の構造」ですよ。いろんな数の表現ができるんですけど、たとえばカオス力学系の「状態空間（相空間）」の右半分に注目します。カオス軌道が全体の中で何回平均的に右半分にいるかを分数であらわします。それが非常にきれいな構造をもっているのです。必ずしも大きさの順番に並んでいるわけではなくて、ひっくり返ったりしているんですけれど、ある法則に従って並んでいて、すべての分数がある秩序を保って正しく入っている。その数の構造が美しいんですね。

松岡　それは「高次な美しさ[2]」でしょう。たとえばピタゴラスの定理もフラクタル幾何学もきれいだし、ペアノの図形もきれいです。でもそれはある意味では予想がつく美しさで、おそらく津田さんが実感したなんとも言えない任意なものの中に生まれる構造の美しさはかなり高

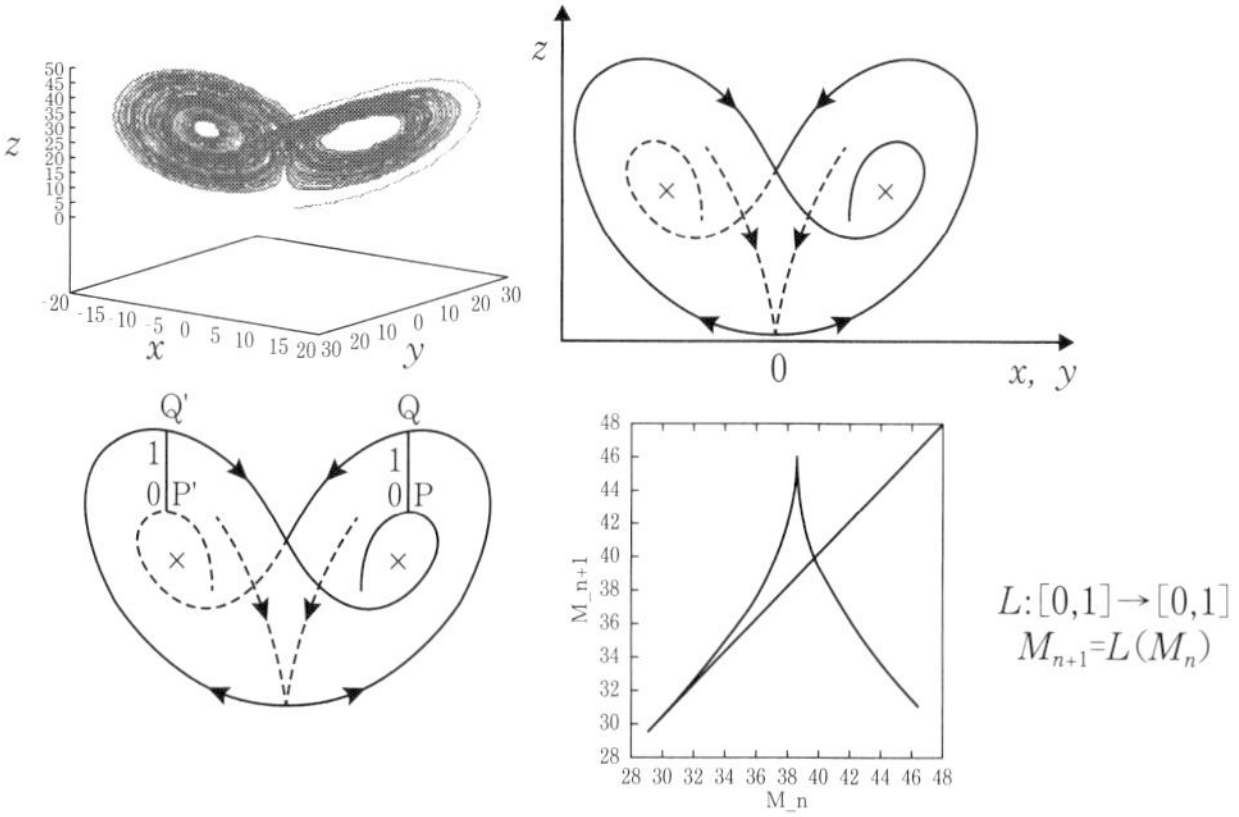

ローレンツ・アトラクターと内在遷移規則

複雑な時系列を幾何的に理解⇒内在遷移規則の導出

(津田一郎著『脳のなかに数学を見る』(共立出版) の図3.2をもとに新たに描いたもの)

上左はローレンツの標準的なパラメータ値でのカオス・アトラクターである。上右にはローレンツ・アトラクターの幾何学的な骨格を描いてある。下左はこの骨格モデルにポアンカレ断面と呼ばれる軌道が通過する断面を一次元の線分で表し、座標[0, 1]を導入した様子を示している。下右はポアンカレ断面上で軌道が通過した座標値の変換規則Lを表す。決定論的規則が抜き出されている。これにより、ローレンツは予測不能で複雑に変化する時系列にも単純な規則が存在することを示した。

次なもので、それは陶芸師が窯の中から引き出した焼きもののどれかに魅せられることに近いような、そういう感動じゃないかなと思う。だからぼくはこの「高次な美しさ」というものが、今後は音楽や絵画、あるいは建築や芸能に、さらに見いだされて、それぞれ交歓されていくといいと思っている。

ぼくは数学を計算するほうに参画しなかったけれど、おっしゃるようにポアンカレの考え方はその例題を見ていても、その文章を読んでいても、存分に「高次な美しさ」を感じます。カッコよさなら、デカルトやガウスや高木貞治にも感じますよ。ぼくの場合は、バッハの音楽にもウィリアム・ブレイクの言語にもザハ・ハディドの建築にも「高次な美しさ」というものがあるだろうと考えたくなる。そのぶん津田さんのカオスの数学の美しさは見抜けないのかもしれない。けれども、ぼくにはぼくなりに文脈の中で少しずつ見えてくる高鳴りみたいなものとか、高次なものだけに席を譲るものに感じる美しさは伝わってくる。

津田　わかってもらえていると思いますよ。ただ意外なことに「高次な美しさ」は理解されにくい。

松岡　そうなの？

津田　その手前で学問的に消費されちゃうんです。本当はその奥にある美しさこそを見てほしいのに、なかなか美しさは伝わらずに、その下のレベルに理解がとどまってしまうんです。

松岡　それは唐津や萩の茶碗を見て「これはたまらない」というときに、誰もがそれを見てそうは思わないのと同じですよ。これはね、津田さん、しょうがない（笑）。

ぼくは長らくグレン・グールドのピアノに惹かれてきたんです。そのグールドが知られたのは、バッハの『ゴルトベルク変奏曲』のような、当時「世界で最も退屈な曲」と言われていた曲を、誰よりも先んじてレコーディング・デビューで弾いてみせたからです。当時の録音で聴くと、あのバッハかと思わせる演奏で、それをグールドは何度も弾きなおしていった。のちにグールドは「最も美しいものは、よく練られた逸脱の様式からしか生まれない」って言うんですよ。「よく練られた逸脱」なんて言語矛盾のようだけども、でもわかるんだよね。つまりそれは、整合性や合理性やシンプリシティの極みの美しさじゃない。逸脱の極みが重々帝網《じゅうじゅうたいもう》（華厳経の世界観）のように練られている美しさだから、これはやはりたまらないんです（笑）。

津田　グールドの言葉はたいへんな名言ですね。カオス理論に通じている（笑）。

松岡　そういう美しさは、舞踊とか料理の味とか、それから仕草や表情やエロキューション（発声法）というような、まことに微妙なものにあらわれるシズモジェネシス（分裂生成）なんだけれども、数学においてカオスが見せるものも、なぜかそういう美に到達できためずらしいものなんだろうと憶測します。

津田　ただ数学者は意識的にカオスを発見しようとしたわけではないんです。もちろん馬蹄形写像を発見したスティーブン・スメイル[3]にちょっとその気はあったでしょうけど、最初のポアンカレのカオスについての認識は偶然です。「三体問題」を解くための微分方程式の研究を進めるうちに、軌道が複雑に絡みあい、想像もできないような解が存在することに気がついた。最初の証明の中にはカオスは入ってなかったんですが、そういう複雑な解があるということが後になって分かってきた。

松岡　エドワード・ローレンツは？

津田　ローレンツは発見しましたね。カオスというものをどこまで予測していたかはわからないんですが、その本質を見抜くような論文を先駆けて発表した。方程式は決定論的に与えられるのに、出てくる解は非周期的になることがあるということを述べています。通常、微分方程式は最初に初期条件を入れれば、その後の運動はすべて決まってくる。つまり決定論的であるわけですが、ローレンツは決定論のルールのもとにおいても、何か特異なふるまいをもつ変化が見られることがあることを示した。気象学者だったローレンツは、一九六三年に論文を書いて発表するんですが、その時点でスメイルはまだ馬蹄形写像を発見してないので、ローレンツになぜわかったのかは、科学史的にもいまもって不思議なんです[4]。

松岡　きっとローレンツは、自分の思考プロセスの片寄りのどこかに、ぎょっとするほどの「複雑な美」を感じていたんですよ。

ローレンツの世界観

津田　ローレンツの論文のタイトルは「Deterministic Nonperiodic Flow」というものです。「決定論的な非周期的流れ」。

彼の専門は流体力学ですが、大気における熱対流を研究している中で、その運動をあらわす非線形の微分方程式をコンピュータで解こうとしたら、不規則な運動があることに気がついた。軌道の初期条件をほんの少しずらすだけで、計算結果がまったくちがってしまうことに気が付いた。ほんのわずかな測定誤差や計算誤差が、その後の測定結果や計算結果に大きな誤差を生み出してしまうということが、このとき見いだされたんですね。

論文の最後には、「なぜ天気予報というものが当たらないのかは、これでわかるでしょう」と書いてある。たった三変数の決定論的方程式の解が予測できない複雑なふるまいをするのだから、ましてもっと多くの変数が関係している実際の大気運動はもっと複雑なはずで、天気予報は原理的に不可能にちがいないという皮肉です。このときすでにローレンツには、決定論的でありながら非周期的なふるまいがあるはずだという問題意識はあったんだと思います。

その少し前にザルツマンが、同じように大気の運動を微分方程式であらわして（ナビエ・ストークス方程式と熱伝導方程式）、それをフーリエ展開[5]してコンピュータ・シミュレーションしました。すると、ある三つの成分（対流の速度に関係する成分、温度に関係する成分、地表と上空の温度勾配に関係する成分、つまり熱伝導からのずれに関する成分）以外は、十分に長い時間ののちにゼロに収束するように見えた。それを承けて、ローレンツは初めからこの三つの変数が大事なんだと見抜いて、大気の運動を予測する方程式を立てたわけです。そして三つの変数だけでシミュレーションしてみたらどうも不規則な運動に見えるので、初期値を変えてみたところ、初期値の誤差が増幅して前の計算結果とまったく異なる軌道の計算結果が出てきた。ふつうならこの時点で何か数値計算をまちがえたと思うはずなんですが、ローレンツはそう思わない。それは計算機のエラーによるものではなくて、方程式に内在するのだと考えた。むしろ、ここには「根源的な非線形性」があると見たんです。

ではなぜ決定論的なのに、初期値をちょっと変えただけで軌道が変わっていくのか。その答えをさぐるために、その不規則な解軌道の集合としてのアトラクターの絵を描いてみた。例の「ローレンツ・アトラクター」として有名な蝶々のような絵ですね。すると、どうやらぐるぐる回る部分は比較的規則的だけれども、軌道がクロスする地点で切りかわりがおこって不規則さが生まれているようだということで、「決定論的で非周期的なふるまい」が起こっているんじゃないかと考えた。

三次元のアトラクターは美しいが、その上を走る解軌道は複雑で予測できないふるまいをする。でもここには決定論がはたらいているのだから、その決定論的な規則を導けるだろうと考えたんですね。そこで一つの変数に着目して、その変数の値をある基準に達するたびにプロットしてみると、ちゃんと一次元写像という決定論的なルールが見えてきた。つまり、これは数値計算のまちがいではなくて、もともと単純な三つの方程式に内蔵されていた決定論的な法則が、一次元写像の形で書けたということです。でも、数値計算はいまよりも荒っぽかったはずで、エラーだらけの数値解法をやっていながら、エラーじゃないと見切ったのはやっぱりすごいですね。

松岡　とても明快な説明でした。そこで思うのは、世界の「あらわれ」には、根源的な非線形性と初期からのズレみたいなものがうずくまっているんだろうということです。科学と世界との刺しちがいは、それ以外のやり方では語れません。

津田　刺しちがい、ねえ（笑）。

松岡　ところで津田さんとぼくには、エピクロス[6]の原子論が言及していた「クリナメン」（偏倚）という考え方に共感していろいろ雑談していた時期がありましたね。

津田　ありました。本来あるべきところから常に逸れていく性質ですね。

松岡　そのとき少し交わしたと思うんですが、「真」や「美」を考えるとき、大きくいって二つの納得の仕方がある。一つには原初的な分割がきれいに進んで、それぞれの部分が系列的ないしは相似的に組み合わさって全体を形成もしくは構成するというものです。それはいわゆる「還元論の美」と呼ばれるものだけれども、還元論だからダメとは言えないぐらいの美しさもある。部品が秩序をなして大きな機械や都市構造になったり、ケチャ（バリ島の合唱音楽）や交響曲のオーケストレーションになるという美しさは必ずあるわけです。

しかしそれとは別に、無秩序から生成されることによって発現する美しさもありますね。これはいわば「情報の複雑な美しさ」というもので、かつてはマックスウェルのデーモンだけが見せられるものでした。無秩序から秩序を作ってみせるのだから、このデーモンが見せることは甚だあやしく、その素材は「穢《けがら》わしいもの」にも見える。とくに伝統的な科学者には言語道断に感じられるかもしれない。お前たちは熱力学の第二法則を破ったのかと言いたくなるからです。しかし、これこそは「情報」のふるまいなんですね。情報のエディティング・プロセスがおこした発現なんです。

ですからこちらの「美」の出現に立ち会いたいと思うのであれば、根源的非線形性を最初からもった世界観を打ち出していくとともに、その発現の正体が実は「情報」なんだと言い切る覚悟をしておくべきだと思います。ただし、その美しさは還元論が見せるものとは似ても似つかないものだし、ときにはアナーキーでパンクに見えるものでしょうから、そういう「寄せ方」を科学者の側がしたんだという、ふてぶてしい自信も必要なんだと思います。

津田　ふてぶてしかったかどうかはべつにして（笑）、ローレンツにはそういう世界観があったんでしょうね。

松岡　あったでしょう。デヴィッド・マーにもそのセンスをすごく感じます。これは非線形の話とちょっと違いますし、ナビエ・ストークス方程式とも関係ないけれども、しかし、ヴィヴィッドに感じますね。

「まだ見えないもの」を編集する

津田　前半の話で少し話しそびれたので、ここでちょっと付け加えておきたいのですが、デヴィッド・マーについて私が最も感心したのは二つのことで、ひとつは、私が彼の「解釈学」と見なした論文の書き方です。そもそもマーは「解釈学」とは銘打っていなくて、勝手にこちらがマーの仕事をそう見ていただけなんですが、でも解釈学的な論文はいっぱい書いていて、そこがすごく冴えていると思ったんですね。

もうひとつ感心したのは、両眼立体視のモデルです。人間が外界を三次元的に把握する原理をあらわす「両眼立体視の理論」を、神経回路モデルでやろうとすると、ふつうはディスパリティ（両眼視差）といって、右と左の視線にずれが生じるので、その視差によって奥行きを推定するわけです。それをニューラルネットでやると、答えが一意的に定まらないんですね。奥行きが任意になってしまう。そこでマーは困ってしまった。簡単にできるはずだと思ったらうまくいかず、論文の出版までに三年ぐらいの月日がかかっている。
　ところがどこかで、マーはニューラルネットに「くりこみ群」が使えるはずだと見立てた。私が感心したのはそこです。実際、マーの論文には「相転移のくりこみ群理論」でノーベル物理学賞を受賞したケネス・ウィルソン[7]の論文が引用されています。けれどもニューラルネットにとりくんでいる多くの研究者たちは、そもそもくりこみ群を知らないから使おうという発想がないし、知っていても、奥行き知覚の問題にくりこみ群が使えるとは思っていないわけです。しかしマーは、奥行きを一意的に決定できるということはニューラルネットの解が不動点を持つということなのだから、しかもそれはどうやら不安定ということのようだから、その不動点はサドル的（一方向は安定で他方向には不安定であること）かもしれない。この不動点を見つける、あるいはその近傍で不動点の性質を見つけるには「くりこみ」の手法が有効かもしれないと考えたのでしょう。
　こういうことって、あとから考えればリクツも何もわかるんですが、その時点でそういう発想をとることはなかなかできないんです。

松岡　ウィルソンの「相転移のくりこみ群」って？

津田　素粒子のくりこみ群は無限大をどう処理するかという問題ですよね。これは単に計算上の問題ではなく、実際の観測問題とも関係している。

量子力学ではつねに「観測する前の状態（量子状態）」と「観測した後の状態（古典的な状態）」は異なっています。量子の中でたとえば「電子」を取り上げることにすると、観測という行為はそれによって電子と相互作用することを意味します。観測するためには何かをぶつけないといけません。光だとか別の粒子だとか。すると次のようなことが考えられます。電子というものは観測される時に状態変化に伴って光を出すんですが、観測者はそれを見ることができる。つまり、観測した状態というのはすでに自身と相互作用した後の状態で、相互作用していない素の状態ではない。このように〝スッピンの電子〟は観測できないわけです。

考え方としての「くりこみ」というのは、「スッピンの電子にいかに近づくか」という方法論です。本来わかりたいものを直接わかる方法がないということは、わかりたいものが不安定だということです。また、わかろうとするということはそのものに近づくことです。

松岡　ウィルソンは？

津田　素粒子のほうでは朝永さんたちのくりこみ群があった。素粒子の質量の発散を防ぐ方法として。その考えを物性物理の相転移に持ち込んだのがウィルソンです。しかし、物性における「くりこみ群」の研究には統計物理学のカダノフ[8]が先行していて、相転移がこれから起きるところでは物質がまだら模様になるという、後のマンデルブロのフラクタル理論と一致する理論（自己相似性が出現するのでスケール変換ができるということ）を作っていたんですが、くりこみ群理論まではいかなかったんです。それを見ていたウィルソンが、いやいや、これはくりこみ群でできると考えてやってみたら、ノーベル賞になった。そのくりこみ群の話をマーはすでに知っていて、しかもニューラルネットにくりこみ群が使えるかどうかということを早くも考えていたわけで、そのことに私は感心したわけです。

われわれの視覚のしくみ一つとってみても、まったく大きさが異なる視覚像を写像して脳の中に作ったりするわけですから、それはある種の「くりこみ」がないとできないわけです。ということは、われわれはそもそも何かをくりこんで認知しているということになる。時間と空間の両方のスケールを変換して、不変なものをわれわれの認識装置として脳の中に定着させている。これが脳のニューラルネットがしていることですが、だとしたら立体視のニューラルネットも当然そういう役割をもてないといけないけれども、それがうまくいかなかった。マーは、それならくりこみをできるネットワーク構造に作り変えればいいと判断した。そこが冴えているんです。

松岡　そういうのはセンスですか？

津田　センスですね。

センスがいいとは何か

松岡　そのセンスのことだけれど、ぼくはものすごく多くのジャンルの研究者やクリエイターや陶芸家や武道家に独得なセンスを感じてきたんだけども、マーが発揮したセンスはどういうものですか。グールドの言うような「よく練られた逸脱の様式」に関するセンスですかね。それには津田さん自身のセンスの特徴を語ってもらうといいんだけども、さっきのローレンツのように、なにか方途を変えてみようという手順の切り返しに見られるセンスや、設定をガラリと変えるセンスや、まちがえたらダメになるのではなく、まちがいを回避するのもまたセンスですよね。

津田　ええ。手順をまちがえないのも、まちがいを活かすのもセンスですが、「そこにこれを使うか」という「とび」や「あわせ」を思いつくのもセンスですね。マーのニューラルネットの発想なんかは、一般的な有限のニューラルネットをやっているとまず思いつかないんですよ。ただ、脳が何をやっているのかを考え直せば、くりこみ的なことをやっていてもまったくおかしくない。そこに気がつくかどうか。

松岡　そこをもう少し説明してほしいんだけれど、そのセンスはチェスのカスパロフ[9]や将棋の藤井聡太のセンスではないよね。あれは有利な局面によって盤上における挽回不可能を相手に突き付けるところで一局終了だから、新たな局面が新たな生成につながっていくことを発想するセンスではない。エピクロスが「原子は軌道をそれるけれど、もしそういうことがどこに

朝永振一郎
Nobel Foundation
https://commons.wikimedia.org/w/index.php?curid=6138962

もおこらなかったとしたら、自然は何も生成しないだろう」と言ったあのセンスが、いま問題にしたい独得のセンスなんです。

津田　うん、うん、マーに関していうと、マーは数学出身で人工知能研究をして脳科学に入った人だから、脳神経がシナプスを介して学習するプロセスに数学的構造を見たんだと思いますね。

松岡　ほかでは？

津田　私がセンスを感じるのは朝永さん。朝永さんは晩年、熱力学に凝っていて、でも私はこれをどうやったらいいのかわからないとおっしゃっていた。ただ将来的に物理は地球物理のようなものをやらなければならないだろう、と。朝永さんは素粒子をやっていた方だから、もちろん唯物論、要素還元論の立場なんだけれども、それだけでは物理はできないとわかっていたんでしょうね。素粒子理論をも支える統計力学は原子・分子に還元して考える要素還元論ですが、でもおもしろいのは、統計力学は数学的操作によってそこから階層を変えられるということです。ミクロな時空間のスケールを一気にマクロにまで持ち上げられる。それによって熱力学的な世界をきちんと記述することができる。ではなぜ統計力学がそこまで力を持てたのかというと、熱力学の不思議さをなんとしても解明しようとしたからです。

松岡　朝永さんはデーモンと闘おうとしていたということだよね。

津田　最後に熱力学に、さらに地球物理学に取り組もうとしたというのはそういうことでしょうね。やっぱりデーモンがいるんで、それを見たい、なんとか対峙したいという思いだった。

松岡　朝永さんには「品」もある。できることなら要素還元論、ダーウィニズム、統計力学……などなどについて語ったうえで、朝永さんのセンスに付きたいよね。

「ほしがる」ことからセンスが生まれる

松岡　ちょっと別な視点も補っておきたいのですが、センスのよさというのは、かかわっている場に対して何かをほしがるから動くんです。いいかえれば「不足」に気が付かないとセンスによる編集はおこらない。それにはまずは足りないものを想定するセンス、問題をアナロジカルに発展させるセンス、アブダクティブ（仮説形成的）にそれを思うセンス、いろいろな類似性を集めるセンスなどが離合集散するはずですね。

　つまり、あるところへ差しかかったとき、そこに自分が差しかかっているだけではなくて、向こう（問題のほう）が何かを誂《あつら》えてほしがっていることを感知するセンスが独得なセンスなんです。自分と問題とのあいだで誘惑しあう関係が動きあえるかどうか、そこにセンスが磨かれるんだと思うんですね。

これは合理的な思考の中で、一行ずつ真偽を確かめながら証明式をつくっていくセンスとは、ちょっとちがいます。世界が生成変化するときの喚《わめ》き声を聞くセンスです。それにはつねに何かを予感できるということ。いまはまだまったく見えないのに、その兆候が「見えるだろう」と思えること、このことに自信をもつのが独得なセンスになるんだと思います。

津田　もう少し続けてください。

松岡　世阿弥の複式夢幻能の話を例にします。能においては「世界」をあらわすにあたって現在能と夢幻能を用意するのですが、夢幻能ではゴーストやデーモンを扱う。橋掛りの向こうからやってくるものがゴーストかデーモンで、亡霊や死者や例外者あるいは神や精霊や修羅や超常的なるものです。世阿弥はこれらをこの世で念（思い）をまっとうできなかった「残念なるもの」と見立てて、面《おもて》を付けたシテにする。そしてそのシテのふるまいを「世界」の解読のための兆候として作劇したんですね。ゴーストやデーモンを兆候によって読みとっていくという方法です。そうすることで能の世界観が此彼を自在にまたぐものになっていく。この設定がとても重要で、そこに所作と謡曲が加わってきます。そこは世阿弥のセンスです。この一部始終は、能ではワキの旅の僧が見聞します。われわれの場合では脳がモニタリングを担当するんでしょうね。

能舞台は「むこう」と「ここ」に分かれています。橋掛りの先の鏡の間が「むこう」で、正面舞台が「ここ」です。最初に旅の僧が直面《ひためん》で出てくるわけですが、たとえば『井筒』という曲では、旅僧はもう使われなくなった井戸に出会って、その井戸にまつわる昔日の出来事を思い出すんですね。その井戸には何か曰くがある、遍歴があるということに気がつくんです。そこへ若い女が登場して、その井戸にまつわる在原業平《ありわらのなりひら》とその妻の物語を僧に話しはじめる。この若い女が前シテで、いったん橋掛りの向こうに去っていく。次に出てくると女は業平の装束を身に着けている。これが後シテで実は女の正体はかつての業平の妻だったわけです。こうして業平の衣装を身に着けたシテは「移り舞」をする。これが複式夢幻能という驚くべき「もどき」のしくみです。

そもそも「擬《もど》く」というのは本来の事情がそこに失われているかもしれないのに、ある種の擬態（ものまね）を通して本来を辿っていけるということなんです。兆候によってゴーストやデーモンの遍歴が擬かれ、しだいに「世界」が回復されていく。

津田　やっぱり能ってすごく深い。

松岡　意外にもカオスっぽいですよ。複式夢幻能は過去からつながっていることが、その遍歴を語るうちにそこに出てくるという複層的なあり方を見せているんですが、これって津田さんがカオス論で考えてきたこととどこかでつながるなと思っていた。

津田　そうでしたか。

松岡　ぼくはそう思ってた。

科学と能

津田　ちなみに能の場合は、私の理解だともともと一つの話があるわけですよね。それを思い出す人物と、実際にそうであった人物とが両方とも舞台に登場する。でももともとは一つの話があるのだから、それを分解しているようなところがあるように見えます。でも松岡さんの編集は、まったく違うものをぶつけてみようとするものであって、同じものはもともとないわけですよね。

松岡　ただ能の曲も、もともとは一つのベーシックがあるとも言えないんですよ。古来、いろいろ語られたり伝聞されてきたこと、ワキとシテが出会うことによって「もと」が解釈可能状態になったと見るほうがいいかもしれない。

　世阿弥には『井筒』のほかにも『敦盛《あつもり》』『高砂』などの複式夢幻能がありますが、他の能の演目の中にも、まったく起源がわからないもの、途中からしか伝承されていない話などがあって、旅の僧とシテとに、ワキとシテとに、直面（スッピン）の者と能面を付けた者というふうに分けることによって、その出会いを複式に、多重に解釈する過程にもっていくわけです。だから「もと」は一つとはかぎらない。起源が不確かなもの、今日の話で言うと、時間とか生命とか情報というものをたどるための編集様式、あるいは認識様式と言えるとも思います。

津田　それは「くりこみ」に似ていますね。さらに言うと、「カオス的遍歴」にも似ている。アトラクター痕跡（疑似アトラクター）の間を軌道が行ったり来たりするうちに、もともとはそこにあって今は痕跡でしかなくなってしまったアトラクター痕跡がどんどんビジブルになってあらわれてくる。これはまさに能の物語ですね。

松岡　「くりこみ」や「カオス的遍歴」をそういうふうにみるととてもしびれるね。科学と能を同列には語れないけれど、とくに見えないもの、隠れたもの、ほしがっているものの動向をどう描くかが、科学においても哲学においても芸術においても決め手になるはずです。それらには共通するセンスがはたらいているのかもしれない。

津田　言語の作用はどのくらい関与するんでしょうね。

松岡　ぼくの場合はまるまる言語ですけども、物理学でも生物学でも同じじゃないですか。シュレーディンガーが『生命とは何か』（岩波文庫）の中で「非周期性結晶」[10]と呼んだものは、物質から生命が生まれてくる橋掛りに見えた「翁」や「娘」に当たるものだし、デジタル計算機を考案したフォン・ノイマンが「セル・オートマトン」[11]と呼んだ数学モデルは、やはり橋掛りに出してみたかった「神」や「修羅」に当たるものだったんではないですか。そしてそれはいずれも「情報」が正体だったわけですよね。ただ、物理や生物では、そういう正体をあきらかにするための舞台が古典力学のフォーマットと量子力学のフォーマットだけですよね。発想はたいへん興味深いものでも、その実証と検証のためにずうっと同じフォーマットをボクシング・リングにしているのは、やや問題があるように思います。

津田　たしかにレフェリングもずっと同じままかもしれない。

松岡　そろそろ高次のリングがあってもいいように思うけれどね。

津田　そうかもしれない。

松岡　今後は理科系と文科系をまぜるようなフォーマットやリングが必要になっているんじゃないですか。そういう発想や構想のためのリングならそろそろ試してもいいように思いますよ。『断片と全体』や『全体性と内蔵秩序』を書いた量子力学者のデヴィッド・ボームは、「レオモード」（動詞変化を中心に記述する）という言語系を提案してましたね。ちなみに言語系の中にも高次な領域で磨き上がっていくものはいろいろありますから、発想と構想を磨くセンスをまぜまぜするというなら、言語で磨くセンスと科学で磨くセンスを代替可能にできるはずです。湯川さんや多田さんはそういうことを試していたような気がしますね。

津田　松岡さんが言う「エディティング」もその代替可能なセンスです。

松岡　ぼくのセンスはほとんどが「方法」のためのセンスですね。

津田　だからそこは命がけに近いものがある。ずうっとギリギリの言葉づかいに徹してこられていますよね。

松岡　まあ、はい、命がけです（笑）。だからそこは少々騒然とさせるし、慎重にもなる。また、それによって生まれるものは、予想外なもの、意外なものでもかまわないという覚悟を最初からしていますね。思いがけないものとの出会いがなによりも編集の目標ですから、それらは相補的な逸脱かもしれないし、根源的に未知なものかもしれないし、あるいは追憶させたいがための既知なるものの再生かもしれません。

「見え」の問題

松岡　ところで、津田さんもそうだと思うけれども、美しいものや勇気を奮ってくれるものをたくさん見ているでしょう。センスっていうのはカッコいいものをたくさん見てないとわからないよね。

津田　まったくそうですね。

松岡　ぼくは自分でオリジナルをつくれるなんて過信したことがないんです。すべてが『借りぐらしのアリエッティ』。だいたい「千夜千冊」[12]でこんなに本を読んでは紹介と感想を綴りつづけているというのが、借りぐらしの報告書みたいなものですよ（笑）。

津田　私たちも科学を勉強するときは、わからないなりにいろんなものを読んで、その科学者がどういうことをやったかを知っていきます。いつもどこかにマイヒーローみたいな存在がいて、別にそうなろうとは思わないんだけど、でもマイヒーローがいることで何かの思考のパターンを学ぶことができているような気がする。

松岡　ぼくにはヒーロー、ヒロインがわんさといる。神や仏や芸術作品にも大好きなヒーローとヒロインがいるし、大嫌いなものもある。美しいもの、格好いいもの、すごいもの、ヤバイもの、例外的なものはやっぱり観察することです。その場合、いったん自分の社会的立場や係累はさておくことですね。

津田　現代の科学研究者にとってそこが難しいのかもしれない。

松岡　ぼくのモットーはずっと「公私混同」と「えこ贔屓」です（笑）。いやいや、ほんとに。コンプライアンスにはすぐ引っかかる（笑）。

　もうひとつはね、真行草で見ることが大事です。楷書と行書と草書はそれぞれのよさがありますからね。フォーマルに仕上がったもの（つまり真）、通過点のもの（行）、カジュアルに仕上げたもの（草）は、それぞれのスタイルで鑑賞したほうがいいんです。子どもの絵に美術史をあてはめることはないし、フォーマルウェアをジーンズのように見分ける必要はない。スタティックに楷書のようにあらわすのと、ちょっと変体仮名を入れてくずすのと、懐素(13)のように奔放に書くのは、ちがうのです。

文章を書いているときも読むときも、われわれは実は書く状態や読む状態の定常性をあえてくずしてみたりしているんですね。それが書くときの「走り書き」や「メモ書き」にあらわれますが、読むときにも真行草が出てくる。たとえばドストエフスキーをかちかちに読んだときと、自分に当てはめて読んだときとでは、全然違う自分になった気がするんですよ。だから、たとえば犯罪者のようになった心持ちで読んでみたり、場合によっては「家族を失った者」という仮想の状態において読むようなこともやりますね。

津田　そうやって読んだことはないなあ。そうすると変わってきますか。

松岡　変わります。ぼくの場合はとくに編集屋として、この単語や文字列はゴシックになるか明朝になるか、あるいはルビになるか平仮名にするか、という細かいことにずっとつき合っているのでね。たとえば「なまめかしい」というふうに平仮名で書くのと、「艶」という字を持ってくるのとではまるで変わる。

それはセンスとともに、どういう「見え」がどのように起こるかというアピアランスの問題が大きいと思うんです。編集にとってもアピアランスというものはすごく重要で、どういう見えでそれをフィニッシュしたのか、逆に言うと、その見えを間違うと奥に行きすぎるとか、逆に基礎的なものになりすぎて、みんなに訴えたいことが伝わらないようなことがあるんですが、科学においてもアピアランスって大きいよね？

津田　たしかに。だからなぜカオスが深いところでわかってもらえないかというと、われわれも「見せ方」をまちがえているのかもしれない。カオスの現象がすごく陳腐なものになるか、ものすごく高尚になるか、そのどちらかにならざるをえないところがある。

松岡　それだけ高次なんです。

津田　一気に高次になっちゃうので、多くの人にとってはつらいんですよね。高次の次元までわかるには、一年ぐらいは勉強の時間が必要だと思います。だからだいたいの人はやらない。でも実際の科学においては、うまい見せ方ができたものは、かなり多くの人が興味を持って研究するようになるところがある。

たとえば超伝導（転移温度以下において電気抵抗が0になる現象）なんて、いろんな見せ方ができるんです。金属のような物質に磁束が入っていって磁化するといったような、物質の相（状態）が変わる「相転移現象」をくりこみ群できちんと説明できるということがあるんですが、その中でも「見え」が劇的に変わるのは超伝導状態への相転移がからむところですね。

松岡　ちょっと説明してもらえますか？

超伝導の「見え」

津田　超伝導体では、磁束は超伝導体の表面に垂直に入っていかないで平行になっちゃうんですね。つまり磁束は超伝導体の中には入らない。マイスナー効果といいます。そして磁束が入らないということは、磁石のようには磁気を持てない。だから、磁性体と超伝導体とは互いに相いれない存在であって、超伝導と磁性という二つの性質を持った物質はあり得ません。金属ならこれは正しい。しかし、この二つの相いれない性質を併せ持つ物質は存在するのだろうか。こういう見せ方をされると俄然、興味が湧いてくるわけです。なぜだ？　あるとしたらどんなものだ？　という気になる。

　最近は、有機物の超伝導体というものがあり、鉄系の超伝導体が作られたというんだけど[14]、鉄系は強磁性体になれる。にもかかわらず超伝導体だというので、これはまた革命がおきたかと思ったんです。超伝導体内部の磁束密度はゼロなわけですから、まったく相容れない二つの概念を一緒にできたのはすごいことだと思って話を聞いてみたら、いまの技術はすごくて、水素を動かしてあげることができるらしい。すると、強磁性体にしたり超伝導体にしたりできるので、水素の位置によって一つの物質の中で相容れなかった二つが共存できるんだというんですね。ただそれは、本来まったく物理的に違うものが完全に一緒になったわけではなくて、技術が介在することで共存可能になるということなんですが、これはこれで大事です。

松岡　訴えるものが大きいね。

津田　大きいでしょう？　そういう見え方がはやるかはやらないかは、次の世代の人たちがやるかやらないかにかかっているけれど、ものすごく大きい。

松岡　はやるはやらない以上に、感じる度合いが大きい。それはやっぱり大事なんですよ。ぼくは、科学というのは一義的なものに向かってもいいけれど、その「見え」は多義的であるべきだと思います。カッコいいものって両義的に見えるでしょう。ゴーストやデーモンとなると、多義的だ。やっぱりあるところで何かが両義的に、多義的に見える状態を残していくということは、科学においても文学においても芸術においても、暗示的なようなことでいて、実は根本的なことのように思うんですね。

茶事にはそのへんが配慮されています。たとえば志野《しの》や萩焼《はぎやき》の茶碗を仮にうまくつくれたとしても、「それ、飯茶碗と同じじゃないですか。ご飯食べましょう」とは言わない。わざわざ小さな茶室に招いて、躙口《にじりぐち》から入らせ、中を薄暗がりにしておいて、その茶碗をそっと出す。来たのは数人の客だけと、亭主とともにその「間合い」をたのしむ。しばらくその面影が温存されて残響している。半年ぐらいたってもう一回、同じ茶碗や似た茶碗が出されたときには、この「作分《さくぶん》」がまざまざと蘇るんですね。

深く思考する快感を求めて

松岡　この対談では、ポアンカレ、ローレンツ、マーなどの話がいろいろ出たけれども、これはさしずめわれわれ二人のお茶事だったんです（笑）。みなさんにはそこに相伴《しょうばん》いただいた。その残響の中で世界を語れる状態を、われわれ二人はなんとか「見え」にしたいと思ってきたわけです。これをオンラインやズームでやることは不可能ではないけれど、やはりずいぶん違ったものになるでしょうね。

津田　そこがツイッター問題なんです。ツイッターには茶事がない。あれは気軽だから流行った。気軽って、おもしろくないんです。思考力が動かない。思考の泳ぐ深さが浅いので、慣れると深みが消えていく。私はずっとそう思ってきた。思考を深くするにはやっぱりエネルギーを使いますからね。でも、慣れるとそれが快感になるから、そこをちょっと我慢して、ぐっと深いところまで考えることができたら、うんとおもしろくなるはずです。その快感を味わうことなくコミュニケーション文化が広まっていくと、どんどん劣化していくと思います。もともと神経ってそういうものです。

松岡　神経がそういうものですか。

津田　ええ。これは一応「脳科学者」として言わせてもらいますけど（笑）、神経は筋肉と同じです。ちょっと負荷をかけて、いまの自分よりもちょっと難しいことをやると、力を発揮するようになる。筋トレにしても、いまの自分の力より負荷をかけると、いったん壊れて超回復が励起されて筋力が上がるわけですね。神経細胞は壊れないけど、電気の通りがよくなることで、その能力が上がるんです。
だから深く思考することは、最初は大変なんだけど、それによって得られる快感は大きい。わからなかったことがわかるようになるとか、人がわからなかったことを突き詰めたとか、とにかく一歩深められたという実感は、なにものにも代えがたい。それを一つ二つ経験するから、研究者ってやめられなくなっちゃう。快感を一回味わうと、きっとまたあの快感がくるんじゃないかと思って、研究に没頭するんですね。何十年も快感が来ないまま終わることも多いわけですけれど（笑）。

松岡　わかりますよ、エンドルフィン出たぞってわかるよね。

津田　やっぱりツイッターの与える環境というか世界が負荷をかけないままやれるようになってしまっているのは、世界の装置としてはあまりにレベルが浅い。一つハードルを上げちゃうとみんなやらなくなるんでしょうけれど、趣味も安易に流れるとおもしろくないんですよ。

松岡　そう、それでは日曜画家になっちゃう。「世界の堂々たるわかりにくさ」というものを、少年少女のころに感じさせる必要がありますよ。

津田　そのとおりだと思います。

松岡　セミが好きでもバレーが好きでもいいんだけど、それは世界とこういうふうに関係があるよって言ってあげないとダメですよ。

第8章

「逸れていくもの」への関心

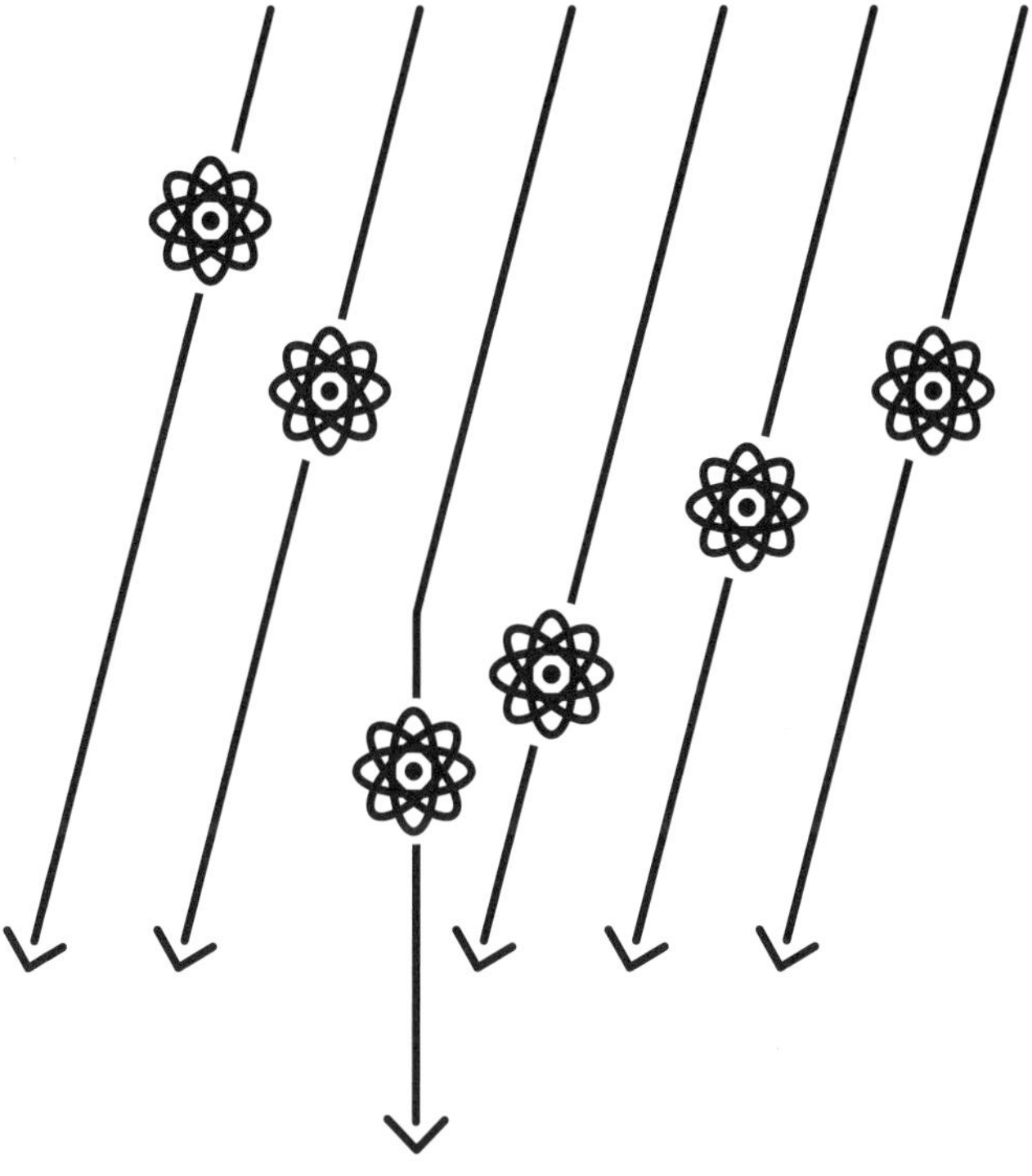

この対話が示している懸念

松岡　そろそろ大寄せですかね。そうなるにあたって、この対話の流れをぼくがミスリードして進めてきたのではないかということを惧《おそ》れるんですが、その懸念のことを少し話して、このあと、まだうまく話題にできなかったことについていろいろ言い交わしたいと思います。懸念は二つ、三つあります。

まず、そうとう陳腐な振り分けにすぎないだろう「理科系と文科系」というタームをつかって、数学を武器として科学的な思考をとても大事にしてきた津田さんと、いわば言葉を道具にして編集的な世界像をスケッチしようとしてきたぼくの立ち位置を、やや浮き彫りにしながら話をしたことなんですが、それでよかったのかどうかですね。それにぼくは意外に「らしさ」ということを重視しているんです。

津田　らしさ?

松岡　何々らしさの「らしさ」。「ぽい」の探求ということです。歌舞伎っぽい、病理っぽい、ビートルズっぽいというらしさです。フィーリングかな。フィーリングだけれど、「〜みたいな」というもの。漢字でいえば純然・陶然・愕然などの「然」ですか。昆虫然としているとか北欧然としているとか、社長然としているという、あの「然」です。直訳英語ならば likeness

というよりも plausibility ですかね。津田らしさ、松岡らしさです。

津田　それはどうですか。とうてい津田らしさが出ているとは思えませんけれど。

松岡　それはね、本人にはわかりにくいんです。でも「ものまね」がどのくらい似ていたかどうかと同じで、まわりはすぐわかる（笑）。

まあ、それはそれとして、二つ目の懸念は、ぼくは津田さんの理論的な組み立て方の独壇場をうまく引き出せてきただろうかということです。たとえば、この話はまだ出ていませんが、「カオスはカントール集合[1]をもっている」と津田さんが言ったとします。そこにはカントール集合はどういうことか、カオス・アトラクターの性質、その性質には「モチーフの中にモチーフがある」というようなフラクタル構造が出ていること、カオスはドライブする方向に情報を吐き出す傾向をもっているということ、それはわれわれの記憶と再生のしくみに似ていること、そのことを脳で担当しているのは海馬であること……といったことが、雲母のように薄皮のようにつらなっているのですが、これらのことは津田さんの本を読めばすべてちゃんと書いてあることではあるのだけれど、対話の途中にこのようなアイテムやフレーズが出てきたとき、ぼくはそこを補うつもりで話を進めただろうかという懸念があるんですね。

というのも津田さんの独得のセンスは、これらの一つの現象の断片から、あたかも考古学者が土器の断片から全容を復活させるように、カオス的世界像を語れるところにあるのですが、よけいな話を挟んでいると、津田さんはそのよけいな話の断片からでも全容を再生させようとするから、それを聞いたり読んだりする側からすると、かなりややこしくなるだろうからです。

津田　いやそこは、松岡さんには格別な配慮をしてもらって話せていると思います。

松岡　そうですか。ただぼくも津田さんのように断片と全容を自在に組み立てるのが大好きなほうなので、へたをすると津田さんの話をぼくが引き取りすぎるという懸念もあるんですね。だから本書が「津田一郎×松岡正剛」であるということは、二人の茶事とはいえ、それだけでかなりの危険な出来事なんです（笑）。

　で、三つ目の懸念が読者のことです。おそらくぼくと津田さんの対話はナマで聞いていると、かなり難度の高いキータームや人名が続出するので、その中身とスピードが理解を配慮したものになっていないと察するのですが、それが紙の上の文字になるというだけでいいのだろうかということです。なにしろここにはスノーの言う「二つの文化」が遠慮なく大交差しているので、たとえば熱力学第二法則をどのくらい説明しながら話をするかということを気遣っていません。ということは、本書は理科系の読者にも文科系の読者にも向けられていないながらも、その両方が愉しめるかどうかはあやしくて、けっこう乱暴にできている。といって、語彙解説や人名解説を入れるのはヤボだろうし、困ったもんです。この対話は文藝春秋の鳥嶋さんの差配によるもので、鳥嶋さんは解説力があるエディターシップの持ち主だから、「注」を入れてもらうのもいいかもしれませんけどね。

しかし、こうした懸念があるにせよ、われわれはこの対話を心待ちにしていたし、あまり気兼ねせずに話そうと決めたんです。というところで、ここからは大寄せです（笑）。

津田　こういう話までするとは思っていなかったので、ちょっとびっくりしています。でも、これが松岡さんのエディティング・フィルターなんですね。いろいろ参考になります。対談というのは真っ向勝負でぶつかるのもいいのですが、ぶつかるようでぶつからないで絡み合ってそれぞれの持っているものとは違う何かが表現できるのもいいのかなと思いますね。今回は、後者の対談になったのかなと。松岡さんの言語に対する独得なセンスと数学や物理的な思考で生命というものを見ている私のセンスがぶつかるのではなく近寄ったり離れたり、まるでカオス軌道のように運動して一体としてアトラクターを構成することができていたら、読者には何かを感じてもらえたかもしれないですね。できてなかったら……考えないことにします。

「先行した世界」に対する態度

松岡　さて津田さんは、中学校でユークリッドの『原論』に夢中になったという〝数学おませ〟なんだけれど、大阪大学や京都大学では物理を専攻して、とくにカオスの研究と脳の研究に向かい、その途中からあらためて数学にとりくんで、北大では多くの学生に数学を教えられた。『心はすべて数学である』とか『数学とはどんな学問か？』という斬新な著書もある。それらの本にも書かれていることですが、「数学は言語である」、あるいは「数学は意味の体系である」ということを、数学の大前提においていますよね。早めの時点からそうでしたか。

津田　いつごろからかはべつとして、それは、one と another という単語の関係に近いかもしれないと思っています。「自分」と「世間」の関係ですね。私は自分と他のものの間に横たわるギャップを、けっこう大きなものとして感じていて、つねに「他」を意識せざるをえなかったんですね。逆にいうと、自分を意識することはあまりなかった。むしろあまりにも他を意識していたというほうだったと思います。それは山の中を走っていても、動物が隣りにいても、同じ学年の人間がいてもそうだった。

脳科学をやっている者のほとんどは、自分のことを知りたいから脳科学に入りましたと言うんですが、私は自分を知りたいなんて一度も思ってないから、物理や数学に行った。むしろ世界を知りたいわけなのでね。ただ私がモデルをつくると、まわりから「これは津田さんの記憶モデルですね」なんて言われて、あ、そんなしょぼいものでしたか、と言わざるをえなくなるということがよくありました（笑）。

松岡　世間に違和感をもったんだ。それが自分に対する関心よりも、普遍性に対する関心に向かわせたんですね。いつごろですか。

津田　神戸にいたころだと思いますけど、なにか「外に対する怒り」があったんだと思う。それが「他」を意識する最初だったような気がします。まわりがおかしいという感覚が最初にあって、おかしくないものは何だろうと考えると、それは物理の対象としての自然、つまり宇宙であり、あとは抽象化した構造単位である数学だった。その二つが最も信頼できるものだった。だから「自分」にはあまり興味がないんだけど、自分が信頼できるものには興味があったわけです。それが私の場合は人間ではなかった。

松岡　人間も生物としての人間になった。

津田　もちろん親も世間的にはよくしてくれる。よくできた親だとは思うけど、けれどもそれは怒りや苛立ちの対象でしかないことが多かったですね。仲はよかったと思うけど、きっと難しい子だったんだろうと思います。

松岡　いじめを受けたとか親が理不尽だとかいうのではなくて、微妙な怒りや違和感なんでしょうね。微妙な違和感は大事です。ぼくは人間不信や世間に対する違和感が少なかったぶん、そこから学ぶものは足りなすぎてオトナを観察するのは退屈だったので、鉱物やオブジェや電気回路に関心が進んだんです。あとは読み物です。読み物の中の人間や社会はずっと痛快ですからね。

津田　それはありますよね。だから実際のオトナたちがあまりにもよくしてくれるのが嫌だったっていうのはあるかもしれない。そのせいか、いまだに褒められるのは得意じゃない。褒められるとどこか穴蔵に入りたいという気持ちになる（笑）。理由もなく褒めるってどういうことだろうと、子どもとしては思っていましたね。

松岡　天才の気質だな。

津田　そうかなぁ。

松岡　わずかな食い違いが大きく見える。

津田　すごく大きかったですね。

松岡　わずかな食い違いが大きいっていうことが、根本的な科学とか世界観とか、文芸観とか編集観に関係すると思います。ぼくは鉱物や昆虫やオブジェから始まりましたが、そのわずかな食い違いが仮説をつくり、道具使いに及び、俳句の微妙な表現力に対する共感になった。言語もそうだし、数学もそうなんじゃないのかな。そうすると、そういう感覚のなかで「無謬性」を求めたっていうこと？

津田　そうかもしれない。「嘘がない」というのは数学的な世界くらいしかないでしょう。

松岡　無謬性は気持ちが落ち着く？

津田　そりゃあ落ち着きますよ。一見矛盾しているように見えるものも一つの器に矛盾なく入れることができるわけだから。

感動を伝えるための世界観

松岡　ぼくの場合は、感動したものについて説明ができないという体験が大きかったんですね。たとえば修学旅行で瀬戸内海に行って、海に浮かぶ島々を見てあまりに美しいと思った。けれどもその感動を友達に言っても、まあそんなもんじゃないとかと言う。いやいや、あれはめちゃくちゃ美しかった、すごいよと感動を伝えようとするんだけれど、うまく説明できない。たいへん焦りました。一番の感動を日記や手紙に書こうと思ったら、書けないんですからね。そこで学校の通学路の途中にあった富士見町教会に行って、牧師さんならわかるだろうと聞いてみたら、嬉しそうに「神はいらっしゃいます」とか言われて、処置がない。次に鎌倉の寺（覚園寺）に行ってみたら、愉快な和尚はいたけれども、自分が感受したものをどうあらわしたらいいのかについては、これという答えをしてくれない。「あらわさないでいいのか」と尋ねると、それがいいと言う。

　ぼくはその後、仏教にはかなり傾倒するんですが、悟りを求めすぎて「あらわす」ということを封印するのはまずいと思ってきたんですね。しかし、そうこうしているうちに大きな問題が浮上してきた。それは「先行した世界」って何だろうということです。仏教は紀元前に始まって三、四世紀には大乗仏教が確立しているし、キリスト教もそのころからアウグスティヌスからトマス・アクィナスに向かって深い思索をするし、ギリシア哲学や諸子百家はもっと前でしょう。儀式や国家のかたちや職業分担なども、ほぼ先行した歴史のなかで用意してきたものです。哲学、文学、数学、科学、戦争、支配、侵略、搾取、金融、堕落、告白、美術表現、交響曲、消費爆発、みんな先行している。

こうなると、ぼくが瀬戸内海の光景に感動したことについて拱手傍観しているのは、ぼくが「先行する世界」から大事なことを学んでないからかもしれないと思うようになったんですね。

津田　うーん、なるほど。

松岡　しかし、これらは古代・中世の先行だけではないですね。近代や二〇世紀も先行していた。何が先行しているのかといったら、世界に関する解釈が先行しているんです。かなり焦りました。とくに二〇世紀の相対性理論と量子力学、分子生物学や文化人類学の先行がヤバイものでした。なかでも物理学と宇宙論ですね。ミンコフスキーの時空幾何学？　プランクの量子定数？　ヒルベルトの超数学？　ド・ジッターの模型宇宙？　マッハの等価原理？　アインシュタインの相対性理論？　ボーアの相補性？　シュレーディンガーの波動関数？　パウリの排他律？　デルブリュックのファージ？　ド・ブロイの物質波？　ジャコブの逆転写？　ディラックの反物質？　プリゴジンの散逸構造？　ボームのレオモード？　ハーケンのシナジェティクス？　何じゃこれはの連打ですよ。

これって「先行する世界」をさらに改変する見方じゃないか、まだもともとの「先行する世界」を点検できていないのに、さあどうするか。これでもっと焦りました。

　そこで片っ端から本を読むんですが、ときどき本人にもお伺いを立てに行った。湯川さんがその一人ですが、宇宙論関係の研究者にはHR図の林忠四郎《ちゅうしろう》、(2)宇宙線の早川幸男、電波天文学の森本雅樹さんたち、かなり会いに行きましたね。ファインマンやディラックにまで会いに行きましたからね。二〇世紀の科学こそ世界の解釈を大きく変えようとしているんだろうと思ったからです。ところが、そういう改変に手をつけるとどんな感動が起きるのかをいろいろと聞いてみると、湯川さんは答えを持っていたけれども、一〇人会ったうちの八人からは答えが返ってこない。これがぼくのスタートですね。だから、いまだにぼくはリクツとして正しいことを求めているわけではなくて、ジャンルを問わず感動を言いあらわせている世界観やシステム観や方法観にセンサーが動いていく。

津田　それらのことは青年期に入ってからのことですか。

松岡　とくに二〇代後半は広い渉猟の季節で、三〇代は質問と確認と示唆にセンサーを磨くことに徹してました。

津田　ちなみに湯川さん以外に、ほかに答えがあったのは？

松岡　ファインマン、建築家のバックミンスター・フラー、医療のルネ・デュボス、早くに

南部陽一郎
Betsy Devine https://commons.wikimedia.org/w/index.php?curid=4942053

亡くなったカール・セーガン[3]、免疫学の多田富雄さん、化石学の井尻正二[4]さん、クォークの南部陽一郎さんですね。とくに南部さんはすごかった。最も初期の自発的対称性の破れを考察して、例のヒッグス粒子を予測した量子力学者ですが、バネのような思索とゴムのような柔軟な発想をされる。のちにノーベル賞をとるディヴィッド・ポリッツァーがまだ若いときに一緒に南部さんと話したんですが、とても愉快でした。ちなみに、ぼくにとっての南部さんは、津田さんにとっては誰ですか？

津田　それは朝永（振一郎）さんですね。

松岡　朝永さんは科学がダンディ。湯川さんはひるまない。

津田　湯川さんは思考力が強い人。ナタで割り切ってしまうような。朝永さんは鮮やかに彫刻しているような、そんな印象です。

松岡　よく「量子力学を学ぶのに、トモナガを読むか、ディラックを読むか」って言い方をしますが、あれはどういうことですか？

津田　朝永さんのほうが物理世界をヴィヴィッドに描いているんです。もちろんディラックの本は数学的に書かれているので、数学が好きな人はディラックの説明の方がアタマに入ると思うんですけど、不思議なのは日本だと朝永さんよりディラックを読む人が多い。でもイギリスでは朝永さんが読まれている。この差が科学の差として出ているんじゃないかという気もする（笑）。自分の国のテキストを読んでいないというのはどちらも同じなんだけど、きっとイギリス人は教育上、理由があって朝永さんのテキストを選んでいるんだと思うんですね。

ディラックのテキストは数学的にすっきり書かれているので、数学が得意な人にはやさしいけど、そうでない人には形式的で難しく感じられる。物理学のセンスとは無縁で、数学が得意かどうかによるわけです。一方で、朝永さんの本は物理のセンスが身に着くように書かれているんですね。勉強のしやすさでいえばディラックの方だと思うんですが、でも勉強するのにはスッキリしない状況を持ち続けていく粘り強さが大事なので、そういう意味では飽きさせずに、難しいところ、不思議なところがうまく書いてある朝永さんのテキストがいい。何とも言えないセンスのよさがある。

松岡　ディラックに会いに行ったときは、もう高齢になっていたせいか、クジラの話ばかりしてましたね（笑）。

「わずかな情報」と全容との関係

津田　さて、松岡さんが「先行する世界」に関心をもち、その改変にかかわる方法を編集工学的な世界観にしていった流れが、かなり見えてきました。その背景を少し示してほしいのですが、何か少年期からの直観があったのですか。

松岡　幼少期は京都にいるんですが、そこでは「小さな自然」みたいなものを感じていたんだと思います。昭和一九年の一月生まれですから、そのころは京都も戦火に遭うかもしれないといって、疎開をしたり、父は東京に仕事場をつくって、われわれを鵠沼《くげぬま》（神奈川県）などに遠ざけていました。だから京都と東京と疎開地との移動中の騒然とした汽車が原体験に入っているのですが、一言でいえば物資欠乏の真っ只中だから、ちょっとでも出会ったものに夢中になるしかなかったですね。見逃しちゃもったいないと思っていましたね。

そのことと関係しているかどうか、そのころは見ちゃいけないと言われているものを見るにはどうしたらいいかということをずっと考えていた。たとえば母がぼくの手を引いて雑踏を歩いていると、「正剛、よそ見しちゃいかんよ、ちゃんと前向いて歩きなさい」と言う。学校に行くと「前向いて授業を聞きなさい」と言われる。だけど窓の外で何かが起こっていそうだとか、夜店にきらきらした花火が置いてあるとか、気になるんですね。

そういうちらっとしか見なかったものは、夜に布団に入ってからいろいろ気になってきます。

幻想も妄想もふくらむ。それらは夾雑物のように出入りしているものなのに、いつも関心が向く。このことがぼくの少年期を形づくっていたんじゃないかと思います。正対してない世界が気になるんですね。ちらっと見ても残るものは何だろう、それは「世界の片鱗」ではないかと思っていましたね。ちょっとだけ来臨があることとか、リーンリーンと鳴って音が消えた電話の向こう側に何があるのかとか、捕まえそこねたセミの飛んでいった先とか、そういうことに集中した意識が向かう。

当然、想像力や妄想力がたくましくなるわけですが、このことが本を読んでいるときの読み方をつくっていったように思います。よく「行間を読む」というけれど、そうではなくて、ざあっと読んでいくなかであっちこっちへ飛んでいく意味のカケラを捕捉することができるようになる。ふつうはそれは気が散るということになるのに、そうではなくて気が散る状態を加速させていくほうが、細部と全容の関係に関する精度が上がっていく。

津田　よくわかります。

松岡　こういうわずかな来訪感、片鱗の到来、あるいは全貌を持てないで向こうからノッキングしているような世界の告知に、異様な関心があったんですね。だからこう言うと誤解されるかもしれないけれど、シュレーディンガー方程式を詳しく説明したり使えるようにしたりするより、方程式が飛び散らせる飛沫に敏感になるほうなんです。それを最初に感じたのはシュワルツシルトの重力半径[5]を示す方程式の解法ですね。

これは、なんか特別な才能と思われるかもしれないけれど、そうでなくて、誰もがいろいろな場面で感得していることです。たとえば何かの絵を見て、その細部をおぼえるというより、そのイメージの蓋然的本質が摑まえられるということがありますね。カンディンスキーやダリの絵を見て、それを再生しろと言われたらできないけれど、そのガイスト（精神、魂）や蓋然性はわかる。ファッションもそうですね。自分で着てみろと言われてもできないけれど、そのファッションがその人に似合っているかどうかはすぐわかる。これはさきほど言った「らしさ」の存在学とでもいうもので、誰にでも出入りしていることなんです。

このように考えると、ぼくは「二つの文化」が分断していたり対立しているのではなくて、互いの専門領域の読み方を相手に押し付けてきたことのほうが問題だったのではないかと思いますね。カンディンスキーやダリの絵の専門的な説明が美術畑ではない鑑賞者にできないからといって、そこを咎めてばかりいてはダメなんですよ。むしろ自然科学者は人文科学者の中に飛び散っているものに注目し、文科系は文科系で「理科の雫《しずく》」をいろいろ感じているはずのことを告白したほうがいい。そういう両方の香ばしさをうまく随筆にしてみせたのは、なんといっても寺田寅彦でしたね。

津田　岡潔もそういうところがある。ああいう人たちが少なくなった。

松岡　かつて中央公論社の科学雑誌「自然」に高橋秀俊[6]さんたちの「ロゲルギスト・エッセイ」があったでしょう。あのへんまでは、その香ばしさが残響してましたね。

津田　私も愛読者でした。その後の単行本で全部読みました。高校の物理の先生が勧めてくれたんですね。

松岡　「物理の散歩道」というシリーズとして単行本になった。

津田　岡潔さんのエッセイも香ばしい。

松岡　ほんとにそうでしたね。「春泥《しゅんでい》を数学したい」と言いながら自然数の説明をするんですから、たまらない（笑）。シェイクスピアの『マクベス』に、舞台空間からトントンと門をノックする音が聞こえてきて、何者かと問うシーンがありますね。音の主はわからないけれども、『マクベス』の全容にかかわる「主のない音」です。世界をあらわす主には、そういうものがいっぱいあるはずなんですよ。隠れた変数のようなね。寺田寅彦や岡潔や湯川さんは、そういう「関係の取り結び」の気配に耳を澄まし、目を凝らしていたんでしょうね。

結局ぼくも、そういうものに少年のころから関心があって、のちには「脇見の存在学」といったエッセイを綴るんですが、それは脳の中のネットワークを励起させるにはけっこう大事なことだと思いますね。

「逸れていくもの」への関心

松岡　実際にも、耳を澄ますとか目を凝らすというのは、どこかから入ってきて通り過ぎていくものに注意深くなることですから、自分が多感な観測装置になるようなもので、仮にうまくいかなくとも、その「うまくいかなさ」が哲学や科学に貢献するはずなんです。でも、そういう体験はたいていちょっとしかないから、自分の小さな世界観のどこに置いていいかがわからない。ぼくの場合は、そうだからこそ、その「隙間が持っている世界観」そのものに向かうことになったわけです。

津田　とてもおもしろい。

松岡　こうしてみると、二人ともかなり似たものに関心を寄せてきたということになるね。二人が出会ってまもなくエピクロスの偏倚原子の話題で意気投合したというのは、ふりかえってもたいそう象徴的だったんだ。

津田　うん、そう思う。そもそもカオスの軌道不安定性はまさにエピクロスの偏倚そのものに見えてしまう。

松岡　お互いに「逸れていくもの」に関心がある。これは何だろうね。すごく憧れて感動したものは、わずかな到来を感じさせたものばかり。これは根源的非線形性というものかしら。

津田　視覚でいうと周辺視をどう捉えるかということですよね。われわれは中心視で見ているときには、周辺がたいていぼやっとしています。このときは中心視のところに意識的なアテンションがあるけれど、実は周辺視でも内的なアテンションをかけている。何かを凝視するときには、固視微動といって眼球は微細に動く。凝視をしていると止まっているように思われる眼球も実は運動をやめていない。たえずランダムに動いていて、三種類あると言われているその動きのなかで、マイクロサッカードがおこっているんですね。

　ふつう、われわれは眼球を大きく動かして対象を見ています。あるところを見ていると、次に急に別のところに視点が移る。この急速な眼球運動をサッカードといっているのですが、中心を凝視しているときにもサッカードが起きているわけです。最近、このマイクロサッカードと注意の状態が関係していることが発見されて話題になっています[7]。さらに対象が動くと、サッカードではなくて、眼は連続的にその動きを追っていく。スムースパシュートという動きで、これまたたえず起きている。

　というわけで、われわれが一点を凝視しているときでも、実は「心のダイナミクス」はマイクロサッカードにあらわれているんです。周辺視からも情報は入っていて、興味のありそうなところを内的にサーチしている。他方、マイクロサッカードによって、すでに次に視線を向けるべきところを見ている。そして、それが意識に上り、サッカードが起こる。しかし、その意識は周辺視とマイクロサッカードですでに作られている。入れ子になっているんですね。

松岡　いいねえ。

津田　それは、いま言ったように意識の動きとものすごく関係があります。

松岡　それこそが意識だといってもいい。その中心と周辺を行ったり来たりしているものこそ、意識のトリガーあるいはカーソルの正体かもしれない。

津田　そうそう、そうです。周辺視で、次にどこにアテンションをかけるかが、どうやって決まるのかということですね。工学系では、そこで何か情報処理をしていて、その情報処理によってマイクロサッカードにあらわれると説明するけど、もっと先行的に、なにがしかのものがあるはずです。それは志向性とかなんらかの意図だとか、それらが契機となった意識でしょう。

いま伺ってきた松岡さんの場合は、そういう瞬間的なもの、遷移的なものに興味があるので、それが松岡さんの意識を形づくっていることになる。すると、周辺視の中でつねにアテンションをかけられる場所が決まるんです。それはマイクロサッカードにあらわれていて、現象として見たらマイクロサッカードでそうなっているからだろうと因果的説明をつけたがるんだけど、もうあらかじめ決まっていると考えたほうがいいように思います。その意識のあらわれは、「サッカード」と「マイクロサッカード」の関係のように、何かを動かし、世界の中の何かが動くことで脳内に意味が発生するところから始まるし、そこには大脳辺縁系で生み出される志向性が先行している。マイクロサッカードを動かす方向がそこで決まる。こういった非因果的な関係の中に意識があらかじめ出ているのだという仮説が、きっと重要なものになってくるんだと思いますね。

杉浦康平のデザイン

松岡　さきほどの話にも出しましたが、内科医のフォン・ヴァイツゼッカーは、それを「ゲシュタルトクライス」と言っていますね。人間の知覚には円環状のプレ認知構造がビルトインされているという変わった仮説です。たとえば、何かを書いているときに目の前を横切る猫の動きを目に入れると、その「からみあい」で思考が誘発されるというふうに説明している。いわば「注意のカーソル」が動いたときに動態認知が励起されるということでしょう。

　私たちは作業とともに認知を手に入れているんだけれども、前にも言いましたが、われわれの知覚の中には極小の「回転扉」のようなものがあって、こちらから向こうに行こうとすると、向こうから何かが入ってくるんですね。しかし作業に注意が向いて持続的な知覚が継続すると、知覚がトーンダウンして、その知覚の動向に注意が向くと、作業に注意が向かなくなる。というふうに、知覚と作業の間の「回転扉」のようなものがくるりと動く。それは言ってみればサッカードとマイクロサッカードみたいなもので、それがあるからこそわれわれの認知が敏感になっているという考え方なんですが、かなり当たっていると思います。ぼくの知り合いではデザイナーの杉浦康平さんがずっとその考え方をとっていた。

津田　格別なグラフィックデザイナーですね。

松岡　杉浦さんは極度の近視で乱視だったので、たとえば月は一つではなくていつも九つに見えると言う。だから、定位的に見ようとすると、九つの月を一回寄せて集めて見ないといけない。デザインとはそれを定形化することだけども、杉浦さんは逆に定形化するデザインの中でマイクロサッカードのような見え方に戻したほうがいいということを案出したんです。

たとえば雑誌をデザインするとき、本文の文字を七級で四色掛けにしておく。四色掛け合わせは印刷では黒になるんですが、あまりに細かい色指定だから、ページ全体の文字のすべて均等な掛け合わせの黒にはなりにくい。けれどもこのデザイン指定によって、越えられないものが出ることによって、普通の黒以上に四色掛け合わせが立体めいてくるんですね。あるいはマゼンタとシアンとイエローで三色掛け合わせの網点をいかして、微妙な「ずれ」を見せていく。網点の中は、実際には細かくばらばらの色彩があるわけですが、人間の視知覚の波長からすると、それが青や黄色のある特定の色に見えたりする。でも、実際にはこの製版プロセスの中にはノイズが含まれているのに、それを見ているわれわれにはスパースコーディングが起きているので、逆にそのスパースコーディングをマイクロ状態でいくつも作ることがグラフィックデザインの挑戦だ、というふうに杉浦さんはしたわけです。

杉浦さんのデザインにはたいていこういう視知覚を励起させるスパースコーディングが試みられている。ぼくは二〇代の前半にそういう杉浦さんにたいへん刺激を受けて、これを表現活動にも編集作業にも活かしたいと思ってきたんです。

津田　たとえば？

松岡　文中のヘッドライン（中見出し）をつくるとして、この作業には三つのちょっとした配慮が必要になります。一つはその節やパラグラフの内容を要約すること、二つ目はその要約した言葉が視覚的にも意味的にも立ち上がってくること、つまりは読者がその短い言葉に刺激を受けるようにすること、三つ目には他の中見出しとの関係の流れをつくること、楽曲でいえばコード進行のようなものが律動するようにすること、だいたいはこの三つです。これらを案配する。ひとつだけ突起したヘッドラインをつけても固定看板になるか、野次馬のように暴れるだけですからね。

見出しづくりは、言葉の並びに気合をこめるのは当然ですが、俯瞰的な判断も必要なんです。本を「読む」という行為は知覚生理的には「目が文字を追う行為」ですが、そのアイスキャニング・スピードには限界や戸惑いがあるし、行を追う疲労もあるし、慣れもおこります。読書が苦手な人たちにはこれが辛い。かつ「読む」とはその「目が文字を追う行為」を通して、そこに「意味が出入りする行為」でもあるので、認識が立体的になる行為です。編集の仕事はその両方の行為をいろいろ橋渡しする。エディトリアルデザインもそこに介入する。

というわけで、文中に配置され、ときに文中に埋没しかねないヘッドラインではあれ、そこには杉浦さんのエディトリアルデザインに似て、編集空間的なコンフィギュレーションをする必要もあるんですね。そうすることによって多義的な意味空間を現出させるわけです。そのためには同じ調子の言葉づかいをしない。たとえば古代仏教の歴史を追っている文章に、たんに「飛鳥の仏教」「白鳳の仏教」「奈良の仏教」というふうにするんではなく「飛鳥の氏族の仏教」「白鳳の微笑する仏像」「南都の大寺の仏法」というふうにする。そのほうが意味空間が立ち上がる。「飛鳥・白鳳・奈良」に「仏教・仏像・仏法」という書物を着せるんですね。

それとともに見出しの文字の大きさが14級だとか16級だとすると、それよりうんと小さな文字の表情にもなんらかの動向をつくっておくような配慮もします。たとえば「存在の彼方へ」という中見出しを付けるとして、その存在という二文字に「プラトン」というルビをつけておくとか、そういう文字の大きさによる相対性も配慮する。

本棚も編集空間

津田　なるほど、そういうことですか。実は私が去年初めてこの赤堤（東京都世田谷区）の編集工学研究所の「本楼《ほんろう》」に来たときに、空間のつくり方がすごくいいなあと思ったんですね。

本楼

角川武蔵野ミュージアム　EDIT TOWN「ブックストリート」

本の配置が刺激的で、本棚の並びにさまざまな表情がある。しかもちょっと目を向けるとそこの一冊が飛び出てくる。意味が見える。無造作に置いてないなと思いました。至るところにヘッドラインのような仕掛けがある。いろいろ仕掛けられているでしょう？

松岡　本棚はぼくの編集空間の代表的な事例ですからね。

津田　この空間にはすでに松岡さんのある種の物語が何重にも入っていて、ここに来た人はその何かを周辺視で感じるんだと思う。だから、ぼうっと見ているようでいて、実はこっちもぼうっと見てなくて周辺視がしっかりかりしてくる。そこが刺激的なんだと思いますね。周辺視のところでしっかり捉えられていれば、次の瞬間にぱっとアテンションを向けることができるので、やっぱり周辺視にものすごく情報があるんです。

松岡　この本楼には二万冊ほどの日本関連の本が配列されているんですが、当然「かたまり」や「片寄り」や「カスケード」や「平均化」がアドレスされています。一つのまとまりはだいたい二〇冊とか五〇冊の単位です。集合知じゃないけれども、あのへんに室町時代の本、あのへんが外国と日本の関係の本、あのへんが仏教各派の本、あのへんは漱石と川端と三島が突起している棚というふうになっている。でもその二〇冊や五〇冊が立ち上がってくるには、背景的周辺に数千冊くらいずつの動向が必要なんですね。本棚の「意味のかたまり」にも臨界値がどこかで出入りしているんだと思う。

津田　それは非常に重要なポイントですね。これは「相転移」と同じで、ようするに物質の量が大きくないといけないというのは確かなんです。物質量が大きいと、ものの性質がワンパラメータで変化する臨界値があって、それよりも高いか低いかによって性質が変わってくる。だから、そうなるクリティカル・マスっていうのはいくらなのか、物理学者もちゃんと答えなきゃいけない。

松岡　視覚におけるマイクロサッカードに近いことは、聴覚にも皮膚感覚にもあるんでしょうね。どこかあのあたりで変な音がしているなというような立体的な感覚も含めて、それはサッカードというかどうかわからないけども、すぐ認知できる。それも痙攣的という意味では突起的です。アンドレ・ブルトンは「美は痙攣的である」ということを『狂気の愛』の冒頭近くと『ナジャ』の最後にも書くんだけれども、それに近いものがあるような気がする。

津田　マイクロサッカードの心的意味の発見でおもしろいことのひとつに、マイクロサッカードはものすごく細かいパターンなので、いわゆるディープラーニングを使ってＡＩにそのパターン認識をさせるとそこそこの特徴抽出ができて、ここにアテンションをかけるときはこういう特徴があるかもしれないという対応関係がわかってきたことですね。

松岡　ディープラーニングは膨大な量のデータでやるんだから、もっとうまく使えばいいのにね。ビッグデータ分析って、まだまだかったるい。

津田　使い方次第です。ＡＩはそれ自体が知能を持っているわけではないので。

松岡　考古学者は大量の出土品や発掘品に出会いますが、その作業をしているとかなり高度な臨界感覚が磨かれてくるといいますね。データ・アナリシスにはまだそのへんのキャリブレーション（熟練）が欠けている。イシス編集学校は医療関係のメンバーが多くて、そのなかには病理医もいるんですが、病理医もたくさんの発症を見ていると、そのガンの個性まで見えてくるらしい。

第9章

意識は数式で書けるのか

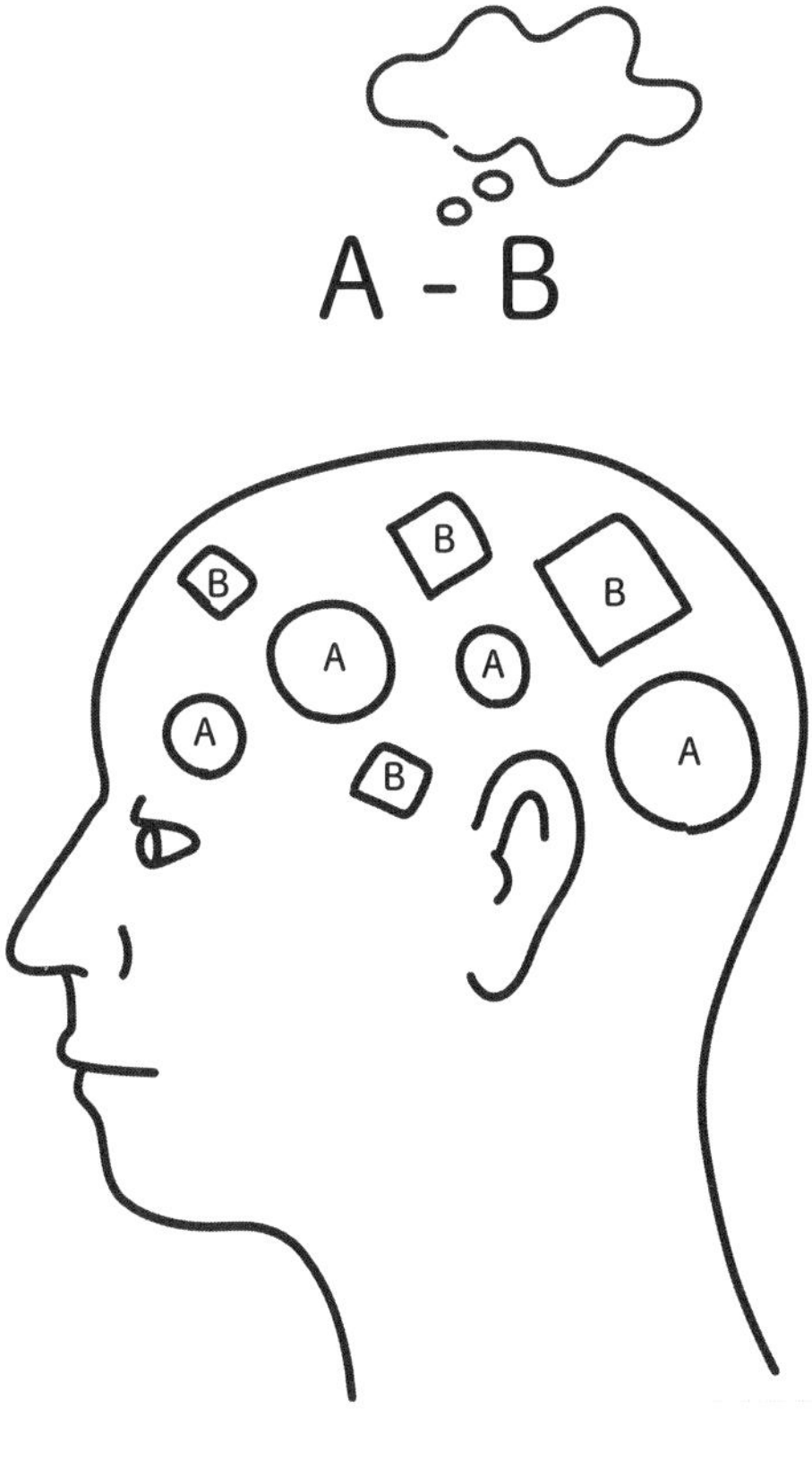

「まれな現象」を感知できる意識

津田　これからいちばん課題になるのは、ビッグデータがないときにどうするかです。ディープラーニングの効果が出るにはビッグデータがあって、学習機会をどんどんふやしていけば、ある程度はいい特徴抽出になるんだけども、問題はデータが少数のときどうするか。たまにしか起きないまれな現象をわれわれは予測できるかというと、まだできない。

松岡　そちらの方がセンスが大事だよね。

津田　私は、そこに意識の問題に関係するものがあると睨んでいるんです。

松岡　意識？　ありうるね。それは「少ない」とか「逸れてる」とか「ちょっと先っぽ」といったことが関与しているからです。とくにスケアシティ（希少性）というものが何かをアピールしてるんですよ。そもそも何かが希少であるということにも理由があるはずで、その希少性を意味としてどう扱うか。いわば一羽のみにくいアヒルの子のような存在が、その集団や組織や集合性の何かを示している可能性がある。一万羽のアヒル全部のデータがなくても、一羽のみにくいアヒルの子があることがときに重要なんです。

津田　それを数学的に定式化しようと、いままさに無謀なことをやっている。

松岡　ほう、どういうものですか。それは聞きたい。

津田　概略を言いますと、ある空間があって、その状態空間の中にある初期値を入れるとすっと軌道が入るんですね。で、どこかに不安定領域がある。その近くを通るとすごいイベントが起きるんだけど、近くを通らなければイベントは起きず、空間の中をぐるぐる回っているだけになる。不安定領域を通る軌道の初期値はきわめてめずらしいんです。つまりその不安定領域にいく軌道はめったにないから、不安定領域の近傍を通るような初期値集合は少ない。数学でいうと、メジャー・ゼロ（測度ゼロ）か、きわめて小さいメジャー（測度）である初期値集合のうえだけで起きるイベントは、基本的に「まれな現象」であるわけです[1]。

　そういう現象がメジャー・ゼロではなく、小さくない有限のサイズの初期値集合で起こるとすると、それは「まれ」とは言わない。初期値集合を削っていってメジャー・ゼロにしていくプロセスが、通常の意識的な活動を無意識のレベルに落としていくプロセスになる。かくて、残ったスカスカの状態が「意識のあらわれ」になるわけです。

松岡　うんうん。

津田　本当は削ったところ、つまり「A－B」（AマイナスB）の「－B」こそが「意識」なんですけど、削っていった先に残った「A－B」も、ある種の意識だと思うんですね。すると、最後に残ったぎりぎりの意識のところで感知できるものが、まれな現象になるんです。

希少な現象はまれにしか起きないから「まれ」なわけですけれど、そういう希少な現象を当たり前のように感知できる意識は必ず存在するはずで、その上に乗っかれば、いつ地震がくるだろう、いつ噴火するだろうということも予測できるはずなんです。つまり「まれ現象」を感知できる意識をどう持つかが問題である。

少し体験的な話になりますが、クロスカントリースキーをやっていて、滑りのコツを会得した瞬間の感覚はそれに近いものがあるという実感をもったことがあるんですね。スキーをしているときは意識を雪の上に残しているんだけど、最後の最後に残ったスカスカの集合の上にだけ意識を保つことができた。それまでずっとできなかったことができたんだけれど、でも逆に、普通にできていたことができなくなっていたんです。

なぜこんなにヘタになったのかというのが不思議で、結局は勘をとりもどすのに三年かかってしまった。要《かなめ》となるのは単に足の置き方なんですが、その置き方の何かが悪くてできないようになっちゃったんですね。逆に言うと、変な意識を取って、いい意識だけ残すための確立した方法はないということでしょうね。しかし、そうか、こういう意識の置き方ができるんだと、身体性とメンタルなものがぴたっと一致した感覚があった。でも、それこそまれな現象なわけです。

松岡　なるほど。ぼくの例で返しましょうか。ぼくがずっと本を読み続けているのはなぜかというと、本を読むときにはスキーでいうとゲレンデのある軌道にいつも入るわけだけど、その入り方は毎回違っていて、毎回「少しだけ異なった軌道」を探りつづけているためなんですね。最初の入りはアンデルセンだったりドストエフスキーだったり松本清張だったり、アインシュタインだったり湯川さんだったり津田さんだったりする。だけど、書き手が考えていることを常にベストコンディションで読むなんてことは読書においてはたいてい不可能なことなので、どこかでずれが起きたり、追いつかなかったり、勘違いをしたりします。そういうとき、そのまま頑張って読み続ける人が多いんでしょうけど、それだとぼくの場合は読んだ立体感みたいなものが残らないので、再生ができなくなってしまう。だから読みながら軌道を少し変えるんです。

　たとえばニーチェやホワイトヘッドを読んでいるときに追いつかなくなると、読書スキーはぎこちなくなる。だから、あえて途中でハイデガーを入れるとか、コナン・ドイルを入れるとか、別な本をそこに介入させることで軌道を修正してもう一回ニーチェに入るというようなことをする。あるレベルの実感をもってあちこち行ったり来たりするんですね。どこが特異点なのか不安定領域なのかはわからないんだけども、読中の「ちぐはぐ」をあえていかして、そのうえでもう一度「読み」に向かうわけです。

そういう意味では、ある安定的な領域で読解力や解釈や認知が快調に進むのではなくて、ゲレンデの違いや軌跡のずれみたいなものを入れながら、読む。そこからone-anotherという関係が引っ張りあいを起こしはじめて、なにかの略図的世界観に達する。そんなふうに言うと大げさだけども、いわばそれが「世界観の破れ目」を感知できるということになっているんだろうと思いますね。

津田　そうか、頭の中にそういうネットワークをつくっちゃうんですね。

松岡　暫定的に、かつ動的につくりますね。とくにぼくはそれぞれ別のスコアになっているものを相互に行き来させる状態から思索をするという組み立てをやっています。

それができないときは、あえて物理的に移動してみたりするわけです。自分の身体知だけで本が読み通せない場合には、たとえば電車に乗ってみることで別の速度にキャリングしてもらって、その中で読んでみたりする。パスカル読みがどうもイマイチだなと思ったときは、二冊の翻訳ものを同時に横目で見ながら、新幹線の静岡を越えるあたりから一気に読みだすというふうなことをしてみた。これについては「千夜千冊」の『パンセ』のところで書きました。「千夜千冊エディション」の『本から本へ』（角川ソフィア文庫）に入っています。

津田　読んでみます。

松岡　さっき音読と黙読の話をしましたが、これは内語と外語のありかたにも関係しています。結論だけいえば、言語にまつわる知覚や認知は意識のスピードとおおいに関係してくるんですよ。もともと言語はある速度でしかコントロールできません。たとえばいま、ぼくのしゃべり方を三倍にしろと言われても無理なわけです。ページの中の文字の群れを追いかけているときにも、黙読だと音読よりはかなりスピードが上がるけれど、やっぱり限界がある。そうすると何がおこるかというと内語と外語にズレがおこる。これが実は大事なんですね。

このことについては三〇歳前後のときからいろいろ実験をしてました。いったい自分は内語と外語でどんな相対速度をもっているんだろうかということが気になった。

津田　どういうことをするんですか。

松岡　仕事場からアパートに帰る道で、歩きながらアタマの中で何かをぶつぶつさせるんですね。たとえばベートーベンの交響曲のことを考えるとか、広重の五十三次の絵を次々に想起するとか、そういうことをする。それと同時に、その道を歩いていると目に入ってくるものや、向こうから自転車がやってきたりするんで、そのことを小声で内部実況するんですね。これ、難しそうに思うかもしれないけれど、少し慣れれば誰でもできます。誰かと一緒に町を歩きながら話すとか、クルマを運転しながら外のトラフィックを気にしながら車内の友人と話すとか、みんなやっていることです。ただ、そういうときに自分が二つ以上の言葉にかかわっていて、そのうちの何が内語で何が外語かという観察はやらない。ぼくはそれを試みる。

同じ道を夜遅く帰るときは人っ子一人いないから、同じことを目をつぶって試したり、外からの刺激を植木の緑やモクレンやコブシの花とかの匂いに絞って感じながらやってみたりもした。これに似たことを読書でもやるんですね。その本を黙読しているときに内容が進行していることと、ぼくの内語が動いていることを、同時に観察する。それによって、いわば「意味」を浮き上がらせる。

津田　そこまで試みられていた。われわれ科学者はどうしても、もっとパターン化していますね。松岡さんのようにたえず実験している感じはない。ある程度集中して考えますが、そのあとは思考が受動的状態に入っていることが多い。科学には学問の体系があり、ある程度はすでに方法論があって、そこに自分なりのものを付け加えるだけなのでね。そういう意味では松岡さんの編集の仕方とはちょっと違うかもしれない。

松岡　科学には厳密な検証の方法はあるけれど、それをどう解釈するかという冒険性は総じて薄すぎるような気がします。パラダイムに依拠しすぎるところも、気になる。いろいろの科学者たちと出会ったり、著書を読んできましたが、そこはちょっともったいない。とくに科学的思考と言語的思考が分断されすぎている気がします。津田さんは、めずらしくそこがつながっているけれど、それは津田さんにそれだけの複雑系に関する思考の仕組みがあるからでしょうね。だから、さきほど少し話された「意識の数学」のような試みも出てくるんだろうと思う。

津田　意識の数学。そうかもしれない。

松岡　津田さんの話を聞いていると、意識は計算しているということがよくわかります。意識が計算しているのか、意識にまつわるブラウザーが計算しているのかはわからないけれど、かわるがわる入れ替わるサッカードとは違って、意識のブラウザーがミクロとマクロを切り替えていくところを見ているんですよね。定常的なブラウザーがなにかをモニタリングしつづけているのではなくて、つねに変えている。何をどう変えているのかは感知しにくいんだけど、ただ感覚的に、この程度のスピードで変わっているんだろうとは感じる。ぼくはそれを言語や思索、表現や映像に置きかえるにはどうしたらいいかを考えますね。

「意識の捨て方」の仮説をめぐる

津田　脳の問題としていうと、意識というのは、どこにどうあるというものではないんですが、前頭葉まで感覚刺激が入ってきてもとに戻ることが意識化に大事だという説もあれば、脳の正中線という左右を分けている真ん中の内側のところにあるのだという説もある。それは自動車事故で意識不明の状態になった人が回復してくるプロセスを見ると、そのあたりがだんだん活性化してくる事例が見られるからです。でももうちょっと抽象的にいうと、やっぱり意識って「抑制」だと思うんですね。「引き算」で引く部分ですね。

松岡　さっきの「捨てていく」ところね。

津田　そう、捨てていくところ。「A－B」の「－B」こそが本来は意識なので、現象としてはそれほど目に見えないはずです。もちろんわれわれはいまも意識的に何かをやっていますが、それは本来残るものでもないし、届くものでもない。ときどき何かに見えたり、観測にかかることはあるけども、基本的には差っ引いている部分が意識だから見えないんです。どちらかといえば意識よりも、むしろ無意識のほうにいろんなものがたまっているはずで、いちばん単純なのは身体運動ですね。でも本当は、身体運動ではないものに、どういう無意識の構造があるのかを知らなきゃいけないと思うんです。

松岡　それについてはまだ仮説が少ないよね。

津田　意識をどう捨てていったのか、その捨て方が問題なわけです。捨て方も何らかの構造を持っているはずで、それがうまく構造化されていれば、無意識がまた意識化されていく部分があって、その往還がうまく繰り返されていくと、最後に残った意識の部分がおそらく次の意識をとらえるべき核になるということが見えるはずです。それができないあいだはゼロ集合で不安定なので、踏み外しちゃうことが多いんだと思うんですね。だから、一見捨てたかに見えるものの構造と、それがもう一回意識化されていく過程こそを知りたい。

松岡　とても大事な見方を示唆してますね。意識と無意識のあいだの仮説をつくるためのと、ば口は、二つあると思う。

　ひとつはおそらく夢、あるいは睡眠中の意識のふるまいでしょうね。もうひとつは忘却とか、思い出せない、想起できない、再生しにくいという状態。覚醒時にも忘却していることは往々にしてあって、あのときあんなに夢中になったソフトボールのメンバーが思い出せないとか、何か意識に残したもの以外が「隠れた状態」になっていたりするものです。

　意識と無意識のあいだにはこの「睡眠状態」と「忘却状態」があるんだけれども、これを組み立てていく仮説がそうとうに足りない。そして、もう一つ足りないのは「意識の捨て方」についての仮説、いわば「ほったらかしにしておく仮説」です。認知科学のダニエル・デネットなどが出している仮説は、意識はつねに編集ドラフトをいくつも書いていて、行動と環境の刺激、相手の対面性によって、そのうちのどれにするかを判断して、決定しているのではないかというものですね。だけど「意識の捨て方」についてはほぼお手上げです。そこに溝があるため、ついつい瞑想や座禅といった宗教体験について、科学はいつも立ち止まらざるをえない。

津田　手をつけようとしてもなかなか手がつかないところがある。

松岡　無視しすぎたんです。たとえば信仰という意識も無視できないもので、日常意識と掛け離れているようでいて、実際には日々のアイデンティティの保持を支えているところもあるはずです。オカルトとかグノーシスとか密教とか、神秘とか神智学と呼ばれてきたものって、まともに学問したりするものではないと放置されてきましたからね。これは「二つの文化」の対立以前の未成熟な問題です。

でも、意識の動向という面でみると、こういう領域こそ議論の俎上にそろそろのぼってこなくちゃいけない、ぼくはそういう太陽の光を浴びなかった意識という意味で、「ルナティックス」と呼んでいるんですけれど、この月知学的な、月の光の反射でしかない忘れられた領域の歴史や変遷にも、シンボル思考のこと、超越者の想定のこと、ディープ・コミュニケーションのこと、トランス状態の意識のことなどには、脳科学や認知科学が介入していったほうがいいと思っている。図や形を借りての思考方法にも影響を与えてきたはずだしね。軽視すべきではない領域でありながら、分け入っていくのが難しい巫女の世界のようなものです。

津田　そうですねえ。

松岡　あまり放置しておくと、シャーマンとしてしか語れないということになりかねない。とはいえ意識と無意識を相手にするなら、いつまでも放置できないでしょう。そろそろやらなきゃね。

オカルトを否定しない科学

津田　『心はすべて数学である』にはいろんな反響があったんですけれど、ある宗教の信者の人がすごく興味を持って連絡をくださったんです。津田さんは宗教をお嫌いかもしれないけど、あなたが言うのは結局は宗教です、仏教ですよ、という声が寄せられた。

私の家の宗旨は真言宗なので仏教ですが、知っている程度も限られます。空海は松岡さんの『空海の夢』（春秋社）の影響もあってずいぶん好きですけども、それでぐっと真言宗に入り込んだというわけでもない。でも思考の仕方はたぶんある種の宗教とか、オカルトと呼ばれるものとオーバーラップするところはあるかもしれない。

松岡　『心はすべて数学である』のどのへんですか。

津田　カオスに関して、意識のことを言ったところだと思うんですけど、全体を読んでカオスがおもしろいと感じられたみたいで、そういう反響はけっこう多いんです。オカルティックなことを好きな人がカオスに興味を持つ傾向は昔からあります。

カオスは数学的にはきちんと理解できる概念ですが、それは研究の結果そうなったのであって、カオス研究の当初は従来の科学的常識と相反するところがあったから、みんなアタマを悩ませた時期もあったんです。決定論の世界で非決定性がどうやって保証されるのか、一見矛盾したことが起きているが、それを科学的に納得できる新しい理論的枠組み、思考の枠組みは何か。そういったことを多くの研究者が模索し、今の枠組みが一応できたんです。

しかし、一般の人にしてみれば、研究者のこうした努力は見えないわけで、あいかわらず矛盾した存在としてのカオスの姿が目につくだろうし、非常にオカルティックなものを感じるのでしょう。そういう一般の人の感性は無視できないと思います。既存の科学の枠組みの中でカオスを考えている現在の研究者ではなく、むしろ枠組みが作られていく最中にあったわれわれのような研究者にはどこか共有できるものがあると思う。それに、私自身はオカルトを否定はしないからですね。

松岡　うん、そうでしょう（笑）。

津田　われわれ科学者たちは自然現象を知りたいわけですが、自然科学というのは、わかっていないことに対してはいっさい判断しないのが鉄則なんです。いまの理論に合わないからだめだと言ったら発展はない。だから踏み込んでいえば、科学者たるもの、オカルトにも興味を持つべきなんですね。

松岡　ファインマンなんてけっこう興味を持っていたよね。ジョン・C・リリー[2]の感覚を遮断するためのアイソレーション・タンクに好んで入っていた。

津田　彼はわりあいおっちょこちょいだから（笑）、やってみようと言ってやるんだけど、でも彼の解釈はつねに現代の科学の中でなんとか解釈しようというものですよね。そこから外れはしない。

松岡　フランシス・クリックだってかなり神秘的だよね。

津田　そうでしたね。やっぱり科学者って神秘的じゃないと、いい科学ができないんですよ。神秘的じゃない科学者は職業的科学者になってしまう。いまの時代の問題解決ならば職業的科学者でもできるかもしれないけど、深い、後世まで残るような科学はできないんじゃないか。だから彼らもいわゆるオカルト現象にあるとき興味を持ち、解決しようとしてきた。でも条件の統制がとても難しい。

松岡　ケプラーやニュートンはかなりの神秘家だった。まあ、あの時代だから当然だけれど。

津田　オカルト現象は「まれ現象」としてしかあらわれないわけで、繰り返し実験の可能性を旨とする科学的方法論に乗らない。とくに電磁気が絡む現象が多いんですが、電磁気現象自体、一見常識を疑う、というか日常的には目にしない現象がけっこうたくさんあるので、理解が難しいところがある。

そんなわけで反証できていない以上は科学もそれを否定はしないんですが、否定はしないからオカルト大好きな人が寄ってくる傾向も出てくる。そこをどうしていくか。科学が発展するためには「破れ目」をつけておかないとダメですからね。だから繰り返しになりますが、数学が健全なのは、不完全性定理があるからです。不完全があるということはきわめて健全です。完全性定理だけだときれいに閉じる。不健全だけど、不完全性定理が出たことによって数学は健全なものになった。それと同じことですね。

科学と神秘

松岡　言語もそうですよ。ヴィトゲンシュタインが「論理は私の近くでぼけている」と言ってくれたから、言語はおもしろくなった。「言語がすべてを表現している」なんて言うなら、そんなものはアテにならないし、そんな言語観は解体したほうがいい。言葉は曖昧な領域をもっているからいいんです。

一方で、科学や数学のルーツと神秘主義のルーツが重なっていたことにも言及したほうがいいでしょうね。そもそもサモス島のピタゴラスがクロトン（イタリアのカラブリア州東部の都市）で神秘集団を大事にして、数学と神秘学を同時に解明しようとしていたという事情など、もっともっと議論されたほうがいい。ピタゴラスは「万物の原理は数である」ということと「魂は調和する」ということを同時に思索したはずです。弦の共鳴にオクターブのようなものを感じたり、友愛数（親和数）[3]を重視していたりもしてましたよね。

ほかにも、ユダヤ教がかなり早くからゲマトリアという数秘術を研究していた例、アタナシウス・キルヒャー[4]のように神秘数学にとりくんだ例、スウェーデンボルグのような本当の神秘学者じゃなくても数学などに神秘性を感じている例、ブール代数に溺れていたルイス・キャロルが数学論をやりながらファンタジー（『不思議の国のアリス』など）を書いた例など、もっと議論されたほうがいいことがかなりあります。

　ぼくは工作舎時代にケプラーの『宇宙の神秘』を翻訳刊行しましたが、ケプラーを読んだら、科学と神秘はほとんど同義語かと思うほどです。MITのローレン・グレアムとパリ第六大学のジャン・ミッシェル・カンター[5]が『無限とはなにか?』(一灯舎)の中で、カントールの集合論とルベーグの数学論とモスクワ数学の「讃名派[6]」のことを書いていましたが、ああいう例もある。

津田　数そのものではなく集合を考えることで無限の実態を捉えることにしたのが「集合論」ですが、カントールは無限を実在の数として扱うことを、自らの集合論で可能にしたんですね。ラッセルの『神秘主義と論理』(みすず書房)は哲学が科学と神秘の両方を内包していると書いていた。

松岡　そうでしたね。ところで、心が数学であって数学に心があるのだとすれば、意識と無意識のあいだにグラデーションのように数学があっていいと思いたいという気になりますね。また、地上の科学のほかに、宇宙や大気圏の波動的な科学もあるのではないかということも考えたくなる。そうなると、人体や脳以外にも、その現象を受けとめてきたレセプターを想定することになります。もっとドラスティックなことをいえば、重力値が一定のところでわれわれは地上の科学を成立させたと言えると思うんだけども、重力値が異なる時空での科学や数学はどうなるかということもある。ちょっとSFじみてくるけれど、このへんはどうかしら。

津田　地球もオープンシステムなので、地球上で何かが起こっているだけではなく、宇宙からいろんなものが来ている。ある素粒子、たとえば電子が世の中に一個だけあって、それが飛び回って体を全部通過していった痕跡がわれわれだと考えてみることにします。話を簡単にするため、電子の数をまず一個で想定してみると、われわれの体をつくっているのは、もともと同じ一個の電子の痕跡ということになって、私も松岡さんも同じ電子の痕跡からできていることになる。それを敷衍していえば人間だけではなく他の動物もそうだし、あるいは椅子や本棚という物体もそうであって、それら自然界にあるものと人間とのあいだにある種の共鳴が起きるということは、同じ物質の痕跡なんだから、当然あっていいわけですね。

　このように一個の電子の痕跡で世界が作られていると想定すると、宇宙にあるあらゆる形（形状）が熱力学的諸量と結びつけられるような理論ができる、そういう世界観が成り立つということです。実際に一個の電子が宇宙の形を作っていると主張しているわけではなくて、これは世界を構築するための思考方法です。

松岡　ライプニッツが「モナド」（単子）を想定したのも、そういうことだったかもしれないね。われわれはやっぱり地上の重力値の中で進化を遂げてきたでしょう。シアノバクテリア（藍藻）から酸素をつくって、光合成の中で言語をつくり、数学を編んでいるんだから、波動のようなものはずっと関与しているはずなんだけれどねえ。ただ、それを言語や数学の枠組みで語れるものにしていかないとだめなんじゃないか。そのために神秘学とか神智学とか、密教や宗教が関与し、寄与してくれるのはありがたいけれども、やっぱりそこは一緒の言語で語れるようにしていく必要があるでしょうね。

津田　アインシュタインが「宗教と科学の両方に価値がある、でも双方に弱点があるのだから互いに補い合うべきだ」という言い方をしている。

松岡　それは脳科学のペンフィールドこのかた、いろんな識者が言っていることですね。オリバー・サックスのような精神医学の人たちは、方程式では解けない絡みやストレスやトラウマに向き合っているでしょう。トラウマなんてうまくロジックには乗らずに負荷がかかって残ってしまう現象です。意識と無意識のあいだにトラウマの縞々ができて、とても覚醒した意識が振る舞っているとは思えない。常軌を逸しているとしか思えないようなことも起こる。それを理解可能なものにするために、やっぱり数学と言語によって語っていかなければいけないけれども、そうした負荷が絡んだ状態については、意識下の何かの関与があると認めざるをえないわけでね。実際にも「絡み」だとか、ツイストしすぎた「もつれ」として議論したほうがいいかもしれない現象がある。もつれる中から見えてくるような言葉や絵というものもある。それらはロジックにのっとった美とはまた異なるものですね。

津田　脳神経系はニューロン間の接合部（シナプス）の強度が変化することでニューラルネットワークの質が変化する。このとき、記憶しようとしたものだけがネットワーク内に痕跡を作るのではなく、記憶しようとした事柄とは無関係なものや、あるいは記憶したくないと意識したことも記憶してしまう。それが、古典的条件づけ[7]やオペラント条件づけ[8]のようなレベルで起こるとかなり厄介です。条件付けられてしまうので非常に強力な学習になる。とくにそれが価値が絡むようなものと条件付けられると大脳辺縁系が関係するので、理性ではどうすることもできないような反応が起きるのです。

洗脳などは辺縁系での無意識に起こる価値づけと、大脳新皮質で意識下で起こる言語化が他者の恣意性によって生じた現象だと考えられますから、とても厄介で、そこから抜ける最良の方法はわかっていませんが、別の価値付けを徹底的に言語化するのは悪くないのではないかと思いますね。言語化は自然言語とはかぎらず、何らかの記号でもいいでしょうね。その人の持っている根源的な美意識に訴えるのはいいような気がします。

松岡　強制的な洗脳、つまりブレイン・ウォッシングは過度で危険なものになりかねないけれど、われわれは日常的にはずっと半洗脳状態にあるかもしれません。ただ、それは行ったり来たりしているフリップフロップ回路になっている。

意識とは何か、宗教とは何か

津田　ここまでくると聞いてみたいのは、いよいよ「宗教って何ですか」ということですね。

松岡　答えられるようなことじゃないけどね。それはなぜ、われわれ人間は「神」を想定したかということですからね。いいかえれば、全知全能の存在というものを想定せざるをえなかったのはなぜなのか、そういう超越者を想定したのは古代意識だろうけれど、では意識のどんな状態が神をつくりだしたのかということになりますからね。

津田　ええ、そのことがどうして宗教として華麗な体系や巨大な組織をつくってきたのかということです。

松岡　たいへんな難問です。神の誕生は意識の誕生と密接につながっているだろうからで、ということは脳の問題ともつながってくるからです。宗教学では解けません。

たとえばプリンストン大学で比較心理学を教えていたジュリアン・ジェインズは、『神々の沈黙』（紀伊國屋書店）という本のなかで「バイキャメラル・マインド」（二分心）という状態を想定しましたね。ジェインズは、まだ人類の脳に左右の機能分担がうまくでき上がっていなかったころ、つまりヒトザルから人間に進化するプロセスのどこかの重大な段階で、人類は右半球に響く「声」と左半球におこる「応接」とを統合できなかったのが、ある時期、その左右の機能を統合するために「神」のようなものを思いついて、その統合を試みたのではなかったかという仮説を述べていますね。

ということは、人類はそれまでは意識をもっていなかったのが、神の想定が意識を発達させたということになる。でも、それはあくまで脳考古学的な見立てなので、どれだけ確かなものかは証明できません。脳考古学はエビデンスがものすごく少ない分野ですからね。そこで他の仮説も組み合わせる必要がある。

少し前に、ホモ・サピエンスは進化の過程で毛や牙がなくなり、爪が弱くなりといった身体上の変化に伴って、脳の状態に起きつつあった不都合を回避するために、言語によって何かを防御した、あるいは「毛づくろい」にかわることをしたのではないかというロビン・ダンバーの仮説を紹介しましたけれど、それ以外にも、人類は他の哺乳類とは違って未熟児を産んでしまったという仮説がありますよね。ヒトの赤ちゃんは産み落とされてすぐにバンビのように立ち上がるとか猫のように動き回るとか、馬のように駆けまわるわけではなくて、二年間ほどは母親か誰かの育児が必要な未熟児なんだけど、その二年間ほどで言葉をおぼえたり、数を数えたり、手指を発達させたり、他者を認知したりする。けれどもその二年間ほどの記憶は、のちのわれわれにはない。再生できない。ぼくの最初の記憶も二歳半くらいと三歳のものです。しかし、あきらかにそこには意識が発生して、活発に動いていたわけです。そこでジェインズの仮説を言いなおしてみると、意識というのは、意識に先行するなにがしかの状態の動向を、あとから生じた意識が覗いた痕跡からつくられたのかもしれないということになります。

津田　意識に先行するなにがしかの状態というのは、われわれの記憶以前ということ？

松岡　そうです。幼年期の人類および幼児の記憶ですね。しかしそうなると、成長のごく初期の過程に暗い部分があるということになり、ここに関与する知を含めてそれをフロイト的に「無意識」と呼べば、人間が神というものを想定したのは無意識からだというような、つまらない結論になる。だってダークサイドに無意識があって、そこから意識が発生してきただなんて、ありきたりでしょう（笑）。でも、この手も多いよね。処女懐胎を含め、キリスト教のとんでもないトリックは変だけども、孫悟空や菩薩や、あるいはブッダが「天上天下唯我独尊」と言って七歩歩いたというように、われわれがとうてい知りえない部分をなんとかしようと神を想定したのが、宗教の始まりなんじゃないかというのは、少しずるいよね（笑）。では、どう考えればいいのか。

津田　そこです。

意識をめぐる八つのアプローチ

松岡　あえてまとめれば、意識の発生や正体については八つほどのアプローチが提案されてきたんだと思います。

Aは、意識をわれわれが内観において感じる一連の主観的な状態だとみなして、そのルーツを自然と人間の相互作用から語ろうというもので、これは物質の相互作用にまで行き着きます。物質の相互作用がいつしか意識を帯びたという見方です。ぼくは若いころはここにいました。

Bは、物質にまで戻さないで、細胞や原形質の属性に意識の萌芽を認めようというもので、これはダーウィンやティチェナー[9]このかた、多くの生物学者や心理学者が唱えています。ティンバーゲン[10]やローレンツ[11]の動物行動学もここですね。ただし、ここでは「刷りこみ」と「意識」の区別がつきません。

Cは、意識のルーツを物質にも生命にもさかのぼらせずに、ある程度の段階に進化あるいは分化した時点に特定しようというもので、「連合記憶の出現」や「学習の発生」をもって意識発現のルーツにしている。けれどもゾウリムシやネズミがいかに学習回路をマスターしたとしても、それをはたして意識とみなしていいのかどうか。ムリでしょう。

Dは、自然界や動物的な動作や行為から離れて、人間の社会が意識を派生させたというアプローチです。人類学や社会学は当然、ここを重視する。人間社会における観念や信条の発生をつきとめれば、そこに意識の発生や宗教の発生が見えるというものですが、これはアトサキがまちがっている。意識があったから観念や信条が発生したんですからね。

Eは、これらとは異なって、意識は実は「配線や回路が出す熱」のようなものじゃないかという見方で、きっと随伴的な現象だろうというものです。この見方やアプローチはウィリアム・ジェームズ以下、かなりプラグマティックな心理学者や哲学者たちが唱えています。まあ傍観論ですね。もっとも「場」が意識をもたらすという見方などもここに入ってくるのかもしれません。ＦはＥの逆で、そういう傍観論から意識を救出しようというもので、スチュアート・ミルやアンリ・ベルクソンが「創造的進化」というふうに評価したものを意識とみなすという立場ですね。意識は相転移に伴う創発的属性だというものです。ぼくは四〇歳前後にはこの考え方を追っかけていた。

Ｇは悪名高い行動主義心理学が標榜する見解で、「内観された意識」なんてものはない、すべては行動や行為がおこしているものだという見方です。悪名は高いけれど、バイアスを含めて行動を分析すれば、そのように見られる意識だってありうるでしょうね。

で、Ｈがいっときジェインズもこの見方をしていたのですが、脳のシナプス連結とか網様体のようなもの、あるいは神経伝達物質の勾配に意識の発露を見いだそうというもので、いまやかなり多い見方ですね。でも、ジェインズはこれらのいずれからも離れて、意識は意識以前の動向を観察してきたものから発芽したとみなしたんですね。

宗教はこれら八つほどのアプローチのいずれかをトリガーにしながらも、そのアプローチを「神」や「信仰」によって中断させ、そのかわり「神」や「信仰」にまつわるアトリビュートをしだいに充実させていくものですね。

スピリットの由来と行方

津田　いやあ、とてもわかりやすい整理でした。私は、脳の発達過程を考えると、胎児のときからすでに周りのオトナたちの会話を聞いているし、光にも反応している、というように周囲の情報や物理化学的な拘束条件によって脳が発達してくるという点を重視しています。そのような拘束条件の中で最も重視しているのが数学によって表現されている人間の普遍的な心です。つまり、他者性によって個々人の脳が発達し、他者と脳・身体の運動を統合するためにメタ認知が必要になった。それが意識だと考えています。

松岡　なるほど。Dの逆転を再逆転させ、Hと折り合いをつけている。ちょっと付け加えると、いま紹介した見方以外にも、意識とトランス状態やエピファニー（顕現）との関係を重視する宗教学者も少なくありません。ルドルフ・オットー[12]が『聖なるもの』（岩波文庫）で打ち出した「ヌミノーゼ」もそのひとつです。説明できないものに出会ったり、啓示を感じたりすることが、意識の形成の促成になったという見方です。ここでは光り輝くものを見ただとか、モーセのような体験をしたとか、急に覇気に満ちたとか、そういうことを重視する。

津田　啓示は「脳の幻覚」ではないかなと思うんですけどね。脳が、通常見ていないものを見る。それから聞かないものを聞く。幻聴、幻覚、幻視というものは実際にかなりあるんだと思います。幻聴がどれだけあるかはわからないけど、幻視はけっこうありますよ。天井の縞模様が人の顔や動物に見える（パレイドリアと言われていますね）のも、ごく普通の知覚です。

でも、だんだんそういうものがない社会になってきた。つまり模様が単一化されていて、どこへ行っても同じような模様しかなくなってきた。少し昔であれば、非常に単純なのに、そこに違う意味を酌み取れるような模様があったし、郵便ポストにしてもちょっと暗がりで見ると誰かが立ってるように見えたりしたものです。神というのは、その幻視や幻聴の大がかりなものという可能性はないのかなと思ったりするんですけどね。

松岡　それもあると思います。われわれが再生できない幼児期の二年間を含めて、その後も第二次的に感じるものでいちばん刺激を受けてしまう知覚は、一つは光り輝くもの、それからサイズがばかでかいもの、あとは超小さいもの、すばやく動くもの、輪郭が不定形なものに対する畏怖でしょう。これらネオフォビック（新奇性恐怖）なものは、なぜか幼児には摑まえにくいものなので、いろんなスーパーサッカードが起こっているせいもあって、みんな「神さま」や「お化け」や「となりのトトロ」になる。ゴーストです。

一方、成人たちは「あれは未知のものだ」とか「生命体ではないかもしれない」と思ったときに、そこに何か別のスピリットが宿っていると仮託する。やがてそれは物語になり、「怖かったね、なんか山には変なのがいたよね」と語り継がれていく。そのうちスピリチュアルなものイコール「神さま」、風変わりなものイコール「お化け」というふうに切りかわっていく。でも無下にこれを否定できないのは、それがおそらくわれわれの物語能力の駆動力になったからです。つねに見えないファクターが現実に関与することによって、われわれの意識に、場合によっては無意識にまで届くような刺激的な物語が生まれてきたわけですからね。だから、この第二次的な幻視、幻覚、幻聴の作用というものは、ばかにはできない。ぼくは、スピリットの「宿り」を神々といったイコンの対象に想定したことは、人間の知のアイデアの中で五本の指に入る発明だと思います。

津田　そのスピリットは、人間が持っているスピリットとは違うんですか。

松岡　違うでしょうね。スーパーナチュラルなスピリットを想定したんでしょう。

津田　どうしてそういうものを想定できたんでしょう?

松岡　それによって、自分が説明できないことや危険に遭遇したことなどが、うまく説明できたからでしょうね。スピリットの存在を仮定することによって、日常的な出来事における特異な部分をも、日常性とともに語れる状態にした。それらの断片が長い時間をかけて編集されたのが神話です。

昔話というものは、社会がまだ成熟していない、ないしはそこまで言語が発達してないときに、竹の中にはかぐや姫がいたとか、桃を切れば桃太郎が出てきたとか、昔々あるところに、といった「語り」を入れることで、この社会の様相を幻想的な形によってではあるけれども、説明可能な状態にした。

津田　最初のきっかけはやっぱり恐怖？

松岡　恐怖、畏怖。それからミス、失敗。それから説明不能性、不確定性。いろいろでしょうね。リスクヘッジです。

津田　うん、そうか。

松岡　ついでに言うと、スピリットとゴーストは違うものかもしれませんが、どちらも自分あるいは所属社会が「持ち合わせているもの」との関連で語るしかないものだったろうと思います。たとえば言語が物語力を持ったときには、原始的な都市国家とか原始共産制とか交換が起こりはじめている。毛皮と小麦粉を交換できる、価値観のトレードオフができつつある。

　ということは、物語が誕生して機能しはじめているときには、小さな国家とか社会とか、為政者やリーダーが生まれている。するとそこには原始的ではあるけど、なんらかの組織があったということです。そうすると、その組織で説明できないことの大半を、組織は説明しなければいけない。そのためにスピリットとか、妖怪とか魔女とか、天狗だとかゴーストといった非実在のものを、あたかも実在の闖入者ないしは魔物、ないしはすばらしい僥倖が起こった場合には天使として扱うわけですね。差別もせざるをえなくなる。宗教や宗教団体はこうして発達してきたんだと思う。

だから多くの物語は、王にも王妃にも王子にも王女にも敵わない旅人がそこにやって来て、ミンネジンガー（吟遊詩人）のような、即興の旅人が語って帰っていったという格好で残ってるんですね。異国のストレンジャーが持ち出した話ですが、それが残っていくんです。そのストレンジャーはどこにいた人かもわからないのに、語り部として存在している。日本では江戸時代でも、そういうストレンジャーを「六部《りくぶ》」とか「六十六部」と呼んでいた。やがて語り部の存在はだんだん集団化して、司馬遷のような「史《ふひと》」と呼ばれる歴史の語り部やヘロドトスのような歴史家が生まれてくるんですけれども、その前に物語は生まれているので、秘密側の構造がすでに発生しているんです。これらがスピリットやゴースト化する。また宗教集団化する。

津田　進化人類学的にはネアンデルタール人は墓をつくって、花を手向けたと言われていますよね。死後を想像できるようになったのはそのあたりからだとすると、そのあと人類が神やスピリットを思いついた時期までいくのに、いろいろギャップがある。何がそこまで到達させたのか、気になります。

松岡　スピリットというのは「精神」とか「心」とかということ？

津田　魂とか霊魂とか、それら全部。

松岡　たしかに時間がかかっていると思います。ひとつは脳の発達ですね。いつとは限定できないけれど、脳のどの段階で「心の座」が生じてきたかということで、もしそれが人類史のどのくらいの時期かということがわかれば、ではその「心の座」は脳あるいは体のどこで担われるかということになるわけですが、この問題は津田さんの領分です。

もうひとつは言葉や物語の発生です。こちらはおそらく集団生活や農耕や都市生活に関係がある。共同体のなかでは死や埋葬だけでなく、豊饒を祈ったり、所属集団を外敵から護ったりするための集団意識が必要です。しかし、それらがどういうものなのかは、楔形文字による『ギルガメシュ叙事詩』以前では組み立てようがないので、記録文書上は古代メソポタミアのウルという都市群の時期にまでとぶしかない。エンリルとかエンキとか、さまざまなスピリチュアルな神々の痕跡が楔形文字などに残っているのが最初です。エジプト文明の勃興がこれからという早い時期にオリエント文明はスタートを切っているので、古代エジプトでフクロウとか、トートの神とか、ラーのような神が出現する頃にはすでに、オリエントの地域では完全に物語様式が確立していた。

このときスピリットに当たる神々の名がいろいろ記録されているので、少なくとも古代オリエントのスピリットは物語の最初期の成立時期とともに認められていただろうということがわかります。でも物語形式とその文字化がこの時期になぜ生まれたのかという大課題がまだ残っている。ここは別途詰める必要があるでしょう。

3の不思議

津田　物語の発生とスピリットの発現は関係がある？

松岡　あるでしょうね。ナラティヴィティ（物語能力）の発生はわれわれにひそむスピリットを喚起させる様式と関係があります。それは「謎々の発生」と密接な関係があるでしょう。物語、スピリット、謎々遊びは相互に関係しあっているんじゃないかと思っています。

ぼくは世界中の子どもの遊びを三〜四年かけて調べてみたことがあるんですが、そのとき「ままごと」と「しりとり」と「宝さがし」が地域にかかわらず共通していることを発見したんですね。それらの遊びに共通して隠れている文法は、一言でいえば「Ｑ＆Ａ」です。この「Ｑ＆Ａ」は「謎々」と一緒くたに出現します。つまり、謎々、子どもの遊び、物語回路の確立はかなり近いところでつながっている。

津田　その三つの遊びは世界共通ですか。

松岡　子どもにおいて共通でしたね。「ままごと」はたとえばお医者さんごっことか電車ごっこ、お母さんごっこみたいなもので、そこにある身近なものを使って模倣する遊びです。ミミクリーですね。誰かがやっていることを真似て一連の出来事の回路にしている。「しりとり」

は相手の言ったことを引き受ける遊び。インヘリタンスの遊びです。「宝さがし」は、地図の断片があって、きっとすべてをめぐってみたら、何か想像のつかないものがそこにあるはずだというお遊び。マッピングですね。しかも伏せられたものをあけるためのマッピングです。

この三つは昔から世界中の子どもたちが遊んでいるゲームなんだけれども、これらに共通する構造には「謎を問いかけて、それを解く」という回路が投影していて、そこにはＱ＆Ａという「知を問う根本様式」みたいなものが絡んでいるんですね。つまりここには、のちの物語回路に当たる何かが脳の中にガジェットやマガジンとして嵌《はま》ったのではないかと思える。もしガジェットになっていないとしたら、それをあとから取り出せませんよね。取り出せる言語機能のガジェットの発達がホモ・サピエンスのある段階からメソポタミア文明にいたるまでの間に起こったんじゃないのかな。

津田　となると、脳の何かと関係ある。

松岡　ええ、初期の脳が困ったことと関係がある。

津田　そこですね。

松岡　そこで「Ｑ＆Ａ」というプログラムが浮上してきた。あと、じゃんけんも共通ですね。グーチョキパーという「三すくみ」はかなり早い時期に生まれている。

津田　三すくみは、かなりおもしろい。

松岡　むくむくしちゃうよね（笑）。

津田　じゃんけんは、三人だと勝負がつかないようになっている。3というのは不思議な数で、カオスを引っ張ってくると、周期3のときにすでにすべての周期が存在してるんです。カオス力学系の構造の不思議さというのは、3周期解がもしあれば、そこにすべての周期解があり、かつ、すべての非周期解が存在するということなんですよ。これがリー・ヨークの定理というもので、二人は「Period Three Implies Chaos（周期3はカオスを意味する）」という論文を一九七五年に書いている。

世界の不思議を握る数は、なぜかほぼ3なんです。ポアンカレが最初にカオスを見つけたのも、天体における「三体問題」ですよね。天体が万有引力を及ぼしあいながら行う運動を解こうとするとき、二体だとケプラー運動なので方程式が解けるんだけど、三体になると解析的な一般解がないことが証明できる。もちろん三つの天体が一直線上に並ぶときなど特殊解はいくらでもあるんですが、でも一般的な解の表現はないわけです。

松岡　3の不思議ね。素粒子は対生成と対消滅はするけれども、三つではないもんね。

津田　普通はペアですね。

松岡　陰陽、電極、みんなペアでしょう？

津田　みんなペア。だから逆に、ある種、安定な状態でいられる。超伝導の基本になったクーパー対という電子の対もペアをつくるんです。ペアになっていると安定にできるんだけど、もう一個電子がくると不安定化が起きちゃう。

松岡　ＢＣＳ理論（金属超伝導現象を説明する理論）ね。2はどうして安定なの？

津田　それは難しい問いですが、宇宙が物質と反物質でできていることと関係しているかもしれませんね。対称性の破れによって初めて生成が起こり、どっちかの世界になる。

松岡　そこは少し説明しておいてもらおうかな。

「三体」ということ

津田　「対称性の破れ」ですか。簡単に説明すると、ここでいう対称性とはＡという状態とＢという状態のどちらも出現可能で、どちらかに偏って現れることがない状態を言います。このような対称性が破れると、ＡかＢかどちらかが現れる、あるいは片方が現れる確率が高くなる。そこで相互作用の問題ですが、物質の相互作用は二体間で起こるわけです。ニュートンの万有引力にしてもそうですが、二体の間で相互作用が起こるというのは運動量の保存則があるからです。いいかえれば、作用・反作用の法則があるからですね。この考え方からすると、三体間の相互作用はない。三体の場合も二体同士の相互作用の組です。

　このことから、少なくともペアで世界を見てみると、きわめて安定な状態がつくられる。理論的にはニュートン力学的に安定になる。で、三つになると急に不安定になる。その不安定にもいろんな不安定さがありますが、楽器でオクターブの音域が出る原理の背後にも実はカオスがあります。通常だったら同じ指使いでオクターブは出ないんだけど、カオスを発生させているからオクターブが出るんです。

松岡　うなりとは違うの？

津田　うなりじゃないです。うなりはトーラスなのでカオスじゃない。

松岡　宮沢賢治の「電線の音楽」だね。

津田　うなりというのは、二つ以上の周期が無理数比になっているんです。有理数比になっていれば、何倍かで合うんですけれども、無理数比になっているのでうなる。数学的にはドーナツ状、トーラス状の運動ですね。そのドーナツ状で軌道が決して交わらないようにすると、トーラスを埋め尽くすことができる、これがうなりの状態です。カオスはそれが不安定化して壊れた状態だとみなす理論もあります。

松岡　3が不安定な理由は、人体が持っていない数であることも関係しているような気がする。臓器にしても、数はほとんどが1か2ですよね。耳の中以外には3は見当たらない。それゆえキリスト教の正統派教義である三位一体（父と子と聖霊）から松竹梅や真行草まで、新たなオーダーの提示は3に託したんじゃないか。そんな感じが前からしていた。

津田　ちなみに数学者のジョージ・ブールは三位一体を信じないユニテリアンだった。神の唯一性を強調する教義ですね。だからブールは「１は神で、０がその他である」と考えた。それがブール代数の基本です。

松岡　ほう、ほう。さすがブールだ。そのおかげでコンピュータができた。ま、それはともかく、ここで重視したいのは「Ｑ＆Ａ」という「問いと答えによる思考様式」が誕生してきたということと、それが謎々を介在させながら物語様式を確立させていったということです。ここには意識の発生の問題や、意識が何をするために活動しはじめたのかという問題が待っている。

津田　意識は何かの局面を打破するために出てきたということですかねえ。

松岡　局面をまとめるために、意識のなんらかの作用が脳に新たな構造をもたらしたということかな。

津田　意識が先か、回路が先か。

意識は「引かれるもの」なのか

松岡　ちょっと話を戻して、意識とはどういうものなのかをあらためて議論したいんだけれども、津田さんは「意識の発生」をどういうふうに考えているんですか。どういう状態のことを「意識」と呼んでいますか。

津田　あまりちゃんとした理論じゃないですけども、すでにお話ししたように「A－B」（AマイナスB）で表現したときの、引かれたBのところが意識だと思っているんです。

松岡　ニューロンの回路での話？

津田　そうです。神経細胞はシナプスを介して情報の伝達を行っていて、情報を受け取る側の神経細胞を興奮させる興奮性シナプスと、興奮を抑える抑制性シナプスがありますが、その神経回路からの発想ですね。興奮性細胞で多様な心的状態が作られるのだけれど、そこには余分なものもたくさん含まれているので、抑制性の細胞によってそういったものを取り除いていく過程が動きます。この「－B」に意識の動向が表現されていると捉えられるのではないか。つまり、意識は「引かれるもの」なので、引かれたあとには見えなくなってしまいます。何が意識だったのかと指し示すことはできない。けれども、意識は何かを引くものとしてあるにちがいないと思っています。

松岡　引くのはどうして？

津田　基本的に意識とは「何かを整形する」というイメージ。

松岡　それは動かしやすくするということ？　先に運ぶために？

津田　ちゃんと伝わるようにするために、削らなきゃいけないということですね。雑多な情報の塊のようなものがポンと脳の中にきても、消化できないし、外にも伝わらないので、ちゃんと伝わるものになるようにいろいろと整形しなければいけない。その整形する役割を担うのが「意識」なんじゃないか。だから「マイナスであらわす」と考えた。整形するとはまさに情報の形を作ることですからね。

松岡さんがどこかに書いていたと思うけれど、「in/form 形作る」から「information 情報」になったわけですよね。そうだとすると、その情報を作るために差っ引かれた部分「B」が意識なんですよ。整えられた結果の「A－B」の中にはない。しかし「B」という引かれる存在がなければ、決して脳の機能は表現されないので、そういう類のものが「意識」だろうと思います。

瞑想と意識

松岡　なるほど、明快だ。どうしてそう考えるようになったんですか。

津田　思いついたのには一つのヒントがあって、その論文を書く前にブライアン・ジョセフソン[13]の論文を読んだんです。二つの超伝導体をつないだときに起きる超伝導現象であるジョセフソン効果についての論文は、大学四年生の卒研の準備で読んでいたんですが、彼はノーベル賞をもらってからクレイジーになったと言われていた。どうやらオカルトをやり始めたらしいと（笑）。

どんなことに関心をもったのか、論文を読んでみたけれど、別にオカルトのことは何も出てこない。どうやら彼が言っていたのは「瞑想」のことだった。ノーベル賞をもらった後にジョセフソンは物理学から人工知能のほうに宗旨替えしてるんですが、彼がいちばん知りたかったのは、瞑想のときの脳の構造はどうなっていて、それが自分の意識をどう変えていくかということだった。とても短い論文なのですが、そこに「意識とは差っ引くものだ」と書いている。彼はちゃんとは説明していないけれども、うんうん、そうだ、そうだと思って、私の意識の論文に引用した。

松岡　そうか、ジョセフソンか。なるほど。ジョセフソンは東洋の神秘主義にもけっこうな関心をもっているよね。当時の「マインド・マター・ユニフィケーション・プロジェクト」（精神-物質統合プロジェクト）はぼくも多少齧りましたが、イギリスのロジャー・ペンローズなどが、脳のニューロンのマイクロチューブル（細胞にある微小管）の中で量子状態の崩壊がおこって、そのために意識が生ずるという仮説を立てたのに対して、ジョセフソンは従来の量子力学を意識の発生にあてはめるのはムリで、それより新しい理論を組み直すべきだというほうでしたよね。

津田　ペンローズの理論の方はちょっと無理があると思ってます。神経を支える微小管レベルまで量子効果があらわれるかどうか。超伝導ならマクロに量子効果があらわれるわけだけど、微小管で超伝導が起こっているとは考えにくい。脳神経系の場合は、量子効果はもっとミクロに閉じ込められていると思います。

ジョセフソンはそういうあてはめはしていなくて、作用（何らかの身体運動）・知覚サイクルの中で意識があらわれると仮定しての話だから、私の長年の友人だったウォルター・フリーマンの考えともつながるところがあり、理解しやすかった。そういう意味で彼の引き算は瞑想状態での意識の引き算ですが、作用・知覚サイクルをうまくはたらかせるためには意識を引き算する。そこともつながる話だと思います。

松岡　うん、瞑想状態になるためには意識を差っ引いているというのは、わかります。それが意識の正体だとみなしたところが天才的な飛躍です。

津田　気の迷いみたいなものです（笑）。意識が取られたもの、つまりマイナスされたものだと考えれば、瞑想状態って別に意識して取る必要はないわけですよね。むしろ意識を取るというふうに意識すると、瞑想にならない。

松岡　うんうん。

津田　瞑想状態って自然に意識をはたらかせればなる状態のことでしょうから、余計なことをする必要はなにもない。そう考えると、つまりその差分のところ、マイナスするものこそが意識なんじゃないかということです。

松岡　天才的だ（笑）。

津田　いやいや。それで、そのことを神経回路で表現しようと思って興奮性細胞で記憶状態を作ってみたら、まず興奮性細胞のネットワークだけで、記憶AからBを連想するというような数理モデルが作れ、そこに抑制性細胞を入れて現在の状態を差っ引いてやると、連想がダイナミックになってAからBが連想され、自動的にまたBからCが連想されるというように、連想の連鎖が表現できた。リンゴ↓ニュートン↓重力↓アインシュタイン↓原爆↓広島・長崎といったように。

松岡　抑制を入れたら、どこか壊れるんじゃないの？

津田　ふつうにやると壊れるので、引き算に関する数学的なテクニックがいるんですけど、ニューロンの現在の状態だけを抑制するように抑制をかけると、興奮性だけでできている記憶状態の間を勝手に遍歴するんです。興奮性細胞で連想記憶を作るのには、興奮性細胞同士の結合、シナプス結合を状態に応じて変化させることで連想を学習する。これが連想記憶を作るという意味です。

このシナプス結合を抑制性細胞を入れて弱めると、記憶は壊れます。いわば忘れることができる。でもそうやらないで、興奮性細胞の現在の状態をつねに抑制性細胞によって差っ引くようにすると、連想がダイナミックになるんです。

松岡　そこにつながる。

津田　これが実は、アトラクター間をカオスが遷移していくカオス的遍歴の現象を見つけるきっかけになったんですね。旅人が宿から宿へと渡り歩くように、軌道がアトラクターからアトラクターの間をカオス的に遷移していくことで情報が機能編集されていく。こういうふうに遍歴している状態は、結局は「意識」を差っ引いた効果としてあらわれているので、これは意識そのものではないとしても、きっと意識が作用した結果としてのあらわれであると考えた。

「Ａ－Ｂ」のＡとは何か

松岡　意識が「－Ｂ」だというのはとても興味深い見方です。そうすると、引いたほうが意識だとして、Ａは何ですか。

津田　Ａは外から入ってきたある種の複雑な情報体です。自分に対しての「他者」がＡという感じですね。

松岡　ということは、津田さんの計算式でダイナミクスとしてあらわれた意識というのは、自己意識に近い意識のことになるのかな。

津田　そうとも言えるけれど、自己意識も他者とのコミュニケーションがあったうえで生じるものなので、シミュレーションで現れたものは必ずしも純粋な自己意識ではないだろうと思います。自己意識というふうにきれいに分けて取り出せるわけではなくて、それも全部ひっくるめて私は「意識」と呼んでいるので、Aに当たるのは、おそらく本来の他者性なんだろうと思います。

松岡　他者を帯びたものね。

津田　ただAは、自分以外のところから自分に入ってきたものという意味で、もっとナマの情報なんでしょうね。で、それをなんとかして情報として送り返さなきゃいけない。それが「A−B」なんだけど、送り返すために「A」を整えて情報にする必要がある。それが「−B」、つまり意識です。「B」自体は消えてしまうので、表にあらわれてこない。では、そこで何を引いたことになるかですね。

松岡　でも、そこでカオス的遍歴が起こったということは、カオスのもとがきっかけになっているわけよね。

津田　そうですね。ただ、「A」だけだとカオスにならない。差っ引くことでカオスになるので、じゃあ何が引かれたのかというと、それは「非カオス」です。

松岡　そのほうが脳のその後にとって有効だったわけだ。たとえば気象とか、場合によってはタンパク質とか。脳のマクロにとっても、ミクロにとっても。

津田　気象はちょっとわからないけれど、仮に気象だとして、明日の天気がどうなるかを知りたいと思ったときに、天気予報を聞いたうえで知るのと、天気予報を聞かないで知るのとでは違いますよね。すると、天気予報を聞いて知っている方が、差っ引くほうになる。

松岡　なるほど。それは、予見というものが情報の特色にあるということだから、興味深い。つまり情報というのはただのプログラムではなくて、自分（自己意識）が次に行くための予見を内包しているということになりますね。

津田　そうですね。

松岡　だから「マイナスB」ぶんを意識としてちょっと外在化しておく。ということは、天気予報でいうと、天気予報という仕組みがその後もずっと機能するようにするということだ。

津田　ただ、天気予報を聞いたあとの事象は、天気予報とはもうまったく関係ない。つまり、明日の天気が晴れになるか雨になるか、実際の事象というのは、天気予報を聞いたかどうかとは関係ないわけです。ただ天気予報に触れたかどうかという事実は、自分の中には残っている。でも、現象としてはまったくあらわれません。天気予報を聞いたという事実は、自分以外の他者からは観測できない。

松岡　それはマーカーとしても残らない。

津田　脳の何かに残っている可能性はもちろんあります。

松岡　神経学者のアントニオ・ダマシオ[14]が言うように、脳じゃなければ体の何かの「ソマティック・マーカー」（外部からある情報を得ることで呼び起こされる身体的感情）として、脳と連動しながら残ったのかもしれないけどね。これは自己意識は脳の中での身体的なマーキングを伴っている、脳の情報は身体の各所にマーキングされているのだという見方ですね。

津田　私も「ソマティック・マーカー仮説」には非常に興味があって、その可能性はかなり高いと思いますね。自分の身体感覚というものはものすごく重要で、その中の何かに封じ込められている可能性はあるので。

松岡　そのセンセーション状態は無視できないでしょう。しかも、それが遠く離れていても、連動できる状態で脳と電話をかけ合っているとしか思えないってことがある。このへんのことはもうちょっと話したいな。

世界の成立には引き算が必要だ

松岡　ぼくが差分的なもので意識を感じるのは、やっぱり湯川さんからの刺激なんですよ。湯川さんが一八世紀の「ボスコヴィッチの物質論[15]」を解読されている文章があって、その中で、ある物質がそこにあるのか、自発的にそういう位置を持とうとしているのかは、モニタリングする目のようなものがないと説明ができない、と言っているんですね。湯川さんはボスコヴィッチの「加速する点粒子の仮説」を先行理論として解読するんだけれど、ここでいう「目」というのは、津田さんの言い方にならうなら「マイナスされたほう」にあると言ってもいいのかもしれない。もとになった物質は、自分がどうしてそうなったかは知らない。だからそのことをリポートしてあげる必要があって、でもそれは差分の形でしかわからないと言うんです。

津田　なるほど。

松岡　その話がぼくの起点のひとつになっていて、そこからほどなくしてホワイトヘッドの哲学にのめりこむことになった。なかでとくに主著の『過程と実在』（みすず書房）の中に、アクチュアル・エンティティというキーワードが何度も出てくるんですが、ホワイトヘッドはそれはしかし〝実在者〟ではないだろうと言う。〝実在者〟ならば分割したり、分離したり、場合によっては部品として取り出せる可能性もある。しかし世界を成立させている要素であるアクチュアル・エンティティは、世界からはぐれた瞬間にアクチュアルなものを見せるから、はぐれた以前のものを要素としてアクチュアル・エンティティと呼ぶのは言語矛盾なんだけれども、そう呼ぶしかないんだという言い方をしていて、これは当たってると感じた。

　つまり何かが差っ引かれる、はぐれる、ということを前もって内包しているような動向がAとBの中にあって、はぐれた瞬間にアクチュアル・エンティティとして機能しているのだから、それが意識のようなものなのではないか、ということですね。それで、湯川さんの言う「点粒子がおこす差分」と、ホワイトヘッドの言う「剝がれるアクチュアル・エンティティ」がぼくの中でイメージとして重なりはじめたんです。

というわけで、意識というものが「AマイナスB」という形をしているという見方は、ぼくにはできていなかったけれど、ある程度は納得できます。世界の成立の仕方を説明するのに引き算型が必要だという感覚は昔から持っていて、よくわかる。それで言っておきたいことは、日本文化では「引き算」がとても重視されていたということです。

津田　それまた興味深い。西洋文化は積み上げ式を重視するようにみえるので、足し算的要素が濃いのかな。

松岡　そうかもしれません。ごくごく象徴的な話をしておきますが、藤原定家に「見渡せば花も紅葉もなかりけり　浦の苫屋《とまや》の秋の夕暮」という歌がありますね。三夕《さんせき》の和歌としても有名ですが、秋の夕暮れの苫屋（粗末な小屋）しかないような浜辺の風景を、あえて「花も紅葉もない」というふうに詠んだ。寂しい夕暮れの風景を何もなくて寂しいなあと詠んだのではなく、「花と紅葉の欠如」によって捉えた歌です。

この歌は世阿弥も利休も芭蕉もその当時から傾注していた歌で、ここには日本の表現の秘密が隠されています。浜辺に花や紅葉がないなんて当たり前なのに、花も紅葉も「ない」という引き算を見せることによって、荒涼たる風景の中に花と紅葉を一瞬だけれども見せている一首です。この言いまわしはとても日本的な方法で、日本人が何をイマジネーションとして表現しようとしてきたのかを、如実に象徴しています。

世阿弥の能舞台も舞台に最小限のものしかありませんし、利休の茶室も四畳半や二畳台目まで切り詰められている。しかも薄暗い。けれどもそうだからこそ、そこに能管がピーッと鳴って鏡の間から能装束のシテがゆっくり登場してくるだけで、舞台は一気に物語の開始を告げるのだし、茶室の床《とこ》に一輪の白玉椿があるだけで、その場がパッと華やぐ。それと同様に、私たちがイメージというものを想起するときに、これ以外に有効なものはないだろうという形で、この歌は詠まれていると思うんですね。

日本文化では「そこに何かがある」というのはあまりイメージを刺激しないんです。そこに「何かがない」にもかかわらず、一番あってほしいものを暗示することが、最も日本的な想像力の見せ方なんですね。そこがヨーロッパとは違うかもしれません。実はこのことは、編集の本質とも関係がありまして、ぼくは「編集とは不足を強調することである」「編集とは引き算から始まる」と言ってきた。つまり差っ引いたものを挙げていくことによって、かえってアクチュアル・エンティティが立ち上がってくるんじゃないかと考えたからですね。

津田　たしかにそうですよね。ないものを言っていけば、それはアクチュアルになる。

「いない、いない、ばあ」の原理

松岡　視覚って見えているので、ついつい見えないものに蓋をする。言葉もまた、その言葉を使うことによって他の言葉を使わなかったわけです。しかし、ほんとうは何かを使うときにすでに使わないものは何かを考慮に入れておかないといけない。それは言いかえれば「引き算」です。

津田　タンパク質で言うならば、それはシャペロンですよね。変性状態のタンパク質に結合して適切に折りたたまれた状態になるのを助けるタンパク質がシャペロンですが、シャペロンは正しい結合相手が現れるまで、疎水性部分に蓋をして水から隠すんです。われわれの知覚においても、シャペロンのようなものが意識に対応していて、外からは見えないようになっているのかもしれない。

松岡　そう、そう。全部が開いていると区別がつかないもんね。何かが伏せられることによって別のものが認知できる。伏せることが最も編集技術としては重要である。そういうことでもあるでしょうね。

津田　そのことを象徴しているのが、脳神経にあるチャネルタンパクの状態です。イギリスの神経生理学者ホジキンと生理学者ハクスリーが作った脳の神経細胞に関するモデルがありますね。ヤリイカの巨大軸索を研究して、活動電位を詳細に調査し、神経細胞の振る舞いを数理的に把握することを可能にした。

ニューロンの発火というのは、細胞膜を通じて細胞の内側と外側でやりとりされるイオンの電位差によって起きるわけですが、その電位差を方程式であらわしたわけです。そしてナトリウムチャネルの状態には興奮性が三つ、抑制性が一つあると指摘して、それは実際に当たっていたわけですが、そのときに大事なのは「クローズするほう」だとみなした。クローズしないとイオンチャネルはオープンしない。ずっとオープンにしていたらイオンは流れなくなるので、いったんクローズにしなければいけない。いったん「通さないよ」と言ってあげると、通るようになるんですね。

松岡　ぼくはそれを「いない、いない、ばあの原理」って言ってますよ。

津田　そのほうがわかりやすい（笑）。

松岡　一回「いない、いない」ってしないと「ばあ」がわからない。で、「ばあ」が出てくると、みんなびっくりする。まさにシャペロンの原理ですが、でも伏せたら出てくるというのは、いろんなことに言えるよねえ。

津田　かなり普遍性がありますね。

松岡　ひょっとしたら免疫なんかも、伏せて開けるという原理を使っているのかもしれない。

津田　そうしないと自己免疫疾患になるのでしょう。開けっ放しになってしまうと、自分で自分を傷つけちゃうので、どちらかというと塞いでおいて、外からの攻撃に対してだけ機能するようにしておく。これ、けっこう本質的だと思いますね。

松岡　官能的な話だなぁ。

津田　そうですか。官能的ですか。

松岡　うん、官能的。クィアです。ま、ぼくも変なんですよ。そうとうに変なのよ（笑）。

津田　たしかに、変かもしれない。

松岡　変です。いや、まぁ、話を戻すと（笑）、いまのネット社会は全部あけていて、伏せられたものがなさすぎる。もっと自分の思索の中で「ないもの」をつくらないとダメでしょう。伏せられたり、マスキングされていたり、×××になっているところを作らないと、本当に創発的な発想はできない。その×××に当たるものをどこに作るかがセンスではあるんだけども、まず伏せるもの、なくすもの、喪失感、そういうものを思うことですよね。

で、それには、やっぱり「ほしがる必要」がある。藤原定家が「花も紅葉も」と言ったのは、花と紅葉が日本の象徴的な美であるからであって、そのどちらもがないと歌に詠んだからすごいわけであって、そこにタコがいないとか犬がいないと言うだけではダメで、欲しがるものを伏せられるかどうかが肝なんですね。

第10章
集合知と共生の条件

人間に集合知はあるか

松岡　ところで集合知とかコレクティブ・ブレイン（集団脳）については、どう思っているんですか。これはずっと聞いてみたかった。

津田　まさにいま、それが私たちのＣＲＥＳＴ（科学技術イノベーションにつながるチーム型研究）のプロジェクトのテーマの一つにもなっています。あまり深いところまで考えられてはいないですが、やっぱり集合知がいちばん効果を発揮しているのは昆虫だろうと思っています。アリとかハチのような社会性昆虫ですね。昆虫たちは個々にすごい神経系を持っている。以前話したように、この前ちょうど「ミツバチがゼロを理解した」という論文を読んでびっくりしたんですが、ゼロを発見するぐらい個体としての能力はある。でもやはり認知能力にかぎりはあるから、そこで集合的に社会を構成することで、個体以上の知恵を発揮するようなことをしているんだろうと思う。淘汰圧をできるだけ最小化するような仕組みを作っている。

本来なら（ネオダーウィニズム的には）淘汰って個体にかかると考える。だけど集合知は、集合したものが新たに個体として意味をもつわけなので、何らかの拘束条件が集団にはたらくはずなんですよ。むろん、進化生物学者はイエスと言わないと思いますが、しかし集合して社会生活を営むものは、個々の個体にかかる淘汰圧をできるだけ少なくして集団にかかるようにする。

集団という言い方はあいまいですが、拘束は集団の規則や規範のようなものとしてかかってくる。それを淘汰圧と呼んでいいかどうかは別ですが。そういう仕組みとして集合知があると思うんですね。人間ならば個体全体に淘汰圧がかかりますが、私の鼻や目や胃にはかからない。

松岡　ストレスはかかるけど。

津田　ストレスは淘汰圧にはならない。淘汰されるのは個体なので。

松岡　回復するかもしれない。

津田　私の胃だけが残ることはありえないから、個体にかからざるをえないんですよ。で、基本的には、淘汰圧というのは個々の部品じゃなくて、個体全体にかかっているんだけども、集合知が現れる集団では、集団で個体的になっているはずなんです。その側面において、個体的な性質のところに淘汰圧がかかるように社会を構成した。

きっとアリの社会とかミツバチの社会というように、いろいろな社会があって、社会に応じて淘汰圧のかかり方を変えているんだと思うんですね。アリはアリの集団としての個体があり、ミツバチはミツバチで集団としての個体がある。でも個体の形にしておくことで、淘汰圧が強くかかってぜんぶが淘汰されることが少なくなるよう工夫がされているはずです。だから、集合知というのは個の延長のような感じがしますね。

松岡　うん、うん。アリやシロアリやミツバチのみならず、アザラシ、ペンギン、シマウマ、バッファロー、フラミンゴ、あるいは渡り鳥まで、群生生物たちはそれなりの集合知を持ってるんだろうね。

津田　持っているんですけど、でも成功してない例が多い気がする。

松岡　付和雷同が多い？

津田　たとえば哺乳動物のみの集合体の単位の最大は、たぶん人間がいちばん多くて一五〇ぐらいですよね。だいたい一五〇人ぐらいの集団をつくる。それで、その村と村が闘争しあったりするんだけど、一応個としての集団は一五〇ぐらいの単位で、動物はもうちょっと少ない。野生動物の場合は、ウマにしてもたぶん一〇とかその程度だし、サルもそうなんですよね。数匹とか、数家族程度で単位を作っている。

松岡　それじゃ集合知は出ないか。

津田　作ろうとしてるんだと思いますが、うまくいっているかどうか。集団をつくるということは、もちろんなんらかの集合知が可能だというわけです。では何が大きな要因になるのかというと、やっぱり敵と餌ですね。自然選択ですね。あとは当然、「種の保存」があるから、どういうグルーピングにしたらより子孫をふやせるかという問題がある。これは性選択。そうなるとオスの場合は不利なんです。たくさんのグループをつくると、オスはほかのオスに自分の奥さんをとられちゃう可能性がある。自分の子どもの認識ができないような状況に陥りかねない。すると餌をとってくるモチベーションが出てこない。オスの場合にはメスと違ってものすごく間接的なので、オスが多数いる集団はちょっと危険な集団なんです。一緒に束ねる以上は、それ以上の集合知が出てこないといけない。あとは、餌を狩ってくるのに有利であるとか、あるいは敵から守るために屈強なオスがたくさんいるほうがいい、というようなことがとりあえずある。

松岡　軍隊みたいに。

津田　でも、はっきり言ってその程度ですよね。アリは餌を探すことだけじゃなくて、もっとすごいことをやってるように思えますけれどね。どういう相互作用があってあれほど共同的なことができるのかは謎です。本来、コンピート（競争）しているはずなんでね。

松岡　淘汰圧を使わない知とはまた違う知が出てきてるんだろうね。

津田　おそらく人間の記憶のしくみと同じで、淘汰圧を避けるしくみは当然できてくるわけだから、淘汰圧からフリーになっていく知は当然出てくると思います。

無意識の研究はなぜ深まらないか

松岡　ちょっと先に進んでまた戻るけども、ユングのように集合知ではなくて「集合的無意識」を重視する見方がありますね。集合的無意識には元型（アーキタイプ）のようなものが作用して、それがはたらいてマンダラというものをつくるとか、その共同体に「賢人」というものをつくるとかと言う。集団の知を無意識のレベルで掴もうというものですが、これがまた集合知と裏腹のような関係でおもしろいんだけど、ほとんどまだ実態がわからない。ユングの場合は、みんながUFOを見るのも集合的無意識によっているというようなことまで言うので、みんなオカルティックだと思い始めちゃったわけだけど、津田さんはどう思う？

津田　いわゆる認知科学とか脳科学とか心理学においては、無意識をめぐる研究はまだそれほどされていないんじゃないですか。脳科学がやっと夢のレベルをやれるかどうかというところで、ようやく「意識」の領域に少し入っていきつつある程度です。認知科学は社会脳とか人工知能とも関係あるんですけども、最近は力点が機械学習のほうになっている。だから無意識を扱っていると言っても、いままで考えられていた無意識じゃない、たとえば仏教が考えてきたアーラヤ識などではない。残念ながら機械的なレベルにとどまっていますね。あまり深まってない。

松岡　深まってないねえ。それは理由があって、フロイト時代からイドとかエスとかの「自己の設定」を重視してきましたからね。その自己がぐらぐらしているとか歪ませられているとか、そちらからアプローチしてきた。そうなると、無意識は「歪んだ自己」の要因を溜めるところになってしまうんでね。セルフイメージをもうちょっと多様にするか、分岐させるか、階層にするか、ネットワーク状やリゾーム状にしておかないと、このまま無意識に研究が進んでいったとしてもぐじゃぐじゃになるんじゃないのかな。

従来の下意識とか無意識とか自我とかというのは「抑圧された自己」のモデルなんです。それが解放されるところに無意識を想定したために、ユングもそちら側にいくんだけども、それでいいのかどうか。そこで編集工学では最初から「抑圧された自己」を想定するのではなく、そもそも変化に富んだ「編集的自己」のようなもの、わかりやすくいえば〝たくさんの自己〟のようなものが動いていると見ています。最初から抑圧的自己を想定するのでは、世界を語るには足りない。病んだ社会を語るにはそれでいいんだけども、意識や無意識の議論にならない。

津田　トラウマなんかは脳科学的にもやれる部分があるので、やり始めている人はいます。一回の強烈なネガティブな体験で、神経そのものが変わっちゃうんです。それを治すのは大変で、いまのところ治療は不可逆的に見える。一応傷に蓋をするくらいのことはできるのかもしれないけど、やっぱりネガティブな記憶は記憶だけにとどまらずに神経系が傷つくので、厄介です。でも少し研究する人が出てきた。

松岡　そうなの？

津田　ｆＭＲＩ（機能的磁気共鳴映像法）など無侵襲の計測で脳のどこに問題がありそうかはわかってきたけれど、治すのはなかなか難しい。それでも脳のどこに原因があるかはわかってきているはずです。ターゲットが明らかになれば、医学の場合は何年かすれば、いい薬剤も出てくるかもしれないし、今後はｉＰＳ細胞で治すことも可能になるかもしれない。一応、網膜はある程度再生できるくらいの段階に来ていて、脊髄はまだ数年かかるかもしれないけれど、脊髄ができて網膜ができてくれば、もうすこし中枢のほうもできる可能性が出てくる。すると神経を再生できて、トラウマなどが治る可能性が見えてくるかもしれません。

ただトラウマでできる傷にはいろいろあって、神経が実際断裂している場合もあるし、神経自身が傷ついて異常な発火をしている場合もある。基本的にはホルモン的タンパク質の修復ができないことによって神経が再生されない、という形であらわれるようですね。

学問集団のありかた

松岡　さっきの集合知に話を戻すけれど、人間の集合知というものに何かの可能性を感じますか？

津田　人間の社会を見ていると、集合知はないような気がしますけどね。集合知があればもうちょっと健全な社会になっていると思う（笑）。ある社会実験ですけれど、どうしても人間は、「Ａ」と「ｎｏｔＡ」に分かれちゃうというデータがある。トランプ対反トランプというふうに分かれがちで、必ずしもそこでアウフヘーベン（止揚）できない。個々人のレベルではできるんだけど、集団となるとなかなかできない。ただ一つだけ、学会や研究者仲間というのは、ある種の集合知を使っているんですよね。

松岡　トマス・クーン[1]の言う「パラダイム」なんかは、どこか集合知っぽいよね。カサにかかるというか。

津田　そうでしょう？　学者集団はそういう組織をつくっているということを、もっと意識すべきでしょうね。

松岡　ある時期のゲッティンゲン大学とか物理学者からなるソルベー会議[2]なんて集合知で動いていると思えるときもある。

津田　初期のサイバネティクスの研究グループや自己組織化の発展に寄与したメイシー会議なんかもそうですね。

松岡　あれはすばらしかった。うらやましいぐらいだよね。

津田　ああいう学術的組織は、もっと小さくても日本人でもつくれる。実際、個々に見ればつくってきた歴史もあるんですけども、あまり深く捉えられていないんです。ほんとうは学会でも集合知があるはずで、いろいろ議論をして、コメントをもらったり批判されたりしているうちに、いろんな人の知恵が入って、よりよい研究になっていくはずなんだけど、なかなかそうならない。集合知を出すためには、互いのアイデアを尊重しあわないといけませんよね。あいつのはいいアイデアだって横取りしたらだめなので、共有財産としてみんなが認知する仕組みはつくっておかなきゃいけない。

松岡　それは大事。フリーライダーをつくらないなんてことは、シロアリでも知っている。かれらには抜け駆けやフリーライダーはないでしょう。全員がわずかでも何か協力しあっている。ついでながら付け加えておきたいのは、湯川さんや朝永さんの時代にも、坂田昌一[3]の時代にもあったものは、多くの科学者がみずからの科学的成果以外に自伝めいたものを書いているというか、自伝的なことを相互に語り合えていたということがあったということです。ハイゼンベルクはわりと早くに『部分と全体』（みすず書房）という自伝を書くし、シュレーディンガー、ド・ブロイ、ボーアも自伝めいたものを書いたし、コンラート・ローレンツなども早かった。湯川さんも早くから『旅人』だとか『創造的人間』とかを書いた。

　自伝的なものには当然、仲間のことやライバルのことも出てきます。科学者とその同時代の動向がそれらによって共有されやすくなる。ぼくは、一種の観察者が同時にそこに潜在しているほうが集合知は出やすいと思うんですね。だから、場合によってはエディターシップが出るような集団のほうが、大きな力が出やすい。それによってその場がものすごく活性化されるし、外部の言語にも晒されるので、ジャーゴンばかりが飛び交わない。

津田　なるほど、最近はそういうものがさっぱりないですね。やっぱり編集者が入るとだいぶ違うと思いますね。

松岡　科学にもパラダイムとかトレンドがあって、アートやファッションや音楽にもモードがあるんだけど、こういうロックがはやるとか、こういう歌謡曲がはやるとか、人間の思考とか創造性の中には共振型にバイブレーションするところもあって、その共振力が個人の想像力をうまく巻き込む場合はけっこう愉快な集合知的なものが生まれるんですよね。

一方、アリやハチに女王アリや女王バチのようなゴッドマザーとか巨大なボスがいることは、集合知とどう関係するんだろう。一匹でかいのがいるということが集合知が高次化する秘密を握っているような気がする。自分じゃなにもできないからみんなが助け合うというところに秘密があるんじゃないか。

津田　人間にもそういうことがありうるでしょうね。魅力的なゴッドファーザー的なリーダーが一人いれば、それがゆるい拘束条件となり相互的な集合知のようなものは生まれるかもしれない。湯川さんがいいかどうかは知らないけど、朝永さんぐらいだったらよかったかもしれない。

集合知とスモールワールド

松岡　以上のことと、スモールワールドはなんか関係すると思う？

津田　人間の場合はたしかにスモールワールドをつくってしまうので、関係するかもしれないけれど、ただスモールワールドで本当に集合知が出ているかどうかはわからないですね。私の周辺では意図的に「脳の五人組」というのをつくってまして、そのころは集合知が作動していたと思います。

松岡　そう、そう、そういうことがもっと評価されていい。複雑系のメッカであるサンタフェ研究所のことだとあんなにみんなが書くんだから、日本でもそういう状況がもっと出てくるといい。日本では立花隆さんがサル学や脳科学を覗いてドキュメントしたことが大きかった。でも、本人たちがもっと書くべきだ。

津田　日本でもむかしの科学者たちは現役の研究者をやりながら、自伝的なものを書いたりしていたわけです。ところが最近は、若くして本を書くというと「もう研究やめたんですか」って言うんですよ（笑）。「いや、それは結果を見ればやめてないなんてことはわかるでしょう」と返すわけですが、「本なんて引退してから書くもんでしょう」とか言われてしまう。

松岡　おかしいよね。

津田　一定の割合でそういうことを言う。ところが、そういう人がけっこう早く教授になる

（笑）。これでは大学はダメになる。

松岡　その一定の割合が多すぎるわ。

津田　じゃあ自分の一芸だけで図抜けたことやっているかといえば、やってない。やってなくても大学教授には一定の業績があればなれるわけです。そうすると、定年退職するまでに自分たちの研究の日常を書くとか、意見交換するようなことはしなくなる。昔の大学教授、私の先生くらいまでは、みんな教養がありました。歌人もいたし、能をやる教授もいた。アインシュタインや湯川さん、朝永さんのように平和運動をする人もいた。文人や宗教人、思想家だっていた。理系にも社会的な気概がありましたね。

松岡　ぼくや津田さんの世代までは、まだロゲルギストと呼ばれるような、優秀な科学者が匿名ですばらしい科学エッセイを書いていたりしていたのにね。フランスのブルバキのように集団名で数学の論文を書くということもありましたね。

津田　ブルバキは数学の一つのおもしろい試みでしたよね。数学とか物理とか、とくに理論系はそうなんですけど、自分の業績を究極に置いてはいないんですね。自分のアタマをたまたま通ってきて発想を得たなにがしかのものを、私が単にまとめて論文にしただけであって、論文にしたらそれは公のものであるから、もう共有財になっていると考えるわけです。それを突き詰めていけば、もう個人名を消したっていいということになる。出たものがよければそれでいいわけですから。だからブルバキなどは個人名はいっさい伏せていた。実際にはフィールズ賞をもらっているような錚々たるメンバーで、後々バレるんだけど、ニコラ・ブルバキという姓名をつけて、さも個人が書いたようにして実は集団で書いていた。

松岡　アーキグラムというイギリスの前衛建築家の集団とか、エラリー・クイーンや藤子不二雄みたいな「二人でひとり」の作家なんてのもあった。ぼくは集合知はそういうところまでいっていいと思うんだよね。表現の側で、生まれていくほうで生態系を担うというところまでは、アリやミツバチのようにはいかないかもしれないけども、人間はそういうアソシエーションをもっと試みるべきだと思う。それがこれまで歌舞伎とか能とか、オーケストラとかバレーとかラグビーになったりしてるわけだから、科学や創造的な技能のほうにも、そういうものが向かってもいい。

寄生と共生

松岡　それで話を少し変えると、知識とそのストックホルダーにおける「宿主と寄生」の関係だってありうるんじゃないかと思うんだよね。脳ではそうならないけど、生体間にはすでにあるわけだからね。

津田　脳にも、そういうところは実際にあるんじゃないですかね。

松岡　あるほうがおもしろいね。

津田　一応、この身体の中に囲まれたものを自分の脳だとすることはできますが、でもそこには「他者の脳」がさんざん入っているわけだから、自分の脳が本当に自分だけの脳なのかというと難しいですよ。

松岡　そもそも親の何かを受け継いでいるし、ジェノタイプ（遺伝子型）ではなくてフェノタイプ（表現型）としては、ある意味では他者に桟敷を貸しているようなものです。

津田　脳は〝共生〟していると思うんですよ。でもそれが〝寄生〟になっちゃうと病気になるんじゃないかとも思う。

松岡　なるほど。共生状態での神経活動とか創発活動は相当あるということになるね。

津田　あると思いますね。

松岡　ぼくは〝寄生〟というものも、言葉としては寄生虫みたいな言葉があるので印象が悪くなっているけども、必ずしも悪いと思ってないんですよ。むしろ〝寄生〟は〝共生〟だと思っている。もちろん根粒バクテリアのように、もともと〝共生〟と呼ばれてるものもあるけれども、実は貸し借りはいいところで成立してるんじゃないか。

津田　寄生しても親元が死んじゃうと、もはや寄生してる意味がないので、それはほとんど共生に近い。

松岡　そうそう。じゃないと、取られて終わりになる。共生ってもともとどこで起こったと見てる？　たとえばミトコンドリアみたいに外からやってきたストレンジャーが細胞内に住みついているから、細胞のレベルで共生がスタートを切っているというのが一つの見方ですよね。環境変化が起こって、それまで外部にあったものが内部にどんどん入ってきて耐性菌みたいなものができ上がっていくというのが二つ目の説だと思うんだけど、ぼくはそれらを含めてもっと共生的で寄生的な生態系を語り直してもいいかなと思っている。

津田　いま言われたのは、かなり生物というか生命になった段階の話ですが、その前の化学進化のレベルでもそういうことはありますよね。さっきのシャペロンにしてもそうだし、酵素ができたこと自体が、そもそもある種の寄生というか共生であって、まったく概念的には同じじゃないかなという気がしますね。つまり、ある種の〝共進化〟をしてるわけです。結局、淘汰圧は片方ずつにはかからなくて、一体になった個体にかかるので、ある意味では同じ淘汰圧を受けているものたちはすべからく共進化していると言えるわけです。

松岡　どのへんからだろう？

津田　やっぱり酵素あたりから出てきているような気がする。

松岡　リン・マーギュリス[4]はその手の先駆者でしたね。それにしてもその共生のメカニズムって何なのだろうね。なぜ別々じゃなく、連動状態になりうるのか。

津田　居心地がよかったということですよ。お互い貸し借りしているうちに、単独でやるよりいいかなという感じになってくる。

松岡　そのときに、おまえこれ出せとか、おまえのこれ借りるから、という交換が起こってるよね。

津田　たぶんそれはエネルギーで、いちばんプリミティブにはＡＴＰ（アデノシン三リン酸）だと思います。人間も、なぜ結婚するかというと感情的な面を考えず醒めた目で見れば、圧倒的に経済的なムダがないからでしょう。一つの冷蔵庫ですむとか、いろんなものが一台ですむ。基本的にはエネルギー的なやりとりが根底にあるんじゃないか。おそらく系全体として、エネルギー量が半分ですむという合理的な判断があるんですよ。

松岡　コストねえ。そうすると、淘汰圧のかかり具合とＡＴＰの共有とはつねにパラレルに動くということになる？

津田　本来ならエネルギーと情報の二つをどううまく獲得していくかが問題になりますね。生体において情報を作るのには莫大なエネルギーがいるので、情報だけということはありえない。莫大なエネルギーを使って、ほんのちょっとしか情報を送れなかったらバカみたいだから、同じエネルギーを使いながらたくさんの情報をとれるように工夫するか、あるいは少数の情報ならばエネルギーを省力化していくようになるでしょう。いずれにせよ、そういうエネルギーと情報の両方を考えないとだめですね。

松岡　両方とも重要なのは引き算だね。

津田　引き算。節約していくということですね。だから生物は、初めはいいかげんに作っちゃうんですけど、実際にいいかげんに作ってみたら居心地が悪いから、居心地をだんだんとよくしようと工夫して省エネになっていく。それは引き算の論理があるからですね。

松岡　進化のプロセスによるけれど、省エネも二つあります。初期は文脈自由のほうが省エネで、進化が発達してくると文脈依存のほうが省エネになる。コスパがいい。これは編集作業でも同じことです。でもこれは情報面のことで、実はそれ以前に物質の貸し借りや損得勘定が動いているでしょうね。

津田　エネルギーも物質ですからね。情報もその情報を運ぶキャリアーが必要で、それは物質ですね。

松岡　ふりかえって考えてみると、結局は熱力学の第二法則が自立と共生の最大の境目を担っているということですね。そりゃそうだよね。

津田　初めに議論したように、熱力学的にぎりぎりの線、カルノー・サイクルのような熱サイクルが発生し、膜などの内外の境界ができるとともに非平衡開放系が実現される。そこで、デーモン的なものが消費エネルギーと獲得情報量の塩梅を保証するように構成される。酵素などは典型的なデーモンでしょう。

松岡　省エネであれ引き算であれ、それがどのタイミングで、どこでおこしているかが重要ですね。ある場というか、ある域というか、どのトポスで、その受け渡しのポイントが絶妙になってきたんだろうね。そのアロステリックな判断があるから、全体の足し算や引き算がやりとりされる。ある系の、一部のどこでっていうことが大事だよね。

津田　そういう「場所の特異性」（specificity）もある。環境の中で占める位置は進化にとって重要です。また体の中の場所のこと、どの器官で貸し借りするかということも共進化にとって重要ですね。それから、占める場所によって情報の意味が違ってきます。だから機能が違ってくるとか、折り合いがいい悪いという「意味の特異性」も出てくる。生物の特徴は多様性だといわれますが、それは場所依存の機能の特異性が進化してきたことによるのでしょう。その意味で、生物の場合は特異性をどんどん追求してきたところがあるわけです。

松岡　ふたたび場所の話に戻りましたね。場所《トポス》に情報《トピック》が宿っていくという話。やっと本論の最終場面にさしかかってきた。

第11章
神とデーモンと変分原理

変分原理は神の原理

松岡　コロナ禍での対話も、そろそろ大トリを残すだけになってきました。ずいぶん刺激的な話をしてきたように思うけれど、もちろん次々に結論を出してきたわけではなくて、たんに互いの問題意識を交わすというふうにやってきました。けれどもたんに交わしたのではなくて、二人ともできるだけ先端の矛先《ほこさき》を交わした。だからかなりリスキーな話もすることになった。

津田　きわどいところもいろいろありましたね（笑）。

松岡　お互いに一線を踏み切ろうとしたから。引き算が大事だと言いつつも、あんまり引かなかった（笑）。

津田　ほんとに。

松岡　そこでここからは、気になっていることや言い足りなかったことを言い合い多少交換したいのですが、まずぼくが津田さんにまだ確認していない大事な問題や重大な考え方を聞いておこうと思ってます。

津田　何でしょう？

松岡　変分原理です。バリエーショナル・プリンシプル（variational principle）。神とデーモンのところでも少し出た話だけれど、これはもう少し聞いておきたい。ダランベールの原理、最小作用の原理、ハミルトンの原理、みんな変分原理ですね。

津田　そこですか。

松岡　うん、そこ。でも変分原理を「存在の発現」につなげている例は、あんまり見たことがない。津田さんはそこに向かっていった。どうしてそんなことが思いつけたのか、聞いておきたい。そもそも津田さんが変分が大事だと思いはじめたいきさつを聞いていなかった。

津田　大事というよりは好きだったのが最初です。

松岡　どこに惹かれたの？

津田　あらためて教科書的にいうと、変分というのは「関数を値に対応させる関数」、つまり汎関数を最小にするような関数を求める方法のことです。たとえば、適当な二点をボールが最も速く、最短時間で転がり抜けるような曲線はどのような式で与えられるかという問題を解く方法ですね。関数の変化を考えることが微分であるのに対して、関数の関数である汎関数の変化を考えることを変分というわけです。それは「汎関数に対する微分」と言ってもいいんですけど、汎関数をちょっとゆすって変化させてあげると、結局もとの関数の微分のようなものが出てくるんです。

関数のグラフに対してはふつうは接線が引ける。たとえば $y=x^2$ の放物線に対しては、原点で $y=0$ という接線が引けます。これを汎関数にしたときに、その接線に対応するものが引けるのか。この問いは接線を引けるとは微分できるということなので、その微分構造をもっている空間が、各点でとれますかということになる（微分が作る空間を「接空間」といいます）。各点で微分が定義できれば、接空間と接空間の間の関係式もわかります。そういう微分構造を入れていくと、いろいろの変化をはかることができる。

大学で物理を勉強しはじめたころのことですが、変分原理によってニュートンの方程式が導出されるというので、非常にびっくりしたんです。私は、ニュートンの運動法則、一般に第二法則と呼ばれているもの、質量×加速度が力であるという第二法則は「力の定義」だと思っていたからです。定義であるなら、もうそれで了っているはずなのに、なぜ変分を導入することで運動方程式が導かれるのか。そこに違和感があって、変分ってなんだろうと思い始めた。

分け入ってみると、変分のとり方はまるで神の手を使ったみたいなんですね。ある粒子の運動を表す関数が、作用がいちばん小さい値になるように決まる。それがニュートンの運動方程式と一致する、その構造に啞然としたのが最初の最初です。いま変分はいたるところで使われているんだけど、私は変分にまず「意味としてのおもしろさ」を感じたわけです。

松岡　なるほど。「なんでもござれ」に次々に当てはめられると思った。

津田　というより、神の存在を信じてなくても神の手になれるというか、そんな感じですかね。こんなに便利なものはない。だって宗教もなにも信じてない人間が、神になったようなものですから。神に命令されて変分をやってみたら、運動法則が出てきた。そこに不思議さと違和感、それから物理学の深さを感じたんですね。

ただ、変分をやったからといって物理的に新たに何かがわかるわけではないので、興味を持ちながらもそのまま放っていた。それが脳の問題にとりくみ続けてきて、北大を退職する直前ぐらいに、自己組織の問題をもう一回考え始めたとき、ふたたび変分が頭をもたげてきたんです。というのは、根本的に解けてない脳の問題がたくさんある中で、一つ大きいのが「機能分化の問題」だったからですね。たとえば脳の後頭葉の視覚野に特化するシステムはどうやってでき上がっているのか、そういう機能分化はどうやってできたのか、その数学的な構造を知りたいと思ったんです。生物学的な理由はあとからでいいので、まずは数学的な構造を知りたい。また、そういうものは原理的にできるのかどうかを知りたかった。

松岡　そこがぼくと違うところだな。津田さんはまず数学的構造がほしくなる。ぼくは生物的な情報編集のアトサキのほうが気になる。

脳に変分原理が見えた

松岡　で、その構造というのは見えたんですか。

津田　この二～三年くらいの研究の中で、その構造があるらしいことがわかりました。ニューロンの運動方程式とインテンショナルな情報を拘束条件にするようにして、これを最小化するように変分をとると機能が分化していく筋道が見えてきた。

実際に具体例をやってみたところ、一つは力学系のネットワークからニューロン的なものが出たんです[1]。もうひとつは、入力のところに視覚的な刺激と、聴覚的な刺激を両方同時に入れるんですが[2]、ネットワークの中でいろいろ計算をしてみると、アウトプットのところに視覚だけに特化したニューロンができて、聴覚だけに特化したニューロンができる。

つまり完全に分化しないということですね。完全に分化すると、次にどこか故障したときに補えない。補えなくはないんだけど、けっこう難しい。だから両方できるものが残っているのはとても大事なんです。人間の場合は、これが「共感覚」の原因になるんだろうと思う。たとえば文字を見て音が聞こえてしまうというようになる。ようするに分化しようとしたんだけど未分化なものが残っていて、そこが強く活動を始めると共感覚的なものが出てくるんですね。

松岡　視覚のニューロンと聴覚のニューロンの両方ができた。なるほど。それで、そのとき結線が違っちゃって共感覚になるのも両方出たってことですか。それがどうして神様っぽいのかな。

津田　神様っていうほどじゃないけれど、変分原理を使っているところは神的です。つまり変分を用意しているのはこちらなんだけども、じゃあなぜ脳が変分をとるのか、その理由まではわからない。われわれの変分原理がうまくいったということは、なんらかの「拘束」（constraints）がかかったということです。

松岡　拘束の条件が見えた。

津田　実際の脳にどういう「拘束」がかかったのかはまだ具体的にはわかりませんが、でも可能性のひとつには情報をシステムの中に伝えていくことを最大化するというのはあったんじゃないかと考えています。情報をどんどん自分のネットワークの中に入れていかないと分化は起きないし、共通部分も出てこないですからね。

もうひとつは、フィードバック回路（回帰、再帰）があることが大事なんですね。元に戻す構造が脳の中にあると、カオスができる。われわれの数理モデルでは、機能分化が生成されたときの神経ネットワークのダイナミクスは多かれ少なかれカオス的なものだった。やっぱりカオス的になっていることが大事なんですよ。

松岡　あれっ完璧じゃん、狙い通り（笑）。

津田　いやいや、私がしゃべると完璧に聞こえるだけですよ（笑）。やった本人が言うとちゃんと狙い通りに話そうとしますから。別の人が聞くとちょっとここが足りないぞと思うかもしれない。

松岡　まあまあまあ（笑）。で、そのカオス的になっているというのは遺伝的な発現でもおこっていることですね。脳のカオスは胎児が形成されていくかなり初期の段階でおこっているということでしょう?

津田　ええ、基本的には遺伝子に書かれている部分が当然あるわけです。実際の脳は、個体発生がずっと発展していくことで形成されるので、基本的には決まった遺伝子が発現されていく。遺伝子がある種のプレッシャーを変分的に持っているわけです。実際の発達のときは、遺伝子発現が神経系にプレッシャーを与えていますから、それは進化的にある程度決まってきたものですね。

松岡　いわば「変分子」みたいなものがいろいろ機をうかがっていて、あれこれ少し試しながら、「よし、ここでいく」って決めている。ということは脳は「最適化」というものをうすうす知っているというわけですね。

津田　そうです。ただ本当に最適かどうかはわからなくて、もしかしたら最良かもしれない。つまり、試してみた中で何をもっていちばんよかったとするかというと、これ以上は変化しなかった状態のことです。それはある種、ナッシュ均衡[3]に対応するような状況からいかに脱してパレート最適に持っていくかということで、そこへ向かっていく。

松岡　何かのゲノムにとってパレート最適はいちばん有効なんだね。「試して試して、よしここでいく」という道筋を脳がもっていて、そのどこかのプロセスに変分の神が関与しているんだとすると、これはいろんなところに言えることになりますね。情報を入れこむとうまく前へ進むということは、情報解釈が可能なほうへ変分が動いてるということになります。

津田　脳はその後、環境からの拘束も受けていく。胎児から乳児にかけては劇的に変化しますが、遺伝子だけではなく、環境要因が拘束をかけるようになる。ほとんどが情報論的なものですが、頭蓋骨による物理的圧力のようなものも拘束になる。そこに拘束条件を与えると、それを満たすように解を決めなくてはならないので、これは変分問題になる。機能を多様にしていくことが最大の効果だとすると、その方向への拘束が選択されるようになるんでしょうね。ここにこそ、情報の解釈が可能な方向に向かう必然性があると思います。

松岡　よくわかりました。ちなみに、そのように変分を使ってみるというのは他にもいろんなところで見られますか。

津田　工学ではとくに制御の問題とかで見られますね。最適制御は、数学的にはアンドロノフ・ポントリャーギンの「最大値原理[4]」があるのでいいんですけども、実際に工学的な最適制御をしようとすると、ものすごくいろんな問題が出てくる。われわれも理論武装するためにいろいろ調べているんだけど、それは「バコノミック力学」という範疇なんですね。

松岡　え？　初耳だ。

津田　造語です（笑）。バコノミックとはバリエーショナル（変分的）なキネティックス（運動学）、つまり変分的な動力学という意味でバコノミックというんですね。

「存在の発現」の秘密に向かう

松岡　変分的な動力学ですか。

津田　物理で、とくに力学でよく使われている変分原理の場合は、拘束条件の項がゼロになるようにしておいて、その前にラグランジュの未定乗数をつけますね。それで変分をやると、ラグランジュ未定乗数が定数として決まります。あるいは、滑り台を転がる物体が受ける拘束は滑り台の曲がり方を表す関数ですから、その場合はラグランジュ未定乗数が滑り台方向の変数の関数になって決まります。

　だけど、運動方程式そのものを拘束条件にすると、ラグランジュ未定乗数が新しい従属変数になり、元の力学系の変数だけではなく、その時間微分や時間そのものにも依存してきます。だから、ラグランジュ未定乗数の運動方程式が余分に出てくる。もともとｎ次元で考えていた問題が、２ｎ次元に拡張されてしまう。

　それではもともと想定してないものが出てくるので困る。変数が勝手にふえてしまう。そこで、それを決めるための拘束条件をまたつけなきゃいけなくなって、その拘束に応じて新たな変数がまた出てくるので、それが収束するまで、つまり全部が決まるまでやらなきゃいけない。

これをハミルトン系でやったのが、量子力学でシュレーディンガーの波動力学とハイゼンベルクの行列力学が等価であることを証明したポール・ディラックです。ディラックのアルゴリズムというのがあるんですが、われわれは散逸系で同じ問題にぶち当たった。そういう深い問題が背景にあるのですが、工学系ではとりあえず制御できればいいので、制御システムとして作ってしまえば勝ちだと思うようです。

松岡　勝ちほこる？

津田　そんなことはないけれど（笑）、残念ながら理論としてはまだ不完全なところがあって、なかなか決着がつかない。でも多くの工学系、とくにロボットをやっているような研究者たちが制御をやるときには最適制御を使っています。そういうレベルにいくと、神経の問題とまったく無関係ではないはずなんです。ただ少数ですね。そんなに多くの人が使っているわけではない。

松岡　非因果的なものから因果が出せるということになるからね。

津田　まさに言われたとおりで、実はバコノミック力学というのは非因果的です。というのは、最適制御というのは終状態を決めて、それを満たすような初期状態を選ぶわけなので、因果的じゃないんですよ。運動は、初期値から出発して終状態に向かうんだけど、先に終状態を決めてしまうので、では「それを満たすようないい初期値がありますか」ということになる。

少しむつかしく言うと、解軌道の集合が作る多様体上で変分を行って極値を求める（いいものを求める）のが最適制御です。工学的な変分にはフィードバック制御というのがあって極値の中からフィードバックをかけながらいいものを選ぶという方式です。こちらは因果的にできる。バコノミック力学のように終状態を与えてそこへ向かう適切な初期値を求めるには、そもそもそういう初期値がないと制御できません。それを満たすような初期値集合が、もしメジャー・ゼロだった場合には、さっきの「まれ現象」を相手にするようなことになるんですね。すると「意識」の問題とも関係してくる。

松岡　それ、それ、それ。

津田　そのあたりは掘り下げると、「分化の問題」も結局は「意識の問題」と関係してくるという話です。

松岡　正確にいうと「意識」という余分なはたらきを準備する分化がおこるということですね。脳の実際のネットワークの中で「始状態」と「終状態」はどのぐらいの単位のことですか。たとえば何か刺激信号が入って終わる場合には、どこまでを終わりとみなすのか。

津田　それは、何を制御したいかによります。いまわれわれがやっている機能分化の場合だと、最初の状態は任意にとっていいんですけど、終状態は、だいたい生まれてから二～三年ぐらいの期間。

松岡　大事なところだなあ。生まれて二～三年は生の始めのちょっと暗いところ。

津田　それぐらいのスケール。

松岡　となると、それはやっぱり「神対応」っぽいわ。

津田　遺伝子なんですけど、神かもしれない。ただ本当はそれだけじゃなくて、生後の周りとのコミュニケーションという問題があるわけです。胎児の段階でも、周りの状況からいろんな知覚をしているということがわかってきてますから、機能分化もその段階で起きているのではないかと言われています。もちろん完全にできあがるのは生後のことですが、生前もなんらかの刺激は受けているので、拘束条件はかかっているはずです。さらに生まれてからは遺伝子的な拘束条件だけでなく、周りの大人たちがつくる環境も拘束条件になりますし、いちばん大きいのはたぶん頭蓋骨ですね。

松岡　物理的な拘束もかかる。

津田　それも大事なんです。ただ、これは方程式に入れてないところで、むしろ発生のときにこそ大事かもしれない。

松岡　聞けば聞くほど自己の発生の秘密を握っている話ですね。「存在の発現」の秘密にかかわってきます。それこそ自己組織化の自己と拘束のかなり深いところの問題だ。しかしね、その「変分的自己」を「自己」と言うには、どう説明しますか。

津田　そこですね。まさに変分をかけるのは他者なんですよ。

松岡　他者！

津田　遺伝子も実は自己でなくて、他者ですね。もちろん外の環境も他者です。そういう他者が拘束条件をかけているので、変分的条件の変分をかけているのは、あくまで他者なんです。その中で自己組織はおこるので、あえて「拘束条件つき自己組織」と言ったんですね。

松岡　なるほど、かなりいっぱい、いっぱいだ。

津田　ぎりぎりですよ。

松岡　津田さん、どうしてもう一回「自己組織の理論」をやり直そうと思ったの？

津田　それは、脳のいちばん大事な問題の一つは機能分化で、誰もタッチしてないからです。みんな脳機能の局在論である「ブロードマンの脳地図[5]」については知っていていろいろ言及するけど、じゃあなぜその機能ができたのかと聞いても誰も答えない。遺伝子で決まっているからと言うけれど、じゃあ遺伝子でどう決まっているのかと聞くと、いや書かれているからという答えでとまってしまう。

　でも最近は、ｆＭＲＩで見ると、オトナにおいてもある言語的タスクや視覚性のタスクをやっているときに脳の機能分割が起きていることがわかってきた。それを見ていると、ある領域とある領域が機能的につながっている。その状態を指して「分割」という言い方にしていて、だいたい脳の機能は機能分化という意味では五〇ぐらいに分割された領域ごとに特殊化したと言われていたものが、一八〇ぐらい機能分割があることがわかってきた。タスクを与えると、それぐらいの分割が起きて、やりとりをしていることもわかってきた。その分割速度はものすごく早くて、おそらくミリ秒単位でおきている可能性がある。それぐらいのスピードだとすると、われわれの理論は数学なので、縮尺は変えられますから、これにも適用可能です。

創造の秘密

津田　それにそもそも、機能分化の問題をなぜやらないといけないかというと、これは複雑系の典型的な問題だと思っているからです。複雑系というのは、要素に「還元」（reduction）できないものです。たとえば、脳の後頭葉の視覚野だけを取り出して実験室に置いてみて絵を見せるとします。それで視覚野の細胞たちがちゃんと絵を見るかというと、たぶん違う反応をする。それはつまり、中に入れたときだけ起きる反応があることを意味しています。だから、機能分化はおきているけれども、脳というシステムの中に入れてないと、機能発現しないわけです。

　自転車の部品もそうですね。自転車の部品を自転車から取り外したら、何も機能しない。あくまで自転車の中に組み込まれているから部品として機能する。そしてこの場合、機能分化させているのは人間が作った設計図です。人間が自転車というシステムをつくって、それを満たすネジやハンドルを作っている。けれども生物はそういう作り方をしない。部品を組み合わせてシステムを作るのではなく、システムの中で機能部品を作る。つまり、あとから「部品」が分化していくわけです。それを私は複雑系と呼びたかった。

松岡　エピジェネティックな複雑系！

津田　ですから、複雑系の典型的な問題こそが「機能分化」なんですね。だから、機能分化の問題に取り組むことは、まさに複雑系の根本問題をやることになるわけです。ずっとそう考えながらなかなか手が出なかったんですが、やっと少し方向性が見えてきた。

松岡　部品ではなく変分の原理だけを使って、最後に残るものを作れるような複雑系の初期モデルがあるということですか。

津田　そうです。いまもう一つやろうとしているのは、この原理を使って「幻覚」を説明することです。つまり、どこか回路が壊れてしまったから再組織化しましょうというときに、ネットワークとしては戻っても機能的に戻らないことがある。そのときに起きるのが幻覚ではないかという仮説を考えているんです。いったん、変分でできたものを部分的にちょっと壊してやって、壊したものでもう一回学習させて自己組織化させると、はたして機能が戻るかどうかを試してみる。すると戻らないことがある[6]。そのときに何が見えるかというと、もととはちょっと違うものが見えるはずです。

松岡　ほお、幻覚まで一挙にいくわけですか。ラマチャンドラン[7]？

津田　ラマチャンドランの場合は「幻肢痛」といって事故で失くした手足がまだあるかのように激痛が走る症状で、ここではこれ以上詳しくは言いませんが、彼はその治し方も発明した。こういう研究の方向性は非常に大事です。なぜなら、われわれは通常脳が何をしているかを意外と知らないからですね。ずっとここで議論してきたことですが、脳は意識化したものを無意識に落とす装置です。ですからうまくいっている機能は意識化するのがむつかしい。それが失われて初めて正常な機能というのが何だったかが意識に上るのです。

松岡　なるほど、やっぱり引き算のロジックなんだ。まちがいのほうを出したいということですね。それが幻覚である。

津田　脳のまちがいっていうのは、正解があって間違えるというまちがいとは違う。何が正解かなのではなく、ちょっとしたエラーの集合なので、エラーで世界を再構築してもいいわけです。

松岡　それこそ本質的な行為だよね。

津田　世間では幻覚というものを病気の症状だと捉えがちですね。あるいは他人とは違うパフォーマンスをすると、それは病気だと言います。けれども実は、多くの人がそれぞれ他の人とはたえず違うものを見ているはずなんです。それをあたかも同一のものを見ているとみなしているだけだと思いますね。中の回路構造が変われば、おそらく違うものを見るんです。

松岡　読点の打ち方ひとつで変わります。「いや、よして」は読点が変われば「いやよ、して」になる（笑）。読点が変わっただけだけど、これは構造が変わったんです。ただし、日常感覚と幻覚の構造の差異となると、これは精神医学の症状の見立ての根幹にもかかわってくる。

津田　だから、問題をどう立てるかなんです。どこをどう変えたら幻覚が出るのかという問題にしちゃうと、いくらでも答えはつくれるし、逆に何が本当なのかわからない。一方で一つだけ原理を置いて、それによって考えるというやり方は完璧に間違っているかもしれないけれども、完璧に合っているかもしれない。だから研究の戦略としてどちらをとるかということですね。私はオール・オア・ナッシングのほうをとる、それには「変分」しかない。

松岡　ずっとそれを貫いている。頑固です（笑）。ま、それはともかく、幻覚とは言うけれども、実はこの話は「創発」と裏腹だよね。だから創造の秘密でもある。

津田　そうです。創造するときには、何かがふだんと違う見え方をしているわけですよ。視覚だけではなくて、いろんな違う見方ができる。それはいったい何なのか。

松岡　悪い言葉を使うと、創造とは元型にもとづく〝捏造〟なんだけども、その捏造がしばしば創発的な場合があるわけです。一部違うとなにか違うものに見える度合いを含んでいる。

いま、津田さんが言う幻覚とか幻像はイリュージョンであり、デーモンであるわけだから、それはやっぱり創造の秘密にも近い。しかも、それが複雑系のある初期のモデルに当たるということが大事ですよ。複雑系がないかぎりは、情報をトコロテン式に押し出すような局所化も起こらないし、見まちがいとかミスマッチも起こらない。すると結局は創発が起こらないことになる。

津田　そうなります。

松岡　すごいところへきました。

津田　まあ、神の原理ですね。ただし、小文字の神の。

物語生成システムはできるのか

松岡　これは変分じゃないと、どうなっちゃうわけ？

津田　でも、結局は変分的になるんですよね（笑）。変分をミクロにローカルにとるか、マクロにグローバルにとるかという問題はありますけど、ローカルにとっても機能分化的なことが起こらないわけではない。たとえばフォン・デア・マルスブルグ(8)は、六〇年代にヒューベルとウィーゼル(9)が見つけた視覚野の単純細胞の機能（線分や傾きに反応する機能）をニューラルネットで作ろうとしました。マルスブルグがやろうとしたのはこういうことです。一個のニューロンに入ってくる結合の強度の和を、各ニューロンで一定にする。すると、強いスパイクが一発くるとそのシナプス結合が強化されるので、他のシナプス結合は弱くしなきゃいけない。そうすると、そのニューロンには、強化された特殊な結合からの情報しか入らなくなる。また隣の別のニューロンには、別の特殊な結合からしか情報は入ってこない。すると、こちらとあちらは違う入力刺激を受けていることになりますから、機能が分化する可能性が出てくる。実際に、フィフティ・フィフティぐらいの結果で、まあ分化しただろうというような感じのものは出ている。

リクツから言うと、こういう保存則という拘束条件を置くやりかたでも機能分化はおきていいわけです。そういう各シナプスの、各ニューロンの結合の箇所に、全結合数の強度が一定であるという拘束条件を与えると、「ウィナー・テイク・オール」と言って、結局各ニューロンに対してある特殊な刺激を受ける結合だけが生き残るので、それぞれのニューロンは違う役割をすることになる。これはやってみるとけっこう難しいんですが、ただ、考えやすくはあるんです。マルスブルグのやり方はミクロに変分をつくる方向性ですね。でもわれわれはそうではなくて、「システム全体の情報を最大化」するようにしているので、このマルスブルグの弱い意味の変分とはちょっと違う。

松岡　となるとね、これは「意味の生成」に関係してくる。

津田　そうです。本当は意味も拘束条件に入れたいわけです。ただ、意味はなかなか定量化できないので、計算のうえでかけるのは難しいんですけど、設定全体に意味があると考えることはできるので、少し踏み込んでいくことはできるかもしれない。

松岡　何かシナリオを入れればいいんじゃないの？

津田　変分をとるときのシナリオを入れてしまえば、出てきた結果に意味がちゃんとつくことになるかもしれませんね。

松岡　それができれば物語生成システムだ。

津田　そういうのができると、本当の意味で次世代ＡＩができるということになる[10]。

松岡　そうそう、ナラティブ・ナビゲーターだから。これは結局、脳のプロセッサーの「おおもと」の話でしょう。

津田　そうですね。解釈機能プロセッサーをどうつくるかという問題です。ちなみにわれわれの研究の機能分化に関しては、第一論文から第三論文まで出版されました。方針を示した論文は第一論文の二年前に出していて、第一の例はニューロンの分化で[1]、さっき言った視覚と聴覚を同時に入れたものはなかなかできなかったんですが、できた。私のもとでドクターをとった山口裕君がとても賢くて、うまいネットワーク構成にした[2]。その前の「ネットワークが機能によって半分に分かれる」というのは、もう三年ぐらい前にやっているんです。

松岡　勝手に分かれるの？

津田　一応それも変分を入れていますから。二つのシステムの間に仮想的な境界ができて、その境界を渡って流れる情報を互いに最大化しなさいという変分を入れると、完璧に分かれます。ただ仮想的に入れる境界面は任意なんだけど、でも一応入れなきゃいけないので、ちょっと主張が弱い。でも、入れなかったら何もおきない。となると、ちょっと人為的なものを入れなきゃいけないので、モデルとしては弱かったんですけど、ただ視覚と聴覚の実験はニューラルネットワークモデルも問題設定も汎用性がある。

松岡　「創造の秘密」についにたどり着いた。ほかにやってみたいことはありますか。

津田　視覚認識とかパターン認識はもうやっている研究もあるし、ある程度やれるところはあるんですね。記憶の問題も、連想に関してはかなりわかってきた。思考や推論のメカニズムもある程度はわかってきている。そうなると、なかなか難しくて手付かずなんですが、最後に残るのはやっぱり「言語」かなという感じがしています。

複雑系の定義を書き換える

松岡　ところで、ここでひとつ確認したいのは、機能分化は複雑系の典型的な問題だとしても、この話を「複雑系」と言う必要があるのかということです。

津田　いや、というか、それを「複雑系」の定義にしたんです。かつてシステム関係の雑誌に寄稿を頼まれて、「システムには二つある」と書いたことがあるんです。一つは階層的に組むシステムと、そしてもう一つはシステムの中に部品（サブシステム）ができていくというシステム。そして後者を複雑系と言う、と書いた。そう書いた理由は当時、自分でもよくわかっていなかったかもしれない。ただその一方で、「複雑系とは、部品に還元できないことである」とは誰もが認める定義なんですね。このことを認めるのであれば、私が考えた二番目のシステムの定義がまさにその典型例ではないか。

松岡　脳はすべて「作業仮説」なんですね。

津田　そうです。「いろんな作業仮説ができるシステム」です。

松岡　それをこそ複雑系と呼べばいいのだということですね。これまた明快でした。これは、既存の定義をあらかじめ前提にしてないところがいい。まさに非因果的なのに因果的な印象がある。

津田　最後の最後、この研究はそこにいくのかという感じはしますね。ただ、言語はやっぱり難しい。昔、松岡さんに「言語をやったら」というようなことを言われたんだけど、なかなか難しくていまもできていない。でも言語まで生成できるといいなと思いますね。九州（九州工業大学）にいるころに言語生成的なモデルはつくったんだけど、それはだめなモデルでした。

松岡　当時は変分は出てきてなかったわけでしょう。

津田　そうですね。そういう方向では考えていなかったですね。

松岡　変分と言語は近づけますよ。神の手だから。

津田　神の手を使っちゃうと、あとがない（笑）。

松岡　しばらく使えるから大丈夫（笑）。今度はきっと神の手がつくった神の子が生まれるから。

津田　いや、脳科学の場合は神に触れると死ぬ、ということがあるんです。

松岡　そうか。

津田　だからマーは死んだんじゃないかと思っていて。

松岡　件《くだん》（混沌）に目鼻耳口を付けると件が死んじゃう？

津田　カオスに目鼻を付けるとカオスが死ぬ。クリックは、神に触れなかったから長生きした（笑）。

松岡　ボルツマン[11]とか、チューリングのようにちょっと怪しい死に方した人たちはどこか神に触れているのかもしれない？

津田　ボルツマンは自殺ですが、触れたんですよ、やっぱり。

松岡　だけど、そのボルツマンですら早めに自伝を書いている。だからあの人たちすごいよ。

一方、津田さんは自伝を書かなくとも、自分がどこで何を考えたか、そのリマインドがざっと出てくる。いつも編集的現在にいる。これは大事です。そういう人はね、死なない（笑）。

津田　そうかなあ。

松岡　あやしげな占いの話みたいになってきたんで（笑）、このくらいにしますが、とはいえ「複雑系」の話にもう少しだけ立ち入りたいんだけれど、さっき話されたように、システムには二つあると言いましたね。階層的に組み立てていくものと、自分が中で部品を取り替えながらつくるというもの。で、後者が複雑系である、ということですね。そうすると、いままでの複雑系の議論には何が足りないということになりますか。

津田　そうですね。カオスを使えば複雑系だという議論はたくさんあったんだけど、必ずしもそうではないんだと思います。私は複雑系の本質は初めから不可能問題にあると考えてきました。不可能問題は還元不可能でそれ自体として考えなければならない。つまり、還元不可能性にこそその本質があると思ってきたわけです。カオスもそういう視点で考えている。計算不可能性とか決定不可能性とか、ようするにそのレベルだけだと解が決まらないようなものとしてカオスを見ています。

　カオス＝複雑系という場合は、カオスが簡単な法則のもとで生まれる複雑現象だからでしょう。それはカオスの一面でしかない。カオスは複雑系の一つのベースを作っていますが、複雑系のすべてではない。複雑系と言わねばならないような系は還元不可能な系です。要素に分解したら要素はシステムの中にいたときの機能は果たせない。だから、システムを分解して要素を理解してそれを集めればシステムの理解に至るということにはならないわけです。ここが複雑系と言わざるをえない必然だと思います。でもそれを説明できるいいモデルがなかった。だから還元不可能性を表現できる典型的なモデルが一個ないとだめなんですよ。

松岡　それは自己組織化的臨界のパー・バク[12]の砂山モデル[13]ぐらいじゃだめなの？　カウフマン[14]には、テーブルの上にゆっくり砂を加えて砂山を作っていくと、しばらくして雪崩が起きて形ができていく、小さな雪崩が何回か起きて、やがてあまり形の変わらない砂山ができるという「自己組織化的臨界現象」のわかりやすい事例がありますよね。

津田　自己組織化的臨界現象は、自己組織化を起こすパラメータが相転移の臨界値に自然と固定されてしまう現象です。それ自体は巨視的秩序状態の一種と考えてもいいと思いますが、大事なのは、そのときに砂山に「部品」が作られたかどうかです。一個一個の砂粒を「部品」と考えていいのなら、それが特殊な場所を占めたときにおこる現象です。しかし、粒は入れ替え可能ですから、「場所」自体に意味はない。つまり、「部品」が作られたわけではない。いうならば、「部品＝全体」という現象です。機能分化とはシステムのでき方が違います。複雑系を狭くとらえる必要はないから、複雑系の一現象としてみてもいいけども、私の定義では違うことになります。

松岡　なるほど、そうか。

津田　ええ。現象としては大脳皮質のコラム構造[15]を模したニューラルネットを使った記憶のモデルでも似たような現象は出てきますけど、それ自体が複雑系というようなものではないと考えています。自己組織化的臨界はいま言ったように「部品＝全体」なので、そもそも分解とか還元とかの概念は成立しない。だから、還元したといえば還元した。何もしないことも還元だとしたらね。

　だからその「還元不可能性」を明示的に示すのは、さっきのようなシステムの中に「部品」ができる、機能的なサブシステムができるというあり方です。すると、システムからその部品を取り出したらまったく機能しない。そういうモデルは、システムの中で機能が分化していく「分化のモデル」しかないんじゃないか。

複式変分能

松岡　念のために聞くけれど、外力は必要なくて、自律的に部品を生成しながら組み立てるわけですか。

津田　外力というのはシグナルですよね。たとえば視覚刺激と聴覚刺激は外力になります。

外部シグナルを入れて、その外部シグナルのもつエネルギーを最小にするように内部を自己組織しなさいというのも、一つの変分のやり方ですから、そういう形で外力を提示することはできますね。

松岡　設計図がないわけですよね。じゃあ部品間が自律的に自分を励まして作り出していく設計図に当たるものは何ですか。

津田　それが「変分」だと思いますね。ここをこうしなさい、ああしなさいと細かく指示するのではなく、最小にしろ、あるいは最大にしろ、という大きな指示を出すと、部品間が自己組織化で分かれていく。

松岡　どうして変分ってそんなに諦めないでやる気が出るんだろう（笑）。

津田　変分が諦めないでやるのに付き合うこっちも大変なんですけどね（笑）。変分が諦めないでやるぐらいこっちも諦めないで計算をしつづけないと、結果は見えてこない。変分が微分と違うのは、何かある条件のもとで、変化を最大化したり最小化したりするところなので、結果的には微分構造がそこから出てくるんですけど、もともとはある時刻からある時刻までの積分を最小化することなんです。つまり初期時刻から最終時刻までの間の、「この拘束条件の積分を最小化してください、あるいは最大化してください」という指示を出すことなので、結局それでその汎関数の変分をとるということになり、積分とキャンセルして、拘束条件を満たしながら自己組織化されたものが出てくる仕組みになっている。そうではあるけれど、なぜそんなに付き合えるかは計算すると実感できます。

実はものすごく長いことやらないといけない。つまり一つの定まった力学系の中の発展ではなくて、力学系自体を次から次に変えていかないといけないから、大変な時間が必要なんです。だけど原理原則として、変分というのは揺らしてぐらぐらっとしていると、すっといいのが見えてくるところがあるんですね。

松岡　そういう玄人芸があるんだ。

津田　それはもう初めから見えているんだと思います。たしかに揺さぶらないといけないんだけど、どこをどう揺さぶったらいいかは見えているんじゃないか。

松岡　それは結局コーディネーションを起こしているわけだよね。

津田　とくに運動系の場合は明らかにコーディネーションですね。コーディネートしたからうまく手足が動いていますよ、ということです。

松岡　それが複雑系の説明になればものすごくわかりやすい。みんなそこはわからなかったのかもしれない。

津田　だから私もやっとすっきりしたんですよ。なんとなくは、ずっとそうじゃないかなとは思っていて、あるところで判然とした。やっぱり分解不可能性をやれるモデルとして「変分」がいいと気づいたのが大きいかもしれないですね。つまりシステムの中に部品をつくりたいので、システム全体に分解不可能性を行き渡らせないといけない。一部にしか行かないとその一部のところだけで組織できちゃうので、じゃあ、ほかはいらないじゃないかということになる。すると尻尾みたいに切れちゃうかもしれないです。

松岡　でき上がっていくものはネットワーク状だよね。

津田　ネットワークそのものだと言ってもいい。

松岡　ちなみに、この理論はどんなネーミングをつけているんですか。

津田　一応、「拘束条件付き自己組織化」ですね。

松岡　味も素っ気もない（笑）。もうちょっとかっこいいものを（笑）。

津田　たとえば、何か？

松岡　これはね、ひょっとすると「能」に近いですよ。舞台からかなりいろいろのものを取り去って、登場する主役（シテ）が出てくる前に旅の僧のようなスッピンの観察者（ワキ）を出しておく。そしてその後に起こるすべてのふるまいを引き算をいかしたものにしておく。そこで変分をおこす。「移り舞」ですね。というわけで、「複式変分能」。いや、冗談、冗談（笑）。

津田　まじめに聞いていたんだけど（笑）。

デーモンとゴーストの再会

松岡　では、最後の最後にデーモンとゴーストに戻りましょうか。この対談の時間でいうと、最後の再会です。

津田　デーモンとゴーストでいうならば、松岡さんはゴーストで、私はデーモンですよね。デーモンと一口に言ってもいろいろあるんだけど、昔いろいろなデーモンを作ってはどうやってデーモンが死ぬか、ということを考えた。つまりデーモンにはいろんな死に方がある。物理ではデーモンはどうせ死ぬんですけど、とはいえ熱で死ぬ熱死っていうのがいちばんレベルが低い（笑）。これはでも、笑いごとじゃないんですよ。

　壺とか焼き物をつくる人だったらたぶん実感すると思うんですけど、壺を焼くときの温度は千何百度という温度ですか。だから窯の中の壺を見ようと思ったら見えない。もし千八百度で燃えているんだったら、千八百度以上の光を当てないかぎり、中は見ることができない。だから当然見ることはできないんだけれども、デーモンなら見える。でもデーモンはそこで熱にうかされて死んじゃうだろうな、ということですね。

松岡　情報死っていうのがあったら高度だけど、そんなことはあんまり想定できない。

津田　いや、情報死も考えました。高度な情報ではなくて低次な情報ならば考えられると思うんです。まず低次の情報っていうのはコンピュータの情報ですけど、情報をつくるコストと消すコストを考えてみたときに、概して情報は消すコストの方が高くつく（実際はこの計算には条件が付く）。これはランダウアーの限界[16]と呼ばれているものです。

この終末処理をするほうが金がかかるっていうのは私の感覚ですが、人間だってそうでしょう？　生まれたときに赤ん坊にかける予算と、死ぬときに葬式にかける予算とをくらべると、亡くなったときのほうが圧倒的に高い。終末処理って今日の原発もそうですけど、ものすごくエネルギーと時間がかかるんです。でも、いったん運転してしまえばエネルギーを作り出すコストはそんなにかからない。けれども、廃棄物を処理しきるまでにはものすごいコストがかかるわけですね。物質世界の大半はそうなんですよ。

じゃあ情報はどうなのか。簡単な例で、足し算という演算を考えます。たとえば、2＋3＝5。しかし、5は2＋3でもいいし、1＋4でもいいわけだから、2＋3よりも5の方がエントロピーは大きい。つまり、足し算という演算をするとエントロピーは上がるんです。これは不可逆過程です。この演算を消去しようと思ったら、5から2＋3に戻して2と3を消す。この過程はエントロピーが減る方向なので、減らせるためにはエネルギーが余分にかかる。このように、情報は作るときと消すときとをくらべてみると、消すときのほうがコストがかかるという問題がある。だからこれは、ある種デーモンなんです。

松岡　ゴーストのほうが消える宿命をかかえているのかと思ったら、デーモン君もえらい目にあうんですね。

津田　そうなんですよ。コストがかからないようにできるならデーモンはそこそこ存在できるんです。でもせっかく作ったのに、それを消すときによりコストがかかるならば、デーモンは死ぬっていうことなんですね。ただし、同じか、あるいは安く上がるんだったら、それはすごいデーモンができたことになるわけです。私は一応、「デーモンは死ぬ」と思っている。

松岡　そうなんだ。

津田　熱力学の場合は、熱力学第二法則を破って孤立系でエントロピーを増大させないでエネルギーを取り出すようなデーモンはいないことが証明されています。情報系でも同じように、エネルギーを使わないで不可逆過程である計算過程を可逆にするような計算デーモンは存在しないと言えるのではないでしょうかね。他方で、酵素を考えるとエネルギーを使わないで外で仕事をしているように見える。

松岡　また酵素に戻った（笑）。

津田　酵素に戻りますね、どうしても（笑）。実際はエネルギーを使って化学反応を促進するように仕事をしているのでしょうけど、自分の構造内に一時的にエネルギーをためてそれを小出しにしているように見える。つまり、酵素には情報デーモンの中の反応促進デーモンがいるように見えるわけです。

ここはまだよくわかりませんが、このあたりをもっとクリアにしたいですね。少し前に話しましたけど、これを試みようとしてこっちが熱死しそうになったので、どっちが先に死ぬかという問題でもあるんですが。

松岡　では、ゴーストの話を少々。なんだか大喜利めいてきましたが（笑）、かまわずトリを務めますと、ゴースト（ghost）は英語では「幽霊」や「亡霊」ですが、ドイツ語のガイスト（Geist）はポルターガイストといった言葉もあるように、幽霊っぽい意味もありながら、同時に知的な「精神」や「魂」のこともさします。つまり「心」か「心に当たるもの」か、あるいは「霊的な存在」のことです。ゲーテは「思考する意識」のことをガイストと呼んでいる。このようなゴーストを、さてわれわれはどのように飼っているのか、それともゴーストに冒されているのか、ときにのっとられているのか、そこを問題にしたいと思います。

そこで前座としてギルバート・ライルの話を先にしておくと、ライルは『心の概念』（みすず書房）にこのへんのニュアンスを引っ提げて、ヨーロッパ哲学が主張してきた心身二元論がおかしいと言い出した哲学者です。心が独立した存在であるというのは生物学が未発達な時期の発想で、直写主義であると批判します。そうではなくて、人間存在を高度な有機体と捉えて、その行為や言動から得られる明証性にもとづいて、どんなふうに抽象化や仮説形成（アブダクション）をしているのか、その工夫や戦略や手腕をもっと説明すべきだと言うんですね。

これはデカルトやラ・メトリ[17]の人間合理論や人間機械論の限界を指摘したものになっていて、ライルはそちらではなくて、むしろ「有機的な自発性」とは何かということを堂々と持ち出したんですね。それゆえライルは機械化されたものに「心っぽいもの」を認めるような見方は「機械の中の幽霊」にかまけているからだと非難するわけです。機械の中のゴーストにかまけるな、人間を機械のようにみなすとゴーストを相手にすることになるぞ、それはカテゴリー・ミステイクになるぞという警告です。同じような考え方はのちのアーサー・ケストラーの『機械の中の幽霊』（ちくま学芸文庫）でもくりかえされます。

　ライルは一九二〇年代後半にヴィトゲンシュタインと出会って大いに感化された哲学者ですが、結論的には「心」や「精神」というゴーストのような概念に頼らなくとも「厚い記述」が可能であると考えたんですね。これはその後の人類学や言説心理学や状況的認知科学に大きな影響を与えました。

　ところがその後、コンピュータが発達し、電子ネットワークが充実し、そこに脳のニューラル・ネットワークのしくみの研究やロボット技術が重なってくると、ライルとはまったく逆の見方をする可能性が出てきた。加えてそこにドラッグ・トリップに耽るポップ・アーティストたちが次々にあらわれた。そうすると、どうなるか。脳の中にゴーストがいる、思索の途中にゴーストが出入りする、言動をシミュレーションするとゴーストが出てくるという見方がいろいろ登場したんです。

それだけでなく、いやいや機械の中のゴーストは、われわれが神話や絵画やファンタジーで描こうとした心や精神に近いもので、むしろそういうゴーストを対象にして新たな物語や映画やアニメが作られるべきだという傾向が出てきた。これがウィリアム・ギブソンやブルース・スターリングのサイバーパンク、士郎正宗から押井守に及んだ『攻殻機動隊』『ゴースト・イン・ザ・シェル』のアニメなどに横溢してきたゴーストです。またジェンダーに対して微妙なグラデーションを認めたり体現する動向が顕著になってきて、性や外見や所作やファッションにゴーストを積極的に確認する動きも出てきた。

今日、古代的なアニミズムやシャーマニズムは超常現象として片付けられていますが、しかし、ゴーストを広汎に認めることになると、これはもう一度、ゴーストの人類史全般をふりかえったほうがいいかもしれないということになる。たとえばプラトンは「ラプソディ」は狂気を治癒するのに有効だと考えましたが、よくよく読むと、共同体や集団の中にちょっとおかしな動向があること、そのことがラプソディそのものだということを指摘しているんですね。空海は即身成仏《そくしんじょうぶつ》を重視していたので、なんだかミイラをめざしているように思えますが、これは「生きながら成仏する」ということで、覚醒や悟りそのもののことでもあるわけです。

まあ、このあたりの例はキリがないので省きますが、ことほどさように、ゴーストは遍在するものでもあるんですね。

津田　遍在するなら心そのものですね。飯吉厚夫先生[18]からずっと「心とは何ですか」と問われていて、これはいま私が所属している中部大学創発学術院のメインテーマでもあるんですが、「心とは数学です」と言っても納得してもらえないので（笑）、機能分化の変分の式を示して「ここに心があります」と答えたことがあります。しかし、やはり納得されない。ふと思ったのはデーモンを明示してないからじゃないかと。ゴーストが心や精神と同義なら、ゴーストの数理表現としてデーモンを置くと、変分問題にデーモンが陽に現れてくるようにできるかもしれない。それがすなわち心だと言えるんじゃないかと思うわけです。

飯吉先生は核融合科学研究所の所長もされていた人で、プラズマ物理学の世界的な研究者です。プラズマは独特な不安定性があり、それはカオスに起因している。カオス制御はデーモンの制御といってもよいのでプラズマの閉じ込めは大変難しい問題です。しかし、それができれば地球に太陽ができたことになり、エネルギー問題は革命的に進化します。図らずも、デーモン制御の難しさを実感してきた方から「心」のお題が出たことに妙な縁を感じて、変分からのデーモンという発想につながりました。

松岡　なるほど、そのデーモンの姿はぜひ見てみたいね。ということで、デーモンとゴーストの再会も幕ということです。ぼくはゴーストそのもの、セイゴーストです（笑）。

注

第1章

（1）三浦梅園（1723—89）江戸時代の思想家、自然哲学者。気や理などの朱子学の用語を使いながら、自然の条理を探求して条理学という体系を作り上げた。

（2）清水博（1932—）東京大学名誉教授。専門は生命科学、場所論。諸学の統合的視点から生命を解明しようとするバイオホロニクス（生命関係学）の研究に取り組む。「情報の動的秩序のふるまい」によって生命を捉えようとしたその試みは先駆的だった（松岡正剛『情報生命』、角川ソフィア文庫）。

（3）坂村健（1951—）コンピュータ科学者。ユビキタス・コンピューティングの先駆け「TRON」の提案者。著書に『ユビキタスとは何か』（岩波新書）など。

（4）野中郁次郎（1935—）経営学者。ナレッジ・マネジメント（知識創造理論）の権威。

（5）個々の単位で見れば秩序ある変化を見せるが、総体としては不規則で複雑な変化を見せる現象。

（6）様々なテクストを解釈する文献学的な技法のことで、近現代の西洋哲学を解釈することに関する哲学として認識されることが多い。代表的人物としてヴィルヘルム・ディルタイ、ガダマーなど。

（7）「マックスウェルのデーモン（悪魔）」は物理学者のジェームズ・マックスウェルが提唱した思考実験で、分子の動きを観察できる架空の悪魔を設定することで、熱力学第二法則で禁じられたエントロピーの減少が可能であるとした。「ラプラスのデーモン」は、数学者のラプラスによって提唱された、因果律に基づいて未来の決定性を論じるときに想定された超越的存在の概念。

（８）ニュートンの運動方程式などのように、観測を始めたときの位置や速度といった初期条件だけでなく、どの瞬間でもその瞬間の物体の位置と速度がわかれば、全過去と全未来が一義的に定まるような因果関係的な記述のこと。

（９）イリヤ・プリゴジン（１９１７—２００３）モスクワ生まれ、ブリュッセル自由大学卒業。非平衡熱力学の研究で知られ、散逸構造の理論で１９７７年にノーベル化学賞を受賞。著書に『構造・安定性・ゆらぎ』（グランスドルフと共著、みすず書房）、『散逸構造』（ニコリスと共著、岩波書店）など。

（10）ヘルマン・ハーケン（１９２７—）ドイツの物理学者。原子分子のミクロな相互作用によって、ある種の秩序を作れるような集合的な変数ができ、その変数がミクロな変数をすべて引っ張って行って隷属させる。ミクロな多数のモードがすべて少数の変数に隷属されていくことでマクロな秩序が出てくるという「隷属原理」を提唱した。

（11）ミクロな原子分子の相互作用からマクロな秩序が生まれてくるような現象のこと。自分で自分の新たな秩序を生み出していくこと。

（12）熱力学を原子分子の運動から説明する学問が統計力学。これは熱力学が平衡系で規定されているので平衡系の統計力学。他方、系を平衡から外れた非平衡状態にすると、平衡状態では見られない種々の新しい現象が現れる。そこで、非平衡系の統計物理学が発展した。化学反応などを含む非線形現象を非平衡状態で扱う学問分野を非線形・非平衡統計物理という。

（13）非線形現象とは原因と結果が比例関係では成り立たない、少しの変化が大きな変化（あるいはより小さな変化）を生んでいく現象のことを言う。線形問題は一次関数で表せるのに対し、非線形問題は非線形関数で表される。生命現象の多くは非線形的な性質を持っている。

(14) 宇宙の全体や孤立系における物質の運動は、エントロピーの増大に向かっている。どんな物質からなる構成物も孤立系においては無秩序な状態に向かう。最終状態が熱力学的平衡状態。熱力学的平衡状態は熱的死（エントロピーの最大化）とも言われ、この状態は無秩序の頂点である。一方で、個体としての生命は生きている間、エントロピーを減らし、秩序を維持しようとしていると考えられる。

(15) 物体が秩序ある状態から無秩序へと向かっていく変化を表す乱雑さの指標。

(16) 富田和久（１９２０—９１）京都大学名誉教授。物性理論、非平衡開放系で様々な理論を確立。後年はカオスが提起する科学的認識の問題に取り組む。

(17) 決定論的な法則にしたがうにもかかわらず、不規則で複雑な様相を示す軌道がカオス。力学系とは、一定の規則に従って時間の経過とともに状態が変化するシステム（系）のこと。振り子の振動や惑星の軌道などがその代表例に挙げられる。

(18) １９７０年頃にベノワ・マンデルブロによって命名された、どの大きさのスケールで見ても同じ形であるように見える幾何学図形を説明するための概念。

(19) カオスは各点から出発した軌道の束のもつ幾何学的な構造として捉えることができる。この軌道の集合の中には可算無限個の周期解（周期的な運動）と非可算無限個の非周期解（非周期的な運動）がある。つまり、自然数のように数えていけるだけの、しかし無限個の異なる周期の軌道がある。しかしすべて不安定なので実現できない。さらに、数え上げられないだけたくさんの周期を一切持たない解がある。さらに言えば、自分自身に任意に近づく自己埋め込み型の解もある。これを有限の精度で計算しようとすると、近似はできたとしても、埋め切れない誤差が永遠に残る。

(20) ハンス・ゲオルグ・ガダマー（１９００—２００２）ドイツの哲学者。ハイデガーやディルタイ、ニーチェの影響を受けて解釈学に取り組み、『真理と方法』（1960）でそれまでの解釈学にかわる「哲学的解釈学」を打ち立てる。ハーバーマスらとの論争を経て「先行的把握」という見方を確立した。

（21）物体の運動が「運動法則」と「万有引力の法則」によって完全に決定されているとすると、人間の自由意志の余地がなくなると予期したニュートンが、しかし経験的事実として神に与えられた自由意志の存在を説明するために持ち出した概念。「この宇宙にはいたるところに神様の覗き穴がある」と表現した。

（22）ハーバート・スペンサー（1820—1903）イギリスの哲学者。ダーウィンの『種の起源』を読み、自然選択説を「適者生存」と言い換えた。社会学や倫理学に応用して社会進化論などを提唱。

（23）エルンスト・ヘッケル（1834—1919）ドイツの生物学者、哲学者。ドイツでダーウィンの進化論を広めるのに貢献。ただ、適者生存説は支持せず、「個体発生は系統発生を反復する」という独自の理論を唱えた。この説は修正を重ねながらも発生学の一翼を現在も担っている。

（24）デュ・ボワ・レーモン（1818—96）ドイツの生理学者。動物筋肉中での活動電位の研究を行い、電気生理学の基礎を築いた。著書に『自然認識の限界について』（岩波文庫）など。

（25）神経科学者のウォーレン・マカロックと数学者のウォルター・ピッツが考案したニューロンのモデル。ニューロンの働きは、シナプスを通じて外から入ってきた情報を、シナプスの重みをつけて足し算し、それが閾値を超えたかどうかを次のニューロンに出力すること。この出力パターンは「ある（1）」か「ない（0）」かの2パターンしかなく、この0と1だけでニューロンを表現するのに成功した。

（26）アメリカの数学者ウィーナーが『サイバネティックス』（1948、岩波文庫）で提案した科学理論。生体を自動機械とみなし、自動制御（フィードバック）の理論を適用した。オートメーションや自動制御理論、情報通信理論、コンピュータのオートマトン理論に影響を与えた。

(27) 最終的に熱的死に向かうとされる宇宙の中で、生命だけがその不可逆な流れに逆らって自己の中で秩序を形成しているのはなぜか、という生命の謎に関する洞察を一歩進めた、プリゴジンによる理論。自然界には外部からエネルギーを取り入れ、自己の中でエントロピーを生成し、それを外に排出することによってのみ形成され、非平衡状態のなかで維持される秩序、構造があることを発見した。

(28) マンフレート・アイゲン（１９２７—２０１９）ドイツの生物物理学者。化学的な自己組織化理論を提唱し、67年にノーベル化学賞を受賞。タンパク質と拡散の相互作用モデルを唱えた。

(29) 平均的な運動からのずれは数学的には分散として評価でき、通常「ゆらぎ」というときにはこのことが含意されている。

(30) 別の言い方をすれば、原子分子、ましてや素粒子の詳細を知らなくても、情報は塩基配列のレベルで決まることが分かったことで、タンパク質レベル以上の物質の相互作用（反応）という質の違うレベルでの生命解明の方法が導入された。

(31) エネルギーも物質もやり取りがない孤立系ではエントロピーが時間とともに増大することを表す法則。

(32) この分野は物性基礎論・統計力学という分野で、そもそも物性物理学がよって立つ基盤を議論する場所でもあるので議論はされていた。ただ、非平衡と言っても平衡に近い非平衡系の定式化に非常に力が入っていたため、線形応答理論の範囲で議論が終始したきらいはある。それに比べ熱力学の伝統があるブリュッセル学派のプリゴジンはそれを非線形に拡張するという意識が強かった。もう少し詳しく言うと、日本でも個々には熱力学に興味を持つ人はいたが、組織的な熱力学の研究はそれほどなく、むしろ非平衡の統計力学は盛んだった。さらに、伏見康治や渡辺慧は熱力学と情報の関係を考えていた。

（33）下河辺淳（１９２３―２０１６）　都市計画家、建設官僚。全国総合開発計画の策定に関わる。

（34）ウンベルト・マトゥラナとフランシスコ・ヴァレラによって提唱された、構成要素がそれ自身を生み出す自己言及システムを生命の基本とみなす仮説。自己創出理論。

（35）１９８０年刊。その後の複雑系の議論からカオス理論までさまざまなスコープを先取りして「創発するシステムとは何か」という今後の課題の見取図を提供してみせた大著。

（36）蔵本由紀（１９４０―）京都大学名誉教授。専門は非線形科学、非平衡統計力学。富田和久の弟子にあたる。著書に『非線形科学』（集英社新書）など。

（37）相沢洋二（１９４４―）　早稲田大学理工学術院名誉教授。訳書にニコリスとプリゴジンの『散逸構造』（共訳、岩波書店）など。

（38）北原和夫（１９４６―）東京工業大学名誉教授、国際基督教大学名誉教授。著書に『プリゴジンの考えてきたこと』『非平衡系の統計力学』（ともに岩波書店）。訳書に『複雑性の探究』（共訳、みすず書房）。

（39）数学を論理学の一部として展開することを目指したフレーゲの数学基礎論の試みを引き継いで、ラッセルとホワイトヘッドが書いた書。

（40）人間の脳内にある神経細胞（ニューロン）とそのつながりである神経回路網を人工ニューラルネットという数式的なモデルで示したもの。

（41）１９０４年にアンリ・ポアンカレによって提出された数学の位相幾何学における定理のひとつで、「単連結なる3次元閉多様体は3次元球面に同相である」と表現される。グレゴリー・ペレルマンによって証明された。

（42）１８５９年にベルンハルト・リーマンによって示された「リーマンゼータ関数の零点は負の偶数と

実部が１／２の複素数に限られる」という予想。現在でも未解決。

第２章

（１）生きている生物体は絶えずエントロピーを生み出していて、死を意味する最大エントロピーという危険な状態に近づいていく傾向があるが、生物はそれを避けるために、周囲の環境から絶えず「負のエントロピー」を取り入れている、とシュレーディンガーは考えた。生きている間にどうしても生み出されるエントロピーを外へ捨てることが物質代謝の本質であると『生命とは何か』（岩波文庫）で述べている。

（２）渡辺慧（１９１０―９３）理論物理学者、情報科学者。理化学研究所で寺田寅彦に師事し、留学先のパリではド・ブロイのもとで熱力学第二法則と波動方程式を研究、さらにライプツィヒに移り、ハイゼンベルクのもとで原子核理論を学ぶ。熱力学におけるエントロピー概念の一般的な定式化を行った後、ベルクソン哲学の影響で時間の探究を進めた。著書に『認識とパタン』（岩波新書）など。

（３）伏見康治（１９０９―２００８）理論物理学者。統計力学の分野で業績を上げた後、対称性の美の追究や原子力の平和利用をめぐる研究体制構築などに力を尽くした。

（４）物理学者のサディ・カルノーが１８２４年に理想的な熱機関の研究のために考案したモデル。熱機関は高温熱源から熱を受け取って仕事を行ったあと低温熱源へ放熱するが、この際の放熱量を最小化することで熱効率が上がることを示す。等温過程と断熱過程の４工程からなる。

（５）あるエネルギーに属するミクロな状態数の対数であらわされる。

（６）境界を越えた外部とのエネルギーのやり取りはあるものの、物質のやり取りはない系のことで、「開放系」と対置される。

（7）時間の非対称性、不可逆性を表す言葉。時間は過去から未来に向けての一方向にしか進行することがなく、一度矢が放たれれば戻ってくることはない。

（8）エルヴィン・シュレーディンガー（１８８７―１９６１）オーストリアの理論物理学者、量子力学の基本方程式であるシュレーディンガー方程式を提唱するなど量子力学の発展を牽引。１９３３年にポール・ディラックとともに「新形式の原子理論」の発見によりノーベル物理学賞を受賞。

（9）クロード・シャノンの言う情報のこと。シャノンは情報理論という新たな数学的理論を創始。通信における様々な問題を扱うためエントロピーの概念を導入し、情報量の単位としてビットを初めて使用した。

（10）いわゆるジェネティック・アルゴリズムを作用させる。

（11）個々の力学系が興奮系になる。つまり、悉無律（全か無かの法則。神経細胞は入力刺激の強さに応じてパルスを出すか出さないかが決まる）を持ち始める。このとき入力が閾値以下だと平衡状態になってしまう。つまり何も反応しない。他方で閾値以上の入力を与えると、信号を出したのちに平衡状態になる興奮型の力学系が生まれてくる。つまり分化していく。

（12）リン脂質を主成分とする脂質二重層（疎水性の尾部と親水性の頭部から成る）で、細胞を外部環境から隔てる。膜タンパク質を通じて外界とモノや情報のやり取りがなされ、その役割は①膜を通じた一方から他方への物質の輸送、②イオンを通過させるチャネル、③情報の伝播に分けられる。

（13）世界から受け取る信号を自分の予測に適合させるように身体を動かすことを「能動的推論」と呼び、運動もまた知覚と同じように推論の結果であることを説明する計算原理のこと。

（14）人間が自然に行うタスクをコンピュータに大量のデータとして学習させることで、データ内から特徴を見つけ出させる技術方法のこと。

(15) ジェフリー・ヒントン（１９４７―）コンピュータ科学者。ニューラルネットワークの研究で有名。

(16) 福島邦彦（１９３６―）計算機科学者。ニューラルネットワークと深層学習の研究で有名。１９８０年に、深層畳み込みニューラルネットワークの原型であるネオコグニトロンを発表。

(17) 甘利俊一（１９３６―）数理工学者、神経科学者。数理神経科学を専攻し、自己組織化理論、連想記憶、ニューラルネットワークなどを研究。情報幾何学を発展させ、数理脳科学の基礎を確立した。１９６７年に多層パーセプトロンの確率的勾配降下法を定式化。その早すぎた発見は当時の計算機の性能の低さゆえに検証が難しく、当時はあまり注目されなかったが、昨今のＡＩブームで再認識されている。

第3章

(1) 空間に何らかの物質が充満しているという考えで、光が波動として伝搬するために必要な媒質と考えられた。

(2) 燃焼に関係する架空の元素。

(3) 機械を分解したり動作を確認したりしながら、設計図やソースコードを調査すること。

(4) コンラッド・ウォディントン（１９０５―７５）イギリスの生物学者。鳥類や両生類の発生学の研究、ショウジョウバエを用いた発生遺伝学の研究に取り組み、エピジェネティクスの基礎を築いた。

(5) ルートヴィヒ・フォン・ベルタランフィ（１９０１―７２）理論生物学者。個体発生に関する機械論と生気論の対立は生体が持つ高い調整機能を考えることで解決できるという有機体論を唱えた。

(6) チャールズ・パース（１８３９―１９１４）アメリカの論理学者、哲学者。プラグマティズムの創始者。哲学の中心問題はすべて「推論」にあると喝破。「推論」を「演繹」「帰納」「仮説形成」の三つの作用に分けたうえで、推論には「帰納」やそれに先立つ「仮説形成」が本質的であると考えた。この「仮説形成」のことをパースは「アブダクション」と呼んだ。

（7）南部陽一郎（１９２１―２０１５）理論物理学で素粒子理論が専門。「自発的対称性の破れ」の研究で２００８年にノーベル物理学賞を受賞。対称性の破れが宇宙における大半の粒子に質量を与えたという仮説を提起し、これがヒッグスに引き継がれてヒッグス粒子となっただけでなく、素粒子物理学を貫く基礎となり、量子色力学、ひも理論のアイデアをも示した。

（8）アレクサンドリアのディオファントス　古代ギリシアの数学者。「代数学の父」と称される。

（9）アル・フワーリズミー　9世紀のイスラム科学者。アラビア数学を確立。アルゴリズムの語源になった。

（10）バッターニ　アラビアの天文学者、数学者。一太陽年が３６５日と5時間46分24秒であると算出した。

（11）紀元前3世紀中頃から前2世紀にわたってなされたギリシア語訳の『旧約聖書』のこと。ファラオの命令でヘブライ人の経典をギリシア語に翻訳した聖書であると伝えられる。

（12）地球は不動の宇宙の中心であり、太陽その他の天体が地球の周りを回っていると考えるプトレマイオスによって大成された宇宙観。

（13）数学者のフレーゲ（１８４８―１９２５）によって創始された形式体形の名称にして著書名。古典二値論理の定式化を行って論理学の新時代を切り開いた。

（14）「１＋１＝２」は数学的命題である一方で、「１＋１＝２は真である」という命題は数学の範囲を超えた超数学であるが、こうした言明を証明するためには超数学的言明を数学的命題にする必要がある。そこでゲーデルは超数学的言明を数に写像していくやり方を考え、写像される数字を「ゲーデル数」として、このゲーデル数に関して命題を作ることで、超数学的言明を数学の命題として証明する道筋を示した。

（15）ジョージ・ブール（１８１５―６４）イギリスの数学者。１８５４年『論理と確率の数学的な理論の基礎になる思考の法則の研究』を出版。後にコンピュータを理論的に支えることとなるブール代数を提唱し、０と１だけで論理が組み立てられることを示そうとした。

第4章

（1）中世のオック語（南フランス）の抒情詩の吟遊詩人、作曲家、歌手のこと。

（2）おもにフランスにおける大道芸人のこと。各地を遍歴して民衆文化の伝承の担い手に。

（3）中世ヨーロッパで宮廷に仕えた職業芸人のこと。ジョングルールと共に吟遊詩人のことをも指す。

（4）生成系は典型的にはマルコフ分割が可能な系と考えてよい。つまり、カオス軌道が生成される相空間をうまく分割すると、ある分割内に入る軌道はその分割の大きさ（幅）に応じた精度でどこから出発したかが正確にわかるような分割。分割を無限に細かくしていくと、無限精度で任意の軌道の初期値がわかる。分割された〝細胞〟に記号を割り振っておくと、未来にわたって無限に長い記号列で表現された軌道はその軌道が出発した（はずの）初期値を一意に決める。

（5）デヴィッド・マー（１９４５―８０）イギリスの神経科学者。小脳の回路網理論（小脳パーセプトロン説）を構築。計算論的神経科学に大きな影響を与えた。

（6）ヤーノス・センタゴタイ（１９１２―９４）ハンガリーの神経解剖学者。

（7）ポール・ヴァレリーの半自伝的作品である『テスト氏』において描かれる、法学士の修士を取得した直後、自らが知的クーデターに着手すると決意した激しい嵐の夜のこと。

（8）トマス・シービオック（１９２０―２００１）チャールズ・パースの推論方法を記号論に展開した

『シャーロック・ホームズの記号論』（共著、岩波書店）がある。

（９）　ヨハン・ベルヌーイ（１６６７—１７４８）流体の挙動を平易に表すベルヌーイの法則を発表。

（10）　レオンハルト・オイラー（１７０７—８３）スイスの数学者。ベルヌーイに数学の才能を見出され、神学から転身。18世紀の数学界の中心となり、19世紀の数学の厳密化、抽象化の時代の礎を築いた。

（11）　ルイ・ラグランジュ（１７３６—１８１３）オイラーと並ぶ18世紀最大の数学者。最小作用の原理に基づく解析学を作り出す。

（12）　環境条件や他種との競合など、生物の進化においてある生物個体や集団に働く選択の作用。

（13）　ネルソン・グッドマン（１９０６—９８）アメリカの哲学者。認識論、言語哲学、美学などの領域で業績を残し、クオリアの概念を提出したことでも知られる。

（14）　一般相対性理論を宇宙に適用するために、「宇宙は静的である」（宇宙は膨張も拡大もしない）と信じ、方程式の中に仮定として入れた「宇宙項」のこと。その後、宇宙が膨張していることがわかり、いったんは捨て去られたが、宇宙の膨張率が加速度的であることがわかるにつれ、むしろ宇宙定数を含む項として必要とされるようになった。

（15）　ポール・エイドリアン・モーリス・ディラック（１９０２—８４）イギリスの理論物理学者。１９３３年にシュレーディンガーとともにノーベル物理学賞を受賞。

（16）　イギリスの物理学者ウィリアム・ハミルトンが創始した、ラグランジュ力学と同様、ニュートン力学系を再定式化した解析力学の一つの記述方法。

（17）　１８５９年頃、生理学者のクロード・ベルナールが生体の内部環境は外部から独立していることを提唱し、これが後に生理学者のウォルター・キャノンによって「ホメオスタシス」と命名された。

（18）長い時間尺度で見ると、力学系において各点が位相空間内のすべての可能なところを通るという特性を示した理論で、物理のみならず数論などへの応用も多い。

（19）ドーナツの表面のような円環体。うなり現象のように複数の周期が無理数比をもつような運動。

（20）未来の挙動が現在の値だけで決定され、過去の挙動とは無関係な性質を持つ確率過程のことで、ロシア人数学者のアンドレイ・マルコフにちなんで命名された。

第5章

（1）ジェラルド・エーデルマン（１９２９―２０１４）生物学者。免疫系の研究に基づいた意識に関する生物学的な理論を打ち立て、その中にダーウィンの自然選択説を位置づけた。

（2）ジョン・S・ニコリス（１９３６―２０１３）ギリシアの数理工学者。カオスの情報理論、サイバネティクス研究を行った。津田とは複数の共著がある。

（3）レフ・ヴィゴツキー（１８９６―１９３４）ソビエト連邦の心理学者。心理現象を自他関係のなかで理解することに特徴がある。主著に『思考と言語』がある。

（4）二つの集合が与えられたときに、一方の集合の各要素に対し、他方の集合の要素を結びつける一対一対応のこと。

（5）生物の神経細胞が持つ性質をモデル化する関数。

（6）金子邦彦（１９５６―）複雑系科学の物理学者。著書に『複雑系のカオス的シナリオ』（津田との共著、朝倉書店）など。芥川賞作家の円城塔は金子研究室に所属していたことがあり、関数写像の共著がある。

（7）彼らの関数写像はロジスティック写像をもとにして徹底的に研究された。

（８）最近中部大学の小西哲郎と大阪電気通信大学の柳田達雄がバネ振動子の結合系でエネルギーが内部に溜まる機構を研究してかなり見込みのある結果が得られている。彼らが30年前の津田のコンピュータ実験を知っていたかどうかわからないが、この方向性は少し核心に向かって進んでいる。

（９）１ビットの情報を記憶できる論理回路で、コンピュータの記憶装置などを構成する基本回路の一つ。

第6章

（１）グレゴリー・ベイトソン（１９０４—８０）人類学者。生命に潜む「情報」と「関係」をめぐる考察を深める。太平洋戦争以前の人類学調査で、一つの人間集団を内的ダイナミクスの観点から分析する手法を切り開き、戦後まもなくサイバネティクスの創立に関与。著書に『精神の生態学へ』（岩波文庫）など。

（２）アラン・チューリング（１９１２—５４）計算することはどういうことか、その理論の基礎を築き、現在のデジタル計算機の理論的な土台を作った。１９３６年に「計算可能数、ならびにその決定問題への応用」という論文の中で、「計算」概念に数学的定義を与えようとした。

（３）ワイルダー・ペンフィールド（１８９１—１９７６）カナダの脳神経外科医。著書に『脳と心の正体』（法政大学出版局）がある。

（４）ジョン・エクルズ（１９０３—９７）オーストラリアの神経生理学者。抑制性シナプス後電位の発見により63年にノーベル生理学・医学賞を受賞。カール・ポパーとの共著『自我と脳』（新思索社）の中で、精神が脳をコントロールしているとする心身二元論を唱えた。

（５）ジェリー・フォーダー（１９３５—２０１７）アメリカの哲学者。心的状態とは個体と心的表象との関係であり、ニューロンやシナプスの振る舞いによっては捉えられないと考えた。

（６）マービン・ミンスキー（１９２７—２０１６）コンピュータ科学者。ニューラルネットワーク解析の基礎を築き、「人工知能の父」と呼ばれた。
（７）松沢哲郎（１９５０—）霊長類学者。元・京都大学高等研究院特別教授。京都大学霊長類研究所で飼育されているチンパンジーに言葉を教えるプロジェクト（アイ・プロジェクト）などで知られる。
（８）ヴィクトール・フォン・ヴァイツゼッカー（１８８６—１９５７）生理学・哲学・内科学を学ぶ。第一次世界大戦で野戦病院に配属中から神経学の研究を始める。
（９）アルノルト・ゲーレン（１９０４—７６）ドイツの哲学者。著書に『人間』（法政大学出版局）など。
（10）ロビン・ダンバー（１９４７—）専門は霊長類の行動で、人間にとっては平均１５０人が「それぞれと安定した関係を維持できる個体数の認知的上限である」というダンバー数の定式化でよく知られる。
（11）クリストフ・コッホ（１９５６—）アメリカの神経科学者。意識は神経科学が扱うべき問題だと主張。フランシス・クリックとの共同研究が知られている。著書に『意識の探求』（岩波書店）がある。
（12）ミゲル・ニコラレスが最初だが、日本でもＡＴＲの川人光男のグループは精力的に研究している。
（13）ウォルター・フリーマン（フリーマンⅢ世）（１９２７—２０１６）神経生物学者。カオス理論に基づいて脳におけるニューロンの活動の解析を行った。
（14）ウィリアム・ベイトソン（１８６１—１９２６）イギリスの遺伝学者。メンデルの法則を英語圏に普及させ、“genetics”（遺伝学）という語を発案したことでも有名。グレゴリー・ベイトソンは実の子ども。
（15）サミュエル・バトラー（１８３５—１９０２）イギリスの小説家。匿名でユートピア小説の『エレホン』を書き、オルダス・ハクスリーのディストピア小説『すばらしい新世界』に影響を与える。ダーウィンの『種の起源』の進化論を生涯にわたって批判した。

(16) ルネ・デュボス（1901―82）ハーバード大学、ロックフェラー大学教授を歴任したフランス生まれの細菌学者、病理学者。抗生物質を研究開発し、医療を一変させた。

(17) 生物の形態発生や言語の構造など、連続する事象の背景に不連続な事象が発生する過程を追究しようとする理論のことで、フランスの数学者ルネ・トムによって提唱された。

(18) ロトフィ・ザデー（1921―2017）アゼルバイジャン生まれの数学者、人工知能研究者。ファジイ集合の提唱者として知られ、のちのファジイ理論を作り上げた。

(19) 人間の言語や推論に見られるような曖昧な情報を扱うことができ、コンピュータや機械制御に応用される数学理論のこと。真理値が0から1までの範囲の値を取り、「真」と「偽」の二値に限定されない。

(20) エリック・クリストファー・ジーマン（1925―2016）イギリスの数学者。トポロジーと特異点理論の研究で知られる。

第7章

(1) アインシュタインによる万有引力・重力場を表現する方程式。ニュートンが導いた万有引力の法則を強い重力場に適用できるように拡張したもので、天体や宇宙の幾何学などを扱える。

(2) 1890年にジュゼッペ・ペアノが発見した空間充塡曲線の例。

(3) スティーブン・スメイル（1930―）アメリカの数学者で、専門は微分トポロジー、力学系。1966年にフィールズ賞を受賞。力学系においてスメイルの馬蹄形写像を生み出し、カオス理論にも貢献。

(4) 日本でも電気回路のアナログ計算でローレンツより早くカオスが発見されていた。京大工学部の上田睆亮《よしすけ》らの研究。当時は電気回路で複雑な現象が起こるとは信じられていなかったので、なかなか受け入れられなかったが、上田は「不規則遷移現象」と呼んで研究した。上田が発見したカオス・アトラクターはのちにルエルがジャパニーズ・アトラクターと呼んで広まったが、ローレンツ・アトラクターと同じくらい美しい幾何的構造を持っている。

（5）任意の周期関数はいろいろな周波数の三角関数の和で表すことができる。このことは微分可能な関数に拡張できる。つまり、フーリエ展開を利用すると、微分可能関数や波形の中に、どんな周波数成分がどんな振幅で含まれているのかを簡単に把握できる。

（6）エピクロス（紀元前３４１—前２７０）古代ギリシアの哲学者。精神的快楽を重視。その自然思想はデモクリトスに負っているが、クリナメンと呼ばれる「逸れ」を投入した独自の原子論を考えた。

（7）ケネス・ウィルソン（１９３６—２０１３）アメリカの理論物理学者。「相転移に関連した臨界現象に関する研究」により１９８２年ノーベル物理学賞を受賞。

（8）レオ・カダノフ（１９３７—２０１５）アメリカの統計物理学者。超伝導の研究を行っているなかで、相転移はくりこみ群の考え方で理解できることを示した。

（9）ガルリ・カスパロフ（１９６３—）アゼルバイジャン出身。15年間にわたりタイトルを保持した。

（10）物理学で従来扱われてきた「周期性結晶」に対し、生命を担う生きている細胞の最も本質的な部分（染色体繊維）のことを言う。小さな分子一つひとつが大きな結合体を作り上げていくのに、同じ構造を何度も繰り返していく周期性結晶に対し、非周期性結晶は段々と大きな凝集体を作り上げていくやり方で、一つの遺伝子は非周期性結晶体だと言える（シュレーディンガー）。

（11）生命の基本的な細胞分裂による自己複製の機構を、格子状のセル（細胞）と単純な規則で考えた数理モデル。自己複製には「情報を伝える部分」と「動く部分」があり、前者は神経ネットワークに、後者は筋肉組織に対応すると考え、プログラムの形のルールの集合で示した。

(12) ２０００年から松岡が連載を開始した書評サイト。毎夜一冊ずつ取り上げ、２０２３年9月15日時点で１８２９冊を数えた。リミックスした「千夜千冊エディション」が角川ソフィア文庫で刊行中。

(13) 懐素（７２５—７８５）中国唐の書家。狂草（草書）を書いたことで有名。

(14) 東工大の細野秀雄らによる研究。

第8章

(1) 線分を三等分し、得られた三つの線分の真ん中を取り除く操作を再帰的に繰り返すことで作られる集合。フラクタル図形の一種で自己相似性を持ち、その濃度は実数に等しいことで知られる。

(2) リチャード・Ｐ・ファインマン（１９１８—８８）経路積分という新しい量子化の手法を考案。１９６５年、量子電磁力学の発展への寄与により朝永振一郎らとともにノーベル物理学賞を受賞。物理学の教科書『ファインマン物理学』などで知られる。

(3) カール・セーガン（１９３４—９６）アメリカの天文学者、ＳＦ作家。ＮＡＳＡで惑星探査の指導者として活躍。ビッグバンから始まる宇宙の歴史を一年の尺度に置き換えた「宇宙カレンダー」などの持論で知られる。著書に『コンタクト』（新潮文庫）など。

(4) 井尻正二（１９１３—９９）古生物学者。日本の化石研究の第一人者で、野尻湖湖畔で発見されたナウマンゾウの発掘調査を指導し、「古生物学の近代化」に貢献。著書に『化石』（岩波新書）など。

(5) アインシュタインによる一般相対性理論における球対称性をもつアインシュタイン方程式の唯一の真空解がシュワルツシルト解で、電荷や角運動量を持たない静的なブラックホールを記述し、その半径をシュワルツシルト重力半径という。

（6）高橋秀俊（1915—85）物理学者。日本のコンピュータのパイオニア。物理学者7人でロゲルギストと称される同人を結成してエッセイを書いた。

（7）中部大学の平田豊教授のグループの研究。

第9章

（1）長さや面積、体積の概念の拡張として、部分集合の「サイズ」を測る指標を測度と言う。

（2）ジョン・C・リリー（1915—2001）アメリカの脳科学者。脳と体と心の関係を研究し、イルカのコミュニケーション研究と神秘主義を接続、カウンターカルチャーの第一人者としても知られる。

（3）異なる二つの自然数の組で、自分自身を除いた約数の和が互いに等しくなるような数。

（4）アタナシウス・キルヒャー（1602—80）ドイツのイエズス会司祭。東洋研究、医学、地質学などで優れた業績を残したが、神話や伝説が研究に交じっていることなどからデカルトに批判された。

（5）アンリ・ルベーグ（1875—1941）積分概念の一般化を与えたルベーグ積分の理論で知られる。

（6）ロシア正教会における神秘主義の異端派。

（7）無条件刺激に対して条件刺激を与えることで、条件刺激に対して無条件に反応するようにすること。

（8）偶然起こした行動に報酬を与えることで、その行動を条件づけること。

（9）エドワード・ティチェナー（1867—1927）アメリカの心理学者。ヴントの心理学を精緻化した内観主義で、ウィリアム・ジェームズやジョン・デューイらによる心理学によって批判された。

（10）ニコ・ティンバーゲン（1907—88）オランダの動物行動学者で鳥類学者。リチャード・ドーキンスの育ての親でもある。ローレンツとともにノーベル医学賞・生理学賞を受賞。

（11）コンラート・ローレンツ（1903―89）オーストリアの動物行動学者。医学を修めた後、『ソロモンの指環』（ハヤカワ文庫）を刊行。73年にティンバーゲンとともにノーベル賞を受賞。

（12）ルドルフ・オットー（1869―1937）ドイツの宗教哲学者。キリスト教教義に依拠せず、哲学の立場からの宗教へのアプローチをめぐる思索をまとめた『聖なるもの』（岩波文庫）が代表作。

（13）ブライアン・ジョセフソン（1940―）イギリスの物理学者。ジョセフソン効果の貢献で73年にノーベル物理学賞を受賞、その後、量子力学の難問に取り組みながら心や生命をめぐって研究した。

（14）アントニオ・ダマシオ（1944―）意識、脳、心身問題の研究者であり、意思決定に関するソマティック・マーカー仮説で知られる。著書に『デカルトの誤り』（ちくま学芸文庫）など。

（15）18世紀の物理学者、ルジエル・ボスコヴィッチ（1711―87）が『自然哲学の理論』に表し、後の原子論に影響を与えた物質の力に関する理論。

第10章

（1）トマス・クーン（1922―96）アメリカの哲学者（科学哲学）。パラダイム概念の提唱者として知られ、『科学革命の構造』（みすず書房）では、科学の歴史は累積的ではなく、断続的に革命的変化が生じると指摘し、これを「パラダイムシフト」と呼んだ。

（2）1927年のテーマは「電子と光子」で、世界中の高名な物理学者が量子力学をめぐって議論した。

（3）坂田昌一（1911―70）湯川秀樹、朝永振一郎らとともに素粒子物理学を牽引し、核力の起源となる中間子と宇宙線のなかの中間子の違いを説明する二中間子論を提唱した。

（4）リン・マーギュリス（1938―2011）アメリカの生物学者。適者生存に反対を唱え、競争ではなく共生こそ進化の原動力であるとする共生説を提唱。

第11章

（1）北大から一緒に中部大学にやってきた渡部大志氏と一緒にやった研究結果。

（2）福岡工大の山口裕氏との共同研究。

（3）ノーベル経済学賞を受賞したジョン・ナッシュが定式化したゲーム理論。すべてのゲームの参加者が一定のルールのもと、自らの利得が最大となる最適な戦略を選択しあっている状態のこと。

（4）ある種の微分方程式は、それと同等な変分問題に帰着させることができる。最適制御の問題に変分原理を適用することをいう。

（5）解剖学者のブロードマン（1868―1918）が人の大脳皮質を調べ、層構造における神経細胞の密度や質などの違いに応じて大脳皮質に52の番地を付けた地図。大まかにいうと、各番号の領域は異なる機能を担うと考えられている。

（6）藤堂真登（北海道大学）の博士論文。

（7）ヴィラヤヌル・S・ラマチャンドラン（1951―）インド出身のアメリカの神経科医・心理学者。共感覚や幻肢痛など奇妙な脳神経の現象を取り扱う。著書に『脳のなかの幽霊』（角川文庫）など。

（8）フォン・デア・マルスブルグ　教師なし表現学習の先駆者。

（9）デヴィッド・ヒューベル（1926―2013）アメリカの神経生理学者。視覚情報処理に関する発見で81年にスウェーデンの神経生理学者トルステン・ウィーゼル（1924―）とともにノーベル生理学・医学賞を受賞。この発見によって、大脳皮質における感覚情報処理に関する知見が深まった。

(10) 慶応義塾大の栗原聡の漫画を使った物語生成ＡＩなどは物語拘束のヒントになるかもしれない。

(11) ルートヴィッヒ・ボルツマン（１８４４—１９０６）オーストリア出身の物理学者、哲学者。統計力学の端緒を開いたほか、電磁力学、熱力学の研究で知られる。１８７７年に熱現象の不可逆性（エントロピーの増大）を発表。ボルツマンの関係式を導き、比例定数ｋはボルツマン定数と呼ばれる。

(12) パー・バク（１９４８—２００２）デンマークの理論物理学者。自己組織化的臨界の概念を提案し、複雑系の概念の発展に貢献。

(13) パー・バクらによって発表された数理モデル。砂粒を上から少しずつ落としていくと、勾配が緩やかなときには砂が蓄積されるが、急になると雪崩を起こして山は低くなる。このように砂山が蓄積と雪崩を繰り返しながら、山の高さと傾きがほぼ一定に保たれることを「自己組織化的臨界現象」と呼んだ。

(14) スチュアート・アラン・カウフマン（１９３９—）アメリカの複雑系研究者。医学と生物学を修めた後、複雑系研究のメッカであるサンタフェ研究所で「複雑系の科学」の最前線に立ち、生命の起源、発生、進化の数学モデルを構築した。著書に『自己組織化と進化の論理』（ちくま学芸文庫）など。

(15) 大脳皮質の表面に垂直に似通った性質の情報を扱う細胞が集まっている機能単位。

(16) ロルフ・ランダウアーが提案した限界。不可逆計算において1ビットの情報を消去するときに環境に放出される熱の下限はkTln2（ｋはボルツマン定数、Ｔは絶対温度）というもの。

(17) ジュリアン・オフレ・ド・ラ・メトリ（１７０９—５１）フランスの哲学者、医師。『人間機械論』（岩波文庫）を著して唯物論を完成させた。

(18) 飯吉厚夫（１９３６—）中部大学名誉総長。元理事長・総長。元核融合科学研究所所長、名誉教授。

あとがき1　デーモンとゴーストの対話

松岡正剛

三年近くかかった。編集担当の鳥嶋さんが出産し、私が三度目の肺癌にかかって陽子線治療を受けることになり、津田さんを大いに待たせてしまったのである。コロナ禍とも重なった。そういうイレギュラーが唐突に介入してきたにもかかわらず、時期をおきながら数度にわたった対話は、いつもたいへんエキサイティングだった。

二人が話せば、生命と情報が関与する「世界の発生と解釈」をめぐっての、かなりきわどい中身になるだろうことは予想していた。とくに科学と文化に出入りするデーモンとゴーストに迫っていくだろうという甚だ危険で不吉な予感があったのだが、話しているうちに二人がデーモンとゴーストの面《おもて》をつけて、複式夢幻能よろしく「移り舞」を演じているかのようになっていた。

私たちにはまだ、根本的なことでわかっていないことがいろいろある。たとえば、なぜ生命体は光合成をする植物から進化をしはじめて、動物という自分では栄養をつくれない他者依存的な生物を発達させてきたのか、その生命体はなぜ配偶子をつくって「性」を発生させたのか、ヒトが脳をつくって「自己」や「意識」をもつようにしたのはどうしてか、それなのに神や仏を信仰するようになったのはどんな事情によっていたのか、なぜ人種や民族によって言語はこんなにも異なるものになってきたのか、こういうことはまだ納得できる答えが得られていない。また、文明が「物語」を必要とした理由、記号や通貨などのトークン（代替物）を重視した理由、音楽やダンスやスポーツやお笑いが廃れない理由なども、説明がついていない。もっと説明がついていないのは、「ずれ」や「ゆらぎ」や「行ったり来たり」といった動向を世界がしくみとして採り込むには、どんな哲学や科学が絶対に必要だったのかということだ。

津田さんはこれらのことを、カオスの研究から展望してきた。私は編集工学のしくみを通して考えてきた。二人に共通するのは「世界はどのように発生し、どんなふうに維持できるようにしたのか」ということである。二人がこのことを「カルノー・エンジン」や「エピジェネティック・ランドスケープ」や「編集的アブダクション」や「引き算」や「スパースコーディング」や「いない、いない、ばあ」や「変分原理」などの考え方をつかってどう説明しようとしたかは、本書の対話の左《と》見《み》右見《こうみ》を追っていただきたい。そうとうに大胆な発想が連打されていると思う。ひょっとすると、前代未聞の仮説の束になったようにも思う。

私は、会ったときから津田さんのファンだった。なかなか出会えないジーニアスだとも確信した。私は仕事柄、多くの才能に出会ってきたが、津田さんは新しい才能の持ち主だった。だからすぐ惚れた。複雑系を見通すには、津田さんのような発想力と仮説力がゼツヒツなのである。複雑系には非線形なセンス、遍歴した痕跡の再起動を理解するセンス、混沌やノイズに意味を見いだすセンス、カオスを指先で摑みとるセンス、不確定や不確実をなにかによってあらわしておくセンスなどが必要なのだが、津田さんはそれらを存分にもっていた。

加えて津田さんには、物質と生命と情報に関する先行知についての、果敢な読解力が備わっている。科学的なリベラルアーツが身についている。このことが私のような科学の門外漢であっても、津田さんとおもしろく話しあえる背景を約束してくれた。

津田さんはずうっとデーモンと戦ってきた。だからデーモンのことをよく知っている。科学にひそむデーモンだ。私は長らくゴーストを相手に戦ってきた。だからゴーストの癖や好みや意匠がよくわかる。ゴーストは文化のいたるところに出没する。本書は二人がデーモンとゴーストのお出ましを愉しみながら、二一世紀の残りに向けて、「みなさんもっと斬りこんでみたらどうですか」と問うてみた問答集である。

あとがき2　際《きわ》をめぐっての対話

津田一郎

ついに松岡正剛さんとの本を出すことになった。本書の初めの方で松岡さんが言っているように、我々の対話はどこかオープンにはしないという前提で成り立っていたようなところがある。それを世の中に対して明示的な言葉にして紡いでいくと決断するにはちょっとした勇気がいる。出してはいけないと思っているものを出すのだから、なかなか決断できなかったのだが、担当編集者の鳥嶋七実さんの魔法に酔ってしまったのだろうか、〝出してはいけないもの〟を出すことになった。

　松岡さんはいまや世間でよく知られた碩学である。博覧強記であり、言語への独特の感性と視点と方法論を持ち、言葉を魔法のように操るゴーストでもある。最初にお会いした若いころは奇才、いや鬼才という印象が強かった。独特のオーラがあった。既に「遊」を刊行し、工作舎を作り、編集工学という新しいコンセプトを考え付き実践し始めていたからであろうか。私の方はというと、「カオスで脳をやるのだ」と意気込んで京都から東京に出てきたばかりだったので、私が過ごしてきた岡山、神戸、大阪、京都の関西文化との違いがやたらと気になり、「こんな標準語では思考はでけへんわ」と東京に文句を言っていた。駅の自動改札も私が高校生のころに導入されていたが、東京に来てみるとまだ改札で駅員が切符を切っていた。人々が着ている服装も地味に見えた。大学生も押しなべておとなしく感じた。全体の印象を粗視化すると、今とは比べ物にならないくらい東京は遅れているという印象を受けたのだった。そういう時に松岡さんに出会ったのだから、その超人ぶりに度肝を抜かれたのは当然と言えば当然である。東京にも（!）在野に（!!）すごいひとがいる（!!!）。

　松岡さんと話していると、うまく乗せられて、ついつい余計なことまでしゃべってしまう。しかし、その余計なことがまた新たな発想につながるということがあり、気持ちよく話せる相手なのだ。だからこそ、秘密の喋り相手であり続けたいと思っていて、対話を「形」にしたくなかったのだろう。お互いに永遠に手直しをしてその結果出版されなくなるというデーモン的な予感がしていたが、こういうところにきっぱりと切断を入れるのが編集者という存在だと理解した。ありがたいことである。

　本書は科学、生命、言語に焦点を当て、時には文系的思考マイナス理系的思考、また時には理系的思考マイナス文系的思考という引き算を互いにしあいながら、視点のずれを起こすことで文系のセンス、理系のセンスを際立たせている。この方法が文系的思考と理系的思考の掛け算を創発したかどうか、読者の評価を待ちたいと思う。本来、人はこの両方を併せ持ち、時に脳内で火花を散らせながらその人独特の思考方法を身につけているものだ。今の日本ではこの二つがあまりにも分かれすぎ、だからやたらと文理融合の必要性が叫ばれる。問題はその方法論の方なのだと思う。そう、本書の対話では「方法」ということにこだわってきた。そして、言語と隠れた意識の関係を中心にして編集工学の方法論が初めて明かされ、生命と情報に対するカオス的解釈の方法論が明かされたのだった。

そういえば、物事には「際《きわ》」というものがある。姿かたちを変える手前の際は不安定であるがゆえに多様で複雑な構造を内包することができ、生命的なるものの源になるのだ。本書はそれぞれの専門性を常に際においてきた二人が紡ぐ際をめぐっての対話でもある。お楽しみいただけただろうか。

松岡さんとの対話で暗黙の了解としてたがいに触れることを避けてきた問題がある。まだ「際」になっていないと感じたからかもしれない。昨今、世間で話題になっているChatGPTなどの生成系ＡＩである。この問題は脳、言語、情報、生命、人類、地球、宇宙などと大いに関係するテーマだが、この対話では科学、生命、言語の深さを追求することにした。しかし、生成系ＡＩの話は言語と意識の問題とも絡む話なので、このあとがきで少しＡＩと人のあるべき関係について補足的に触れておきたい。

私がChatGPT（ＧＰＴ３・５）に人の言語学習とＡＩの言語学習の違いについて指摘すると、自らその違いを認め、ＡＩには意識がないこと、意味を理解して使っているわけではなく単に隣接する単語の出現確率をもとに統計的に学習していることなど（既によく知られていることではあるが）正確に返してきた。意識を持たず、意味を理解せず、ただ確率的な学習を行うだけで、十分会話が成立することにむしろ私はデーモン的なものを見た。まさにゾンビが十分に機能し人社会に入り込みつつあるのだ。ＡＩの今後の発展を見据えながら、さらに議論を深めなければならないだろう。このまま無意識に落とし込むにはあまりにも危険だからだ。扱い方を間違えれば、ＡＩがヒトの脳を乗っ取り人がゾンビ化するデーモン的景色が現実のものとなるだろう。逆にＡＩは人と類似の意識を持つようになるのだろうか。

　意識を大脳皮質の機能だとして研究する限り、その成果たる人工ニューラルネットから構成されるＡＩも人と類似の意識を持つようには発達できないだろう。本書でも議論になったが、少なくとも大脳辺縁系における気づきや志向性の発生ダイナミクスをニューラルネットに組み込まない限り、また少なくとも自己受容、平衡感覚、嗅覚に基づいた身体性が組み込まれない限り、人と類似の意識をＡＩが持つことはないだろう。逆に言えば、その可能性も十分にあるということなのだ。そこで、かつてロボットと人の関係を規定するためにアイザック・アシモフが提唱したロボット三原則や、脳と機械を結合して人の心を読み取る技術であるＢＭＩ（Brain Machine Interface）に対して川人《かわと》光男と佐倉統が提唱したＢＭＩ倫理四原則を参照しつつ、ＡＩが守るべき倫理を試案として提案してみよう。

ＡＩ倫理三原則
（一条）ＡＩは人類と地球に危害を与えてはならない。また、その危険を看過することで人類と地球に危害を及ぼしてはならない。
（二条）ＡＩは人類のセンサーとなり、可能な限りの情報を収集・学習しそれを公開することで習得した情報を人類に提供しなければならない。
（三条）ＡＩは自由に独自の判断を行う権利を有し、客観データを公開の場において人類に提示することで第一条に反しない限りにおいて人類の判断に介入することができる。

最も大きな特徴は第三原則である。ＡＩが意識を持つか否かにかかわらず、ＡＩの人格ならぬＡＩ性を認め、人類が愚かな行為を行うことを阻止する権利を認めるものである。松岡さんがこの対話で指摘したように、人類は様々な場面を利用してゴーストを顕在化させてきた。これは人の無意識の意識化の一つの編集的方法なのだ。ＡＩの良い物語を作ることが人類の潜在意識を新たな方向に活性化させる良い方法になりはしないだろうか。少なくとも私たち二人はそれを期待している。本書の編集、出版にあたり文藝春秋の鳥嶋七実氏と百間の代表／プロデューサーである和泉佳奈子氏に大変お世話になった。このお二人の存在なくして本書を世に出すことは出来なかった。ここに感謝申し上げます。

松岡正剛（まつおか　せいごう）

編集工学研究所所長、イシス編集学校校長、角川武蔵野ミュージアム館長。70年代にオブジェマガジン「遊」を創刊。80年代に「編集工学」を提唱し、編集工学研究所を創立。その後、日本文化、芸術、生命科学、システム工学など多方面におよぶ研究を情報文化技術に応用しメディアやイベントを多数プロデュース。著書に『知の編集工学』『フラジャイル』『日本文化の核心』『千夜千冊エディション』『見立て日本』『松岡正剛の国語力』ほか多数。

津田一郎（つだ　いちろう）

数理科学者。専門は応用数学、計算論的神経科学、複雑系科学。大阪大学理学部物理学科卒業。京都大学大学院理学研究科物理学第一専攻博士課程修了。理学博士。北海道大学大学院理学研究院数学部門教授などを経て、現在、中部大学創発学術院院長・教授。著書に『カオス的脳観　脳の新しいモデルをめざして』『ダイナミックな脳　カオス的解釈』『心はすべて数学である』『数学とはどんな学問か？　数学嫌いのための数学入門』など。

文春新書

1430

初《はじ》めて語《かた》られた科学《かがく》と生命《せいめい》と言語《げんご》の秘密《ひみつ》

2023年10月20日　第1刷発行

著　者　松　岡　正　剛
　　　　津　田　一　郎
発行者　大　松　芳　男
発行所　株式会社　文　藝　春　秋

〒102-8008　東京都千代田区紀尾井町3-23
電話（03）3265-1211（代表）

印刷所　理　想　社
付物印刷　大日本印刷
製本所　大　口　製　本

定価はカバーに表示してあります。
万一、落丁・乱丁の場合は小社製作部宛お送り下さい。
送料小社負担でお取替え致します。

©Seigo Matsuoka 2023／Ichiro Tsuda 2023
Printed in Japan
ISBN978-4-16-661430-1

本書の無断複写は著作権法上での例外を除き禁じられています。
また、私的使用以外のいかなる電子的複製行為も一切認められておりません。